『十三五』国家重点出版物出版规划项目

中国中药资源大典

湖南卷

6

黄璐琦 / 总主编
张水寒　刘　浩 / 湖南卷主编
刘塔斯　陈阳峰　龚力民 / 主　编

北京科学技术出版社

图书在版编目（CIP）数据

中国中药资源大典. 湖南卷. 6 / 刘塔斯, 陈阳峰, 龚力民主编. -- 北京 : 北京科学技术出版社, 2024. 6.

ISBN 978-7-5714-3953-8

Ⅰ. R281.4

中国国家版本馆CIP数据核字第20241GN230号

责任编辑： 侍 伟　李兆弟　尤竞爽　王治华　吕 慧　庞璐璐　刘 雪
责任校对： 贾 荣
图文制作： 樊润琴
责任印制： 李 茗
出 版 人： 曾庆宇
出版发行： 北京科学技术出版社
社　　址： 北京西直门南大街16号
邮政编码： 100035
电　　话： 0086-10-66135495（总编室）　0086-10-66113227（发行部）
网　　址： www.bkydw.cn
印　　刷： 北京博海升彩色印刷有限公司
开　　本： 889 mm × 1 194 mm　1/16
字　　数： 1 026千字
印　　张： 47.25
版　　次： 2024年6月第1版
印　　次： 2024年6月第1次印刷
审 图 号： GS京（2023）1758号
ISBN 978-7-5714-3953-8

定　　价：490.00元

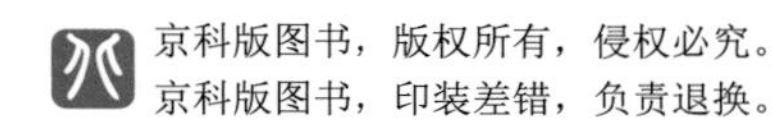

《中国中药资源大典·湖南卷》

编写委员会

嘉禾县中医医院
江永县中医院
靖州苗族侗族自治县中医医院
耒阳市中医医院
澧县中医医院
涟源市中医医院
临武县中医医院
零陵区中医医院
龙山县中医院
娄底市中医医院
渌口区淦田镇中心卫生院
汨罗市中医医院
宁乡市中医医院
平江县中医医院
祁阳市中医医院
桑植县民族中医院
邵阳市中西医结合医院
邵阳县中医医院
石门县中医医院
双牌县中医医院
桃江县中医医院
通道侗族自治县民族中医医院
武冈市中医医院
湘潭县中医医院
湘阴县中医医院
新晃侗族自治县中医医院
新邵县中医医院

江华瑶族自治县民族中医医院
津市市中医医院
蓝山县中医医院
冷水江市中医医院
醴陵市中医院
临澧县中医医院
临湘市中医医院
浏阳市中医医院
隆回县中医医院
泸溪县民族中医院
麻阳苗族自治县中医医院
南县中医医院
宁远县中医医院
祁东县中医医院
汝城县中医医院
邵东市中医医院
邵阳市中医医院
韶山市人民医院
双峰县中医医院
绥宁县中医医院
桃源县中医医院
望城区人民医院
湘潭市中医医院
湘乡市中医医院
新化县中医医院
新宁县中医医院
新田县中医医院

溆浦县中医医院
宜章县中医医院
永顺县中医院
永州市中医医院
沅江市中医医院
岳阳市中医医院
云溪区中医医院
芷江侗族自治县中医医院
炎陵县中医医院
益阳市中医医院
永兴县中医医院
攸县中医院
沅陵县中医医院
岳阳县中医医院
张家界市中医医院
资兴市中医医院

主编简介

>> 张水寒

二级研究员，博士研究生导师。享受国务院政府特殊津贴专家、享受湖南省政府特殊津贴专家、湖南省卫生健康高层次人才医学学科领军人才，入选国家“百千万人才工程”，并被授予“有突出贡献中青年专家”荣誉称号。主要从事中药资源、中药制剂及中药质量标准方面的研究。

近10年来，主持和参与“重大新药创制”、国家自然科学基金、“十二五”国家科技支撑计划等20余项课题。获得新药证书12项、药物临床批件22项、国家发明专利13项。发表学术论文200余篇，其中以第一作者和通讯作者发表SCI论文30余篇，编写专著7部。获得国家科学技术进步奖二等奖1项、省部级奖励5项。

2011年以来，担任湖南省第四次全国中药资源普查技术总负责人、湖南省中药资源动态监测省级中心主任，主持建立“技术分层、突出量化、严把质控”的中药资源普查组织管理与技术保障模式；开展重点品种研究示范，大力推动普查成果转化、应用。

主编简介

>> 刘　浩

副研究员。湖南省中医药研究院中药资源研究所中药资源与鉴定研究室主任。主要从事中药资源、中药鉴定与本草学研究。

历任湖南省中药资源普查工作领导小组办公室成员、专家委员会委员、专家委员会办公室副主任，负责湖南省第四次全国中药资源普查组织管理与技术保障工作的具体实施，采集、鉴定普查标本近10万号，参与建成湖南省中药资源数据库、药用植物标本馆，熟悉湖南省中药资源基本情况及道地药材传承与发展的情况，编制省级、县级中药材产业发展规划10余份。2014年起任湖南省中药资源动态监测省级中心秘书，参与建成“一个中心，三个监测站，百个监测点”的湖南省中药资源动态监测与技术服务体系。

《中国中药资源大典·湖南卷 6》

编写委员会

主　　编　刘塔斯　陈阳峰　龚力民

副 主 编　林丽美　曾晓艳　陈　林　沈冰冰　王建华　邓钰文

编　　委　（按姓氏笔画排序）

王建华（宁乡市中医医院）

邓钰文（湖南中医药大学第二附属医院）

刘应蛟（江西中医药大学）

刘灿黄（长沙市食品药品信息与审评认证中心）

刘洪亮（湖南衡岳中药饮片有限公司）

刘塔斯（湖南中医药大学）

杨德泉（湘西土家族苗族自治州食品药品检验所）

肖　岚（湖南中医药大学）

肖可可（新南威尔士大学）

肖冰梅（湖南中医药大学）

何　杰（宁乡市中医医院）

沈冰冰（湖南省中医药研究院）

宋多米（湖南商务职业技术学院）

陈　林（湖南省中医药研究院）

陈阳峰（湖南农业大学）

邵　莉（湖南中医药大学）

林丽美（湖南中医药大学）

周志扬（湖南康宝林药业有限公司）

贺云彪（常德市药品检验所）

秦　霞（湖南中医药大学第二附属医院）

唐　勇（怀化市检验检测中心）
龚力民（湖南中医药大学）
彭江丽（湖南中医药大学）
曾晓艳（湖南中医药大学）
褚思思（湖南中医药高等专科学校）

《中国中药资源大典 · 湖南卷 6》

编辑委员会

序言

中药资源是中医药事业和产业发展的重要物质基础。随着中医药事业和产业蓬勃发展，社会各界对中药资源的需求量逐渐增加。为摸清中药资源家底，科学制定中药资源保护和产业发展政策措施，国家中医药管理局组织实施了第四次全国中药资源普查，对促进中药资源可持续利用、助力健康中国行动的实施和区域社会经济发展做出了重要贡献。

湖南地处云贵高原向江南丘陵、南岭山脉向江汉平原过渡的地带，属大陆性亚热带季风湿润气候区，独特的地理环境孕育了丰富的中药资源。锦绣潇湘，物华天宝，人杰地灵。湖南省作为首批 6 个中药资源普查试点省区之一，由湖南省中医药研究院作为技术牵头单位，组织全省技术人员队伍，出色地完成了湖南第四次中药资源普查工作任务。

张水寒和刘浩两位“伙计”基于湖南中药资源普查获得的第一手调查资料，系统整理分析、总结普查成果，牵头主编了《中国中药资源大典·湖南卷》。该书既有湖南自然社会概况、中药资源种类等总体情况介绍，又有湖南特色中药资源的历史源流与生产现状阐述，还对 4 196 种中药资源的基本情况进行详细介绍。该书可作为认识和了解湖南中药资源的工具书，具有重要的学术价值和应用价值。希望该书的出版，能助力湖南中药产业高质量发展，为中药资源的可持续发展、优化中药产业布局、促进学术交流和科学研究起到积极推动作用。

付梓之际，欣然为序。

中国工程院院士
中国中医科学院院长
第四次全国中药资源普查技术指导专家组组长

2024 年 4 月

前言

湖南地处云贵高原向江南丘陵过渡、南岭山脉向江汉平原过渡的中亚热带，位于东经108° 47′～114° 15′、北纬24° 38′～30° 08′。东以幕阜、武功诸山系与江西交界，西以云贵高原东缘连贵州，西北以武陵山脉毗邻重庆，南枕南岭与广东、广西相邻，北以滨湖平原与湖北接壤，形成了东、南、西三面环山，中部丘岗起伏，北部湖盆平原展开的马蹄形地形。湖南有半高山、低山、丘陵、岗地和平原等多种地貌类型，其中山地面积占全省总面积的51.22%。湖南位于长江以南的东亚季风区，加之离海洋较远，形成了气候温暖、四季分明、热量充足、雨水集中、春温多变、夏秋多旱、严寒期短、暑热期长、雨热同期的亚热带季风湿润气候。湖南为华东、华中、华南、滇黔桂4个植物区系的过渡地带，其境内植物具有较明显的东西、南北过渡性。地带性植被为常绿阔叶林，地带性土壤为红壤。湖南亚热带季风的大气候与复杂地势地貌的小环境，共同孕育了丰富的中药资源。

湖南历史文化悠久，是华夏文明的重要发祥地之一。道县玉蟾岩遗址出土了世界上现存最早的人工栽培稻标本，距今1.2万年。澧县城头山古文化遗址被称为“中国最早的城市”，距今约6 000年。宋代罗泌《路史》载炎帝“崩，葬长沙茶乡之尾……唐世尝奉祀焉”。《古今图书集成·衡州府古迹考》载：“炎帝神农氏陵，在酃之康乐乡。”“康乐乡”即今株洲市炎陵县鹿原镇。长沙马王堆汉墓出土的16部医书涉及方剂学、脉学、经络学等多门学科，代表了我国先秦时期的医药成就，其中《五十二病方》是我国现存最早的方书。

湖南中药资源的研究与应用历史悠久。马王堆汉墓出土的药材有桂皮、花椒、干姜、藁本、佩兰、辛夷、牡蛎、朱砂等，出土医书中的中药名共406个。《新唐书·地理志》载："岳州巴陵郡贡鳖甲，潭州长沙郡贡木瓜，永州零陵郡贡零陵香、石蜜、石燕，道州江华郡贡零陵香、犀角，辰州泸溪郡贡光明砂、犀角、水银、黄连、黄牙……锦州卢阳郡贡光明丹砂、犀角、水银。"唐代柳宗元《捕蛇者说》云："永州之野产异蛇，黑质而白章。"此即常用中药蕲蛇。宋代苏颂等编撰的《本草图经》，实际上是继《新修本草》后本草史上第二次全国药物普查的成果，集中反映了宋代实际的药物出产与使用情况，该书收载了当时湖南境内8州的28幅药图，包括辰州丹砂、道州石钟乳、道州滑石、道州石南、永州石燕、衡州菖蒲、衡州玄参、衡州栝楼、衡州地榆、衡州百部、衡州马鞭草、衡州五加皮、衡州乌药、澧州莎草、邵州苦参、邵州天麻、邵州乌头、鼎州茅根、鼎州连翘、鼎州地芙蓉、鼎州水麻、岳州假苏、岳州薄荷等。清代吴其濬所著《植物名实图考》收载的湖南药用植物达267种。明清之际，湖南各府县广泛修著地方志，并在"物产"中记载本地所产药材，如清道光《宝庆府志》（1849）与光绪《邵阳县志》（1876）均记载："百合，邵阳出者特大而肥美。"清末《邵阳县乡土志》（1907）载："玉竹参一名葳蕤，又名女萎，近谷皮洞多产此。"并载邵阳常见中药材尚有黄精、香附子、金樱子、栀子、金银花、桑白皮、厚朴、丹皮、天花粉、天南星、何首乌、前胡、桔梗、牛膝、五倍子、络石藤、吴茱萸、木通、车前草、香薷、木鳖子等。

中华人民共和国成立以来，党和政府高度重视中医药的传承与发展。湖南先后开展了4次全省范围的中药资源调查工作，掌握了全省中药资源的种类、分布、产量与民间药用情况的本底资料。20世纪50年代末，湖南开展了"群众性的中医采风运动"，全省献方达数十万个，湖南中医药研究所（1957年创办，1962年更名为湖南省中医药研究所，1984年更名为湖南省中医药研究院）组织专家对献方进行了研究，为各地挖掘使用中药资源奠定了坚实的基础。20世纪60—70年代，湖南开始兴起中草药群众运动。为了更好地开展中草药群众运动，湖南省中医药研究所对基层医疗工作者、赤脚医生、老药农、老草医与地方卫生局、药品检验所、医药公司提供的大量标本和资料进行了整理与鉴定，系统地梳理了这一时期湖南中药资源的种类和应用情况。1962年，湖南省中医药研究所出版了《湖南药物志（第一辑）》，该书收载药用植物 417 种。1972 年，《湖南药物志（第二辑）》出版，收载药用植物 406 种。1979 年，《湖南药物志（第三辑）》出版，收载药用植物 341 种。20 世纪 80 年代，湖南第三次中药资源普查正式开始，此次普查共采集植物、动物、矿物标本 298 785 份，拍摄照片 13 457 张，调查到全省中药资源种类 2 384 种，其中植物药 2 077 种，动物药 256 种，矿物药 51 种；全国重点调查的 363 种药材中，湖南产 241 种；测算全省植物药蕴藏量 107.8 万 t，动物药蕴藏量 1 306 t，矿物药蕴藏量 1 147 万 t；共收集单验方 25 355 个，经各地（州、市）筛选汇编的有 8 000 多个，经名老中医严格审查选用的有 2 400 余个，这 2 400 余个单验方编成了《湖南省中草药民间单验方选编》。

2011 年，第四次全国中药资源普查试点工作启动。湖南作为首批 6 个试点省区之一率先启动普查工作，历时 11 年，先后分 6 批，进行了全省 122 个县级行政区域的中药资源普查工作。湖南本次普查共调查代表区域 550 个，代表区域总面积 149 101.03 km^2；调查样地 4 598 个，样方套 22 904 个；采集腊叶标本 116 443 号、药材样品 10 204 份、种质资源 5 913 份；调查传统知识 1 252 份；拍摄照片 1 519 340 张；计算蕴藏量的种类 584 种；调查栽培品种 160 种、市场流通中药材 479 种；调查数据约 210 万条。本次普查全面掌握了湖南中药资源种类与分布、重点品种的资源量、中药材市场流通等信息，为湖南中医药事业、产业发展提供了科学依据。

湖南第四次中药资源普查为适应时代发展需求，创新应用了大量现代技术，提高了工作效率，保障了数据的完整性、一致性、准确性和实用性。通过引入空间信息技术与分层抽样方法设置的调查区域与样地更具代表性，从而使资源蕴藏量的估算更加科学。野外调查中应用 GPS、数码相机、信息采集软件等获取经度、纬度、海拔等信息化数据，搭建了信息化工作平台。湖南在约 210 万条数据的基础上建成了湖南省中药资源数据库，实现了全省中药资源数据的长久保存、可视查询、成果转化和共享服务。本书中的基原图片、资源分布等内容充分利用了数据库的查询、统计功能，湖南省最新中药资源区划也利用了普查数据，全省被划分为湘西北武陵山中药资源区、湘西南雪峰山中药资源区、湘南南岭北部中药资源区、湘中湘东丘陵中药资源区、洞庭湖及环湖丘岗中药资源区 5 个中药资源分区。

编著一套图文并茂、系统全面反映湖南中药资源家底的著作是普查工作的重要组成部分。2021年，湖南第四次中药资源普查进入收尾阶段，我们组织专家对《中国中药资源大典·湖南卷》的编写体例、资源名录、图片整理及分工安排进行了多轮讨论，最后形成了编写工作方案。野外工作得到的一手数据，是我们编著本书的关键素材，书中的图片来源于野外拍摄，分布信息来源于凭证标本的采集地点，资源蕴藏量信息来源于实际调查，因此，本书充分体现了湖南第四次中药资源普查的全方位成果。

第四次全国中药资源普查技术指导专家组组长黄璐琦院士多次带领普查专家组莅临湖南指导普查工作。湖南省委、省政府高度重视中药资源普查工作；湖南省中医药管理局作为普查组织实施单位，构建了符合湖南实际情况的普查组织模式；湖南省中医药研究院作为技术牵头单位，组织成立了专家委员会，指导全省普查工作。在各方的共同努力下，湖南顺利完成了第四次中药资源普查工作。我们向支持普查工作的社会各界表示由衷的感谢，向奋战在普查一线的“伙计们”致以诚挚的敬意！

普查的大量数据是我们编著本书的优势，同时也为整理图片、撰写文稿带来了巨大的挑战，加之编者学术水平有限，书中难免存在资料取舍失当及错漏之处，敬请有关专家、学者批评指正。

编　者

2024年4月

凡例

（1）本书共14册，分为上、中、下篇。上篇综述了湖南自然社会概况、中药资源调查历史、第四次中药资源普查情况、中药资源分布；中篇论述了34种湖南道地、大宗中药资源；下篇共收录中药资源4 196种，其中药用菌类资源36种、药用植物资源3 799种、药用动物资源315种、药用矿物资源46种。另外，附录中收录药用资源305种。

（2）分类系统。菌类参考Index Fungorum最新的分类学研究成果。蕨类植物采用秦仁昌分类系统（1978）。裸子植物采用郑万钧分类系统（1978）。被子植物采用恩格勒系统（1964）。

（3）本书下篇主要介绍各中药资源，以中药资源名为条目名，下设药材名、形态特征、生境分布、资源情况、采收加工、药材性状、功能主治、用法用量及附注等，其中采收加工、药材性状、用法用量为非必要项，资料不详者项目从略。各项目编写原则简述如下。

1）条目名。该项记述中药资源物种及其科属的中文名、拉丁学名。其中蕨类植物、裸子植物、被子植物的名称主要参考《中国植物志》，藻类、动物、矿物的名称主要参考《中华本草》。

2）药材名。该项记述中药资源的药材名、药用部位与药材别名。凡《中华人民共和国药典》等法定标准收载者，原则上采用法定药材名；法定标准未收载者，主要参考《中华本草》《全国中草药名鉴》《中国中药资源志要》。药材别名记载湖南各地乡村中医、草医及民间习惯用名。

3）形态特征。该项简要描述中药资源的形态特征，突出鉴别特征。主要参考《中国植物志》，并结合普查实际所获取的信息进行描述。

4）生境分布。该项记述中药资源在湖南的生存环境与分布区域。生存环境主要源于凭证标本的生境，并参考相关志书的描述。分布区域源于凭证标本的采集地，以“地市级行政区划（县级行政区划）”的形式进行描述。在湖南五大中药资源分区中皆有分布且凭证标本超过20号者，记述为“湖南各地均有分布”。

5）资源情况。该项记述中药资源的蕴藏量情况，用丰富、较丰富、一般、较少、稀少来表示；并用“野生”或“栽培”记述药材的主要来源。

6）采收加工。该项记述药材的采收时间与加工方法。

7）药材性状。该项主要记述药材的性状特征、品质评价等内容。

8）功能主治。该项记述药材的性味、毒性、归经、功能和主治。

9）附注。该项记述中药资源最新的分类学地位与接受名的变动情况；记述《中华人民共和国药典》与地方标准收载的物种学名；描述物种的濒危等级、其他医药相关用途，以及本草、地方志书中的资源方面的记载情况等。

（4）附录。以名录形式收载中篇、下篇没有收载的湖南分布的中药资源。

目录

Contents

被子植物

蔷薇科 Rosaceae 龙芽草属 *Agrimonia*

小花龙芽草

Agrimonia nipponica Koidz. var. *occidentalis* Skalicky

|药 材 名|

小花仙鹤草（药用部位：全草）。

|形态特征|

多年生草本。主根短粗，常呈块状，周围生多数纤细侧根，基部常有地下芽。茎高30 ~ 90 cm，上部密被短柔毛，下部密被黄色长硬毛。叶为间断奇数羽状复叶，叶柄被柔毛；小叶片无柄或有短柄，棱状椭圆形，长1.5 ~ 4 cm，宽1 ~ 2 cm，先端通常急尖或圆钝，基部宽楔形，边缘有圆齿，上面伏生疏柔毛，下面沿脉上横生稀疏长硬毛；托叶镰形或半圆形，边缘有急尖锯齿，茎下部托叶常全缘。花序通常分枝，纤细；花梗长1 ~ 3 mm；苞片小，3深裂，小苞片1对，卵形，通常不分裂，先端短渐尖；花小，直径4 ~ 5 mm。果实小，萼筒钟状，半球形，外面有10肋，被疏柔毛，先端具数层钩刺，开展，连钩刺长4 ~ 5 mm，宽处直径2 ~ 2.5 mm。花果期8 ~ 11月。

|生境分布|

生于海拔200 ~ 1 500 m的山坡草地、山谷溪边、灌丛、林缘及疏林下。湖南各地均有分布。

| 资源情况 | 野生资源较少。药材来源于野生。

| 采收加工 | 当年或翌年开花前枝叶茂盛时采收，切段，晒干或鲜用。

| 功能主治 | 用于咯血，吐血，崩漏，血痢，感冒发热。

| 附　　注 | 本种与龙芽草 *Agrimonia pilosa* Ldb. 的区别在于本种花和果实较小，钩刺在成熟果实上开展而不向内靠合，小叶棱状椭圆形，小叶下面脉上横生稀疏长硬毛。

蔷薇科 Rosaceae 龙芽草属 *Agrimonia*

龙芽草 *Agrimonia pilosa* Ldb.

| 药 材 名 | 仙鹤草（药用部位：地上部分。别名：路边鸡、路边黄、毛将军）、鹤草芽（药用部位：地下根茎芽。别名：牙子、狼牙、犬牙）、龙芽草根（药用部位：根。别名：地冻风）。

| 形态特征 | 多年生草本。根多呈块茎状，周围长出若干侧根，根茎短，基部常有 1 至数个地下芽。茎高 30 ~ 120 cm，被疏柔毛及短柔毛，稀下部被稀疏长硬毛。叶为间断奇数羽状复叶；小叶片无柄或有短柄，倒卵形、倒卵状椭圆形或倒卵状披针形，长 1.5 ~ 5 cm，宽 1 ~ 2.5 cm，边缘有急尖至圆钝的锯齿，上面被疏柔毛，稀脱落无毛，下面脉上通常伏生疏柔毛，稀脱落无毛，有显著腺点。花序穗状，总状顶生，分枝或不分枝，花序轴被柔毛；花梗长 1 ~ 5 mm，

被柔毛；苞片通常3深裂，裂片带形，小苞片对生，卵形，全缘或分裂；花直径6 ~ 9 mm，花瓣黄色，长圆形。果实倒卵状圆锥形，外面有10肋，被疏柔毛，先端有数层钩刺，幼时直立，成熟时靠合，连钩刺长7 ~ 8 mm，宽处直径3 ~ 4 mm。花果期5 ~ 12月。

| **生境分布** | 生于海拔100 ~ 2 000 m的溪边、路旁、草地、灌丛、林缘及疏林下。湖南各地均有分布。

| **资源情况** | 野生资源丰富。药材来源于野生。

| **采收加工** | **仙鹤草**：当年或翌年开花前枝叶茂盛时采收，切段，晒干或鲜用。

鹤草芽：冬、春季新株萌发前挖取根茎，除去老根，留幼芽（带小根茎），洗净，晒干或低温烘干，或鲜用。

龙芽草根：秋后采挖，洗净，晒干。

| **药材性状** | **仙鹤草**：本品长50 ~ 100 cm，被白色柔毛。茎下部圆柱形，直径0.4 ~ 0.6 cm，红棕色，上部方柱形，四面略凹陷，绿褐色，有纵沟及棱线，有节；体轻，质硬，易折断，断面中空。奇数羽状复叶互生，暗绿色，皱缩卷曲；质脆，易碎；叶片有大、小2种，相间生于叶轴上，先端小叶较大，完整小叶片展开后呈倒卵形或倒卵状椭圆形，先端尖，基部楔形，边缘有锯齿，托叶2，抱茎，斜卵形。总状花序细长，花直径6 ~ 9 mm；花萼下部呈筒状，萼筒上部有钩刺，先端5裂；

花瓣黄色。果实连钩刺长 0.7 ~ 0.8 cm，宽处直径 0.3 ~ 0.4 cm。气微，味微苦。

鹤草芽：本品呈圆锥形，中上部常弯曲，全长 2 ~ 6 cm，直径 0.5 ~ 1 cm，顶部包以数枚浅棕色膜质芽鳞。根茎短缩，圆柱形，长 1 ~ 3 cm，表面棕褐色，有紧密环状节，节上生有棕黑色退化鳞叶，根茎下部有时残存少数不定根。根茎芽质脆易碎，折断后断面平坦，黄白色。气微，略有豆腥气，味先微甜而后涩、苦。

| 功能主治 | **仙鹤草：**涩、辛，平。归肺、肝、脾经。收敛止血，截疟，止痢，解毒。用于吐血，咯血，尿血，便血，劳伤。

鹤草芽：苦、涩，平。驱虫。用于绦虫病。

龙芽草根：辛、涩，温。解毒，驱虫。用于赤白痢疾，疮疡，肿毒，疟疾，绦虫病，闭经。

| 用法用量 | **仙鹤草：**内服煎汤，10 ~ 15 g，大剂量可用 30 ~ 60 g；或入散剂。外用适量，捣敷；或熬膏涂敷。

鹤草芽：内服煎汤，10 ~ 30 g；或研末，15 ~ 30 g，小儿用量为 0.7 ~ 0.8 g/kg。外用适量，煎汤洗；或鲜品捣敷。

龙芽草根：内服煎汤，9 ~ 15 g；或研末。外用适量，捣敷。

| 附　　注 | 本种同属植物小花龙芽草 *Agrimonia nipponica* Koidz. var. *occidentalis* Skalicky、托叶龙芽草 *Agrimonia coreana* Nakai 和大花龙芽草 *Agrimonia eupatoria* L. subsp. *asiatica* (Juzep.) Skalicky 的地上部分在分布地区也作仙鹤草药用。

蔷薇科 Rosaceae 龙芽草属 *Agrimonia*

黄龙尾 *Agrimonia pilosa* (D. Don) Nakai var. *nepalensis*

| 药 材 名 | 黄龙尾（药用部位：全草。别名：仙鹤草、石打穿、子母草）。

| 形态特征 | 多年生草本。根多呈块茎状，周围长出若干侧根，根茎短，基部常有 1 至多数地下芽。茎高 30 ~ 120 cm，茎下部密被粗硬毛，叶上面脉上被长硬毛或微硬毛，脉间密被柔毛或绒毛状柔毛。叶为间断奇数羽状复叶，通常有小叶 3 ~ 4 对，稀 2 对，向上减少至 3 小叶，叶柄被稀疏柔毛或短柔毛；小叶片无柄或有短柄，倒卵形、倒卵状椭圆形或倒卵状披针形，长 1.5 ~ 5 cm，宽 1 ~ 2.5 cm，先端急尖至圆钝，稀渐尖，基部楔形至宽楔形，边缘有急尖至圆钝锯齿，上面被疏柔毛，稀脱落几无毛，下面通常脉上疏生伏柔毛，稀脱落几无毛，有显著腺点；托叶草质，绿色，镰形，稀卵形，先端急尖或

渐尖，边缘有尖锐锯齿或裂片，稀全缘，茎下部托叶有时卵状披针形，常全缘。花序穗状总状顶生，分枝或不分枝，花序轴被柔毛，花梗长 1 ~ 5 mm，被柔毛；苞片通常 3 深裂，裂片带形，小苞片对生，卵形，全缘或边缘分裂；花直径 6 ~ 9 mm；萼片 5，三角卵形；花瓣黄色，长圆形；雄蕊 5 ~ 15；花柱 2，丝状，柱头头状。果实倒卵状圆锥形，外面有 10 肋，被疏柔毛，先端有数层钩刺，幼时直立，果实成熟时靠合，连钩刺长 7 ~ 8 mm，最宽处直径 3 ~ 4 mm。花果期 5 ~ 12 月。

| 生境分布 | 生于海拔 100 ~ 2 000 m 的溪边、山坡草地及疏林。分布于湖南永州（东安）、邵阳（绥宁、洞口）等。

| 资源情况 | 野生资源稀少。药材来源于野生。

| 功能主治 | 收敛止血。

蔷薇科 Rosaceae 唐棣属 *Amelanchier*

唐棣 *Amelanchier sinica* (Schneid.) Chun

|药材名| 唐棣（药用部位：树皮。别名：红枸子、栒子木）。

|形态特征| 小乔木，高 3 ~ 5 m，稀达 15 m。枝条稀疏；小枝细长，圆柱形，无毛或近无毛，紫褐色或黑褐色，疏生长圆形皮孔；冬芽长圆锥形，先端渐尖，具浅褐色鳞片，鳞片边缘有柔毛。叶片卵形或长椭圆形，长 4 ~ 7 cm，宽 2.5 ~ 3.5 cm，先端急尖，基部圆形，稀近心形或宽楔形，通常在中部以上有细锐锯齿，基部全缘，幼时下面沿中脉和侧脉被绒毛或柔毛，老时脱落无毛；叶柄长 1 ~ 2.1 cm，偶有散生柔毛；托叶披针形，早落。总状花序，多花，长 4 ~ 5 cm，直径 3 ~ 5 cm；总花梗和花梗无毛或最初有毛，以后脱落；花梗细，长 8 ~ 28 mm；苞片膜质，线状披针形，长约 8 mm，早落；花直径 3 ~ 4.5 cm；萼筒杯状，外被柔毛，逐渐脱落；萼片披针形或三角

状披针形，长约 5 mm，先端渐尖，全缘，与萼筒近等长或稍长，外面近无毛或散生柔毛，内面有柔毛；花瓣细长，长圆状披针形或椭圆状披针形，长约 1.5 cm，宽约 5 mm，白色；雄蕊 20，长 2 ~ 4 mm，远比花瓣短；花柱 4 ~ 5，基部密被黄白色绒毛，柱头头状，比雄蕊稍短。果实近球形或扁圆形，直径约 1 cm，蓝黑色；萼片宿存，反折。花期 5 月，果期 9 ~ 10 月。

| 生境分布 | 生于海拔 1 000 ~ 2 000 m 的山坡、灌丛中。分布于湖南常德（石门）等。

| 资源情况 | 野生资源稀少。药材来源于野生。

| 功能主治 | 有小毒。去瘀止痛。

蔷薇科 Rosaceae 假升麻属 *Aruncus*

假升麻 *Aruncus sylvester* Kostel.

| 药材名 |

棣棠升麻（药用部位：全草或根。别名：升麻）。

| 形态特征 |

多年生草本，基部木质化，高 1 ~ 3 m。茎圆柱形，无毛，带暗紫色。大型羽状复叶，通常二回，稀三回，总叶柄无毛；小叶片 3 ~ 9，菱状卵形、卵状披针形或长椭圆形，长 5 ~ 13 cm，宽 2 ~ 8 cm，边缘有不规则的尖锐重锯齿，不具托叶。大型穗状圆锥花序，长 10 ~ 40 cm，直径 7 ~ 17 cm，外被柔毛与稀疏星状毛，果期毛较少；苞片线状披针形，微被柔毛；花直径 2 ~ 4 mm；萼筒杯状，微具毛；萼片三角形，先端急尖，全缘；花瓣倒卵形，先端圆钝，白色；雄花具雄蕊 20，着生在萼筒边缘，花丝比花瓣长约 1 倍，有退化雌蕊，花盘盘状，边缘有圆形突起 10；雌花心皮 3 ~ 4，稀 5 ~ 8，花柱顶生，微倾斜于背部，雄蕊短于花瓣。蓇葖果并立，无毛；果柄下垂，萼片宿存，开展，稀直立。花期 6 月，果期 8 ~ 9 月。

| 生境分布 |

生于海拔 1 800 ~ 2 000 m 的山沟、山坡、

杂木林下。分布于湖南湘西州（龙山、保靖）、张家界（永定）、娄底（新化）、永州（蓝山）等。

| 资源情况 | 野生资源稀少。药材来源于野生。

| 采收加工 | 全草，夏季采收，晒干。根，秋季采挖，洗净，晒干。

| 功能主治 | 补虚，止痛。用于虚劳乏力，跌打损伤，筋骨酸痛。

| 用法用量 | 内服煎汤，5 ~ 10 g。

蔷薇科 Rosaceae 樱属 *Cerasus*

华中樱桃 *Cerasus conradinae* (Koehne) Yu et Li

| 药材名 | 红若桃（药用部位：树皮、叶）。

| 形态特征 | 乔木，高 3 ~ 10 m。树皮灰褐色；小枝灰褐色，嫩枝绿色，无毛；冬芽卵形，无毛。叶片倒卵形、长椭圆形或倒卵状长椭圆形，长 5 ~ 9 cm，宽 2.5 ~ 4 cm，先端骤渐尖，基部圆形，边有向前伸展的锯齿，齿端有小腺体，上面绿色，下面淡绿色，两面均无毛，侧脉 7 ~ 9 对；叶柄长 6 ~ 8 mm，无毛，有 2 腺；托叶线形，长约 6 mm，边有腺齿，花后脱落。伞形花序；花 3 ~ 5，先于叶开放，直径约 1.5 cm；总苞片褐色，倒卵状椭圆形，长约 8 mm，宽约 4 mm，外面无毛，内面密被疏柔毛；总梗长 0.4 ~ 1.5 cm，稀不明显，无毛；苞片褐色，宽扇形，长约 1.3 mm，有腺齿，果时脱落；花梗长 1 ~

1.5 cm，无毛；萼筒钟状管形，长约 4 mm，宽约 3 mm，无毛，萼片三角卵形，长约 2 mm，先端圆钝或急尖；花瓣白色或粉红色，卵形或倒卵圆形，先端 2 裂；雄蕊 32 ～ 43；花柱无毛，比雄蕊短或稍长。核果卵球形，红色，纵径 8 ～ 11 mm，横径 5 ～ 9 mm；核表面棱纹不显著。花期 3 月，果期 4 ～ 5 月。

| 生境分布 | 生于海拔 400 ～ 1 650 m 的山坡林下阴湿地和沟谷溪旁草丛中。分布于湖南邵阳（新宁、武冈、新邵、隆回、洞口）、株洲（炎陵）、衡阳（衡南、衡山、祁东）、张家界（桑植、永定）、郴州（宜章）、怀化（沅陵、麻阳、芷江、洪江）、常德（石门）、湘西州（保靖、永顺）等。

| 资源情况 | 野生资源稀少。药材来源于野生。

| 功能主治 | 杀虫止痒。用于阴道滴虫病，疥癣。

蔷薇科 Rosaceae 樱属 *Cerasus*

尾叶樱桃 *Cerasus dielsiana* (Schneid.) Yu et Li

| 药材名 | 尾叶樱桃（药用部位：种子）。

| 形态特征 | 乔木或灌木。高 5 ~ 10 m。嫩枝无毛或密被褐色长柔毛。叶片长椭圆形或倒卵状长椭圆形，先端尾状渐尖，基部圆形至宽楔形，叶边有尖锐单齿或重锯齿，上面暗绿色，下面淡绿色，中脉和侧脉密被开展柔毛，侧脉 10 ~ 13 对；叶柄密被开展柔毛，先端或上部有 1 ~ 3 腺体；托叶狭带形，边有腺齿。花序伞形，有花 3 ~ 6，花先于叶开放；总苞褐色，长椭圆形，内面密被伏生柔毛；总梗被黄色开展柔毛；苞片卵圆形，边缘撕裂状，有长柄腺体；花梗被褐色开展柔毛；萼筒钟形，被疏柔毛，萼片长椭圆形或椭圆状披针形，先端急尖或钝，边有缘毛；花瓣白色或粉红色，卵圆形，先端 2 裂；雄蕊

32 ～ 36，与花瓣近等长。核果红色，近球形；核卵形，表面较光滑。花期 3 ～ 4 月。

| 生境分布 | 生于中低海拔地区的山谷、溪边和林中。分布于湖南长沙（岳麓、浏阳）、株洲（醴陵）、衡阳（衡南）、邵阳（邵阳、洞口、绥宁）、常德（津市）、张家界（武陵源）、郴州（北湖、桂阳）、永州（蓝山）、怀化（鹤城、新晃、芷江）、娄底（冷水江）、湘西州（古丈）等。

| 资源情况 | 野生资源稀少。药材来源于野生。

| 采收加工 | 果实成熟后采收，除去果肉，取出种子，晒干。

| 功能主治 | 辛，平。解毒，利尿，透疹。用于麻疹不透。

蔷薇科 Rosaceae 樱属 *Cerasus*

麦李 *Cerasus glandulosa* (Thunb.) Lois.

|药 材 名|

麦李（药用部位：种子）。

|形态特征|

灌木，通常高 0.5 ~ 1.5 m，稀高达 2 m。小枝灰棕色或棕褐色，无毛或嫩枝被短柔毛，冬芽卵形，无毛或被短柔毛。叶片长圆状披针形或椭圆状披针形，长 2.5 ~ 6 cm，宽 1 ~ 2 cm，先端渐尖，基部楔形，中部最宽，边有细钝重锯齿，上面绿色，下面淡绿色，两面均无毛或中脉上有疏柔毛，侧脉 4 ~ 5 对；叶柄长 1.5 ~ 3 mm，无毛或上面被疏柔毛；托叶线形，长约 5 mm。花单生或 2 簇生，花叶同开或近同开；花梗长 6 ~ 8 mm，几无毛；萼筒钟状，长、宽近相等，无毛；萼片三角状椭圆形，先端急尖，边有锯齿；花瓣白色或粉红色，倒卵形；雄蕊 30；花柱稍比雄蕊长，无毛或基部有疏柔毛。核果红色或紫红色，近球形，直径 1 ~ 1.3 cm。花期 3 ~ 4 月，果期 5 ~ 8 月。

|生境分布|

生于海拔 2 000 m 以下的山区、沟边或灌丛中。分布于衡阳（祁东）、邵阳（大祥）、常德（桃源）、郴州（汝城）等。

| 资源情况 | 野生资源稀少。药材来源于野生。

| 采收加工 | 夏、秋季采收成熟果实，除去果肉及核壳，取出种子，干燥。

| 功能主治 | 辛、苦、甘，平。润燥滑肠，下气，利水。用于津枯肠燥，食积气滞，腹胀便秘，水肿，脚气，小便淋痛。

| 附　　注 | 本种的拉丁学名在《中国植物志》中被修订为 *Prunus glandulosa* (Thunb.) Lois。

蔷薇科 Rosaceae 樱属 *Cerasus*

樱桃 *Cerasus pseudocerasus* (Lindl.) G. Don.

| 药 材 名 | 樱桃（药用部位：果实。别名：含桃、朱果、莺桃）、樱桃核（药用部位：果核。别名：樱桃米）、樱桃叶（药用部位：叶）、樱桃根（药用部位：根）、樱桃水（药材来源：果实经压榨而得的浓汁。别名：地冻风）、樱桃枝（药用部位：枝条。别名：樱桃梗）、樱桃花（药用部位：花）。

| 形态特征 | 乔木，高 2 ~ 6 m。树皮灰白色。小枝灰褐色，嫩枝绿色，无毛或被疏柔毛。叶片卵形或长圆状卵形，长 5 ~ 12 cm，宽 3 ~ 5 cm，先端渐尖或尾状渐尖，基部圆形，边有尖锐重锯齿，齿端有小腺体，上面暗绿色，近无毛，下面淡绿色，沿脉或脉间有稀疏柔毛，侧脉 9 ~ 11 对；叶柄长 0.7 ~ 1.5 cm，被疏柔毛，先端有大腺体 1 或 2；

托叶早落，披针形，有羽裂腺齿。花序伞房状或近伞形，有花 3 ～ 6，先于叶开放，总苞倒卵状椭圆形，褐色，长约 5 mm，宽约 3 mm，边有腺齿；萼筒钟状，长 3 ～ 6 mm，宽 2 ～ 3 mm，外面被疏柔毛；花瓣白色，卵圆形，先端下凹或 2 裂；雄蕊 30 ～ 35，栽培者雄蕊可达 50；花柱与雄蕊近等长，无毛。核果近球形，红色，直径 0.9 ～ 1.3 cm。花期 3 ～ 4 月，果期 5 ～ 6 月。

| 生境分布 | 生于海拔 300 ～ 600 m 的山坡阳处或沟边。湖南有广泛分布。栽培于排水良好、疏松肥沃的土壤中。

| 资源情况 | 野生资源较丰富。栽培资源较丰富。药材来源于野生和栽培。

| 采收加工 | **樱桃：**一般于 5 月中旬采收，采收时要带果柄，轻摘轻放，多鲜用。

樱桃核：夏季取成熟果实置于缸中，用器具揉搓，使果肉与核分离，取出核，洗净，晒干。

樱桃叶：夏、秋季采收叶，鲜用或晒干。

樱桃根：全年均可采挖，洗净，切段，晒干或鲜用。

樱桃水：采摘成熟的果实，除去果核，压榨成浓汁，装入瓷坛，封固备用。

樱桃枝：全年均可采收，切段，晒干。

樱桃花：花盛开时采摘，晒干。

| 药材性状 | **樱桃核：**本品呈卵圆形或长圆形，长 8 ~ 10 mm，直径约 5 mm，先端略尖，微偏斜，基部钝圆而凹陷，一边稍薄，近基部呈翅状。表面黄白色或淡黄色，有纹理，两侧各有 1 明显棱线。质坚硬，不易破碎。敲开果核（内果皮）可见内有种子 1，种皮黄棕色或黄白色，常皱缩，子叶淡黄色。气无，味微苦。

| 功能主治 | **樱桃：**甘、酸，温。归脾、肾经。补脾益肾。用于脾虚泄泻，肾虚遗精，腰腿疼痛，四肢不仁，瘫痪。

樱桃核：辛，温。归肺经。发表透疹，消瘤祛瘢，行气止痛。用于麻疹初期透发不畅，皮肤瘢痕，瘿瘤，疝气疼痛。

樱桃叶：甘、苦，温。归肝、脾、肺经。温中健脾，止咳止血，解毒杀虫。用于胃寒食积，腹泻，咳嗽，吐血，疮疡肿痈，蛇虫咬伤，滴虫性阴道炎。

樱桃根：甘，平。归肝、胃、大肠经。杀虫，调经，益气阴。用于绦虫病、蛔虫病、蛲虫病，闭经，劳倦内伤。

樱桃水：甘，平。归肺、脾、肝经。透疹，敛疮。用于疹发不出，冻疮，烫火伤。

樱桃枝：辛、甘，温。归脾、胃经。温中行气，止咳，祛斑。用于胃寒脘痛，咳嗽，雀斑。

樱桃花：养颜祛斑。用于面部粉刺。

| 用法用量 | **樱桃：**内服煎汤，30 ~ 150 g；或浸酒。外用适量，涂擦；或捣敷。

樱桃核：内服煎汤，5 ~ 15 g。外用适量，磨汁涂；或煎汤熏洗。

樱桃叶：内服煎汤，15 ~ 30 g；或捣汁。外用适量，捣敷；或煎汤熏洗。

樱桃根：内服煎汤，9 ~ 15 g，鲜品 30 ~ 60 g。外用适量，煎汤洗。

樱桃水：内服适量，炖温。外用适量，搽。

樱桃枝：内服煎汤，3 ~ 10 g。外用适量，煎汤洗。

樱桃花：外用适量，煎汤洗。

| 附　　注 | 本种的拉丁学名在《中国植物志》中被修订为 *Prunus pseudocerasus* (Lindl.) G. Don。

蔷薇科 Rosaceae 樱属 *Cerasus*

山樱花 *Cerasus serrulata* (Lindl.) G. Don ex London.

|药 材 名| 山樱花（药用部位：种仁。别名：野樱花、山樱桃）。

|形态特征| 乔木，高 3 ～ 8 m。树皮灰褐色或灰黑色。小枝灰白色或淡褐色。叶互生；叶柄长 1 ～ 1.5 cm，先端有圆形腺体 1 ～ 3；托叶线形，边有腺齿，早落；叶片卵状椭圆形，先端渐尖，基部圆形，边有渐尖单锯齿及重锯齿，齿尖有小腺体。花序伞房总状或近伞形，有花 2 ～ 3，总苞片红褐色，内面被长柔毛，总花梗长 5 ～ 10 mm；苞片边有腺齿；花梗长 1.5 ～ 2.5 cm；萼筒管状，萼片 5，三角状披针形；花瓣 5，白色，稀粉红色；雄蕊约 38；花柱无毛。核果球形或卵球形，紫黑色，直径 8 ～ 10 mm。花期 4 ～ 5 月，果期 6 ～ 7 月。

| 生境分布 | 生于海拔 500 ~ 1 500 m 的山谷林中。栽培于土层深厚、土质疏松、透气性好、保水力较强的砂壤土或砾质壤土中。分布于湘西南、湘南、湘中、湘东、湘北等。

| 资源情况 | 野生资源一般。栽培资源一般。药材来源于野生和栽培。

| 采收加工 | 7 月果实成熟时采摘，去净果肉，洗净，晒干，去种皮，取仁用。

| 功能主治 | 辛，平。清肺透疹。用于麻疹透发不畅。

| 用法用量 | 内服煎汤，10 ~ 15 g。

| 附　　注 | 本种的拉丁学名在《中国植物志》中被修订为 *Prunus serrulata* (Lindl.) G. Don ex London。

蔷薇科 Rosaceae 樱属 *Cerasus*

四川樱桃 *Cerasus szechuanica* (Batal.) Yü et Li

| 药 材 名 | 野樱桃（药用部位：果实、种子、根。别名：四川樱桃）。

| 形态特征 | 乔木或灌木，高 3 ~ 7 m。小枝灰色或红褐色，无毛或被稀疏柔毛；冬芽长卵形，无毛。叶片卵状椭圆形、倒卵状椭圆形或长椭圆形，长 5 ~ 9 cm，宽 2.5 ~ 4 cm，先端尾尖或骤尖，基部圆形或宽楔形，边有重锯齿或单锯齿，齿端有小盘状、圆头状或锥状腺体，上面绿色，通常无毛或中脉被疏柔毛，下面淡绿色，无毛或被疏柔毛，侧脉 7 ~ 9 对；叶柄长 1 ~ 1.8 cm，无毛或被疏柔毛，先端常有 1 对盘状或头状腺体；托叶卵形至宽卵形，绿色，有缺刻状锯齿，齿尖有圆头状腺体。花序近伞房总状，长 4 ~ 9 cm，有花 2 ~ 5，下部苞片大多不孕或仅先端 1 ~ 3 苞片腋内着花；总苞片褐色，倒卵状长圆形，长 1 ~ 1.5 cm，先端最宽 5 ~ 6 mm，无毛或几无毛，边

有圆头状腺体；花轴无毛或被疏柔毛；苞片近圆形、宽卵形至长卵形，绿色，长 0.5 ～ 2.5 cm，宽 0.5 ～ 1.2 cm，先端圆钝，边有盘状腺体；花梗长 1 ～ 2 cm，无毛或被稀疏柔毛；萼筒钟状，长约 5 mm，先端最宽处 4 ～ 5 mm，外面无毛或有稀疏柔毛，萼片三角状披针形，先端渐尖，边有头状腺体，与萼筒近等长或稍短；花瓣白色或淡红色，近圆形，先端啮蚀状；雄蕊 40 ～ 47；花柱与雄蕊近等长，无毛或有稀疏柔毛，柱头盘状。核果紫红色，卵球形，纵径 8 ～ 10 mm，横径 7 ～ 8 mm；核表面有棱纹。花期 4 ～ 6 月，果期 6 ～ 8 月。

| 生境分布 | 生于海拔 1 500 ～ 1 900 m 的林中或林缘。分布于湖南湘西州（古丈、花垣、永顺、保靖）、常德（石门）等。

| 资源情况 | 野生资源稀少。药材来源于野生。

| 功能主治 | 果实，清血热，益肾，用于咽喉肿痛，声哑。种子，透疹，用于麻疹初起，疹出不透。根，调气活血，用于月经不调。

蔷薇科 Rosaceae 木瓜属 *Chaenomeles*

毛叶木瓜 *Chaenomeles cathayensis* (Hemsl.) Schneid.

| 药 材 名 | 楂子（药用部位：果实。别名：木桃、木瓜海棠、和园子）。

| 形态特征 | 落叶灌木或小乔木，高 2 ~ 6 m。枝条直立，具短枝刺，小枝圆柱形，微屈曲，无毛，紫褐色，有疏生浅褐色皮孔。叶片椭圆形、披针形至倒卵状披针形，长 5 ~ 11 cm，宽 2 ~ 4 cm，先端急尖或渐尖，基部楔形至宽楔形，边缘有芒状细尖锯齿，上半部有时形成重锯齿，下半部锯齿较稀，幼时上面无毛，下面密被褐色绒毛，后近无毛；托叶草质，肾形、耳形或半圆形，边缘有芒状细锯齿，下面被褐色绒毛。花先于叶开放，2 ~ 3 簇生于二年生枝上；花梗短粗或近无梗；花直径 2 ~ 4 cm；萼筒钟状；花瓣倒卵形或近圆形，长 10 ~ 15 mm，宽 8 ~ 15 mm，淡红色或白色；花柱 5，基部合生，下半部被柔毛或绵毛，柱头头状。果实卵球形或近圆柱形，先端有

突起，长 8 ~ 12 cm，宽 6 ~ 7 cm，黄色，有红晕，味芳香。花期 3 ~ 5 月，果期 9 ~ 10 月。

| 生境分布 | 生于海拔 900 ~ 2 000 m 的山坡、林边、道旁。分布于湖南衡阳（珠晖）、岳阳（汨罗）、娄底（娄星）、长沙（浏阳）、张家界（武陵源）等。

| 资源情况 | 野生资源稀少。药材来源于野生。

| 采收加工 | 9 ~ 10 月采摘成熟的果实，纵剖为两半或数片，用沸水烫后晒干或烘干，或鲜用。

| 药材性状 | 本品呈卵球形或近圆柱形，长 6 ~ 10 cm，直径 5 ~ 6 cm，多纵剖为 2 ~ 4 片。表面棕色或棕黑色，有多数不规则的皱纹。果肉较薄，厚约 0.5 cm，棕红色，中央凹陷，每室有种子 20 ~ 30，多数已脱落，红棕色，扁平三角形。气微，味酸、涩。

| 功能主治 | 酸、涩，平。归肝、脾经。和胃化湿，舒筋活络。用于呕吐，腹泻，腰膝酸痛，脚气肿痛，腓肠肌痉挛等。

| 用法用量 | 内服煎汤，5 ~ 10 g，鲜品加倍；或煮食。

蔷薇科 Rosaceae 木瓜属 *Chaenomeles*

光皮木瓜 *Chaenomeles sinensis* (Thouin) Koehne.

药材名

榠楂（药用部位：果实。别名：木李、木叶、木瓜）。

形态特征

灌木或小乔木，高达 5 ~ 10 m。树皮片状脱落。小枝无刺，圆柱形，幼时被柔毛，不久即脱落，紫红色，二年生枝无毛，紫褐色。叶片椭圆状卵形或椭圆状长圆形，稀倒卵形，长 5 ~ 8 cm，宽 3.5 ~ 5.5 cm，先端急尖，基部宽楔形或圆形，边缘有刺芒状尖锐锯齿，齿尖有腺，幼时下面密被黄白色绒毛，不久毛即脱落；托叶膜质，卵状披针形，先端渐尖，边缘具腺齿，长约 7 mm。花单生于叶腋；花梗短粗，长 5 ~ 10 mm，无毛；花直径 2.5 ~ 3 cm；萼筒钟状，外面无毛；萼片三角状披针形，长 6 ~ 10 mm，先端渐尖，边缘有腺齿，外面无毛，内面密被浅褐色绒毛，反折；花瓣倒卵形，淡粉红色；花柱 3 ~ 5，基部合生，被柔毛，柱头头状，不明显分裂。果实长椭圆形，长 10 ~ 15 cm，暗黄色，木质，味芳香；果柄短。花期 4 月，果期 9 ~ 10 月。

| 生境分布 | 生于岗地、丘陵岗地、低山、中山。栽培于排水良好、肥沃的土壤中。分布于湘西北、湘北、湘中、湘东、湘南等。

| 资源情况 | 野生资源一般。栽培资源一般。药材来源于野生和栽培。

| 采收加工 | 10 ～ 11 月采摘成熟的果实，纵剖成 2 瓣或 4 瓣，至沸水中烫后晒干或烘干。

| 药材性状 | 本品呈瓣状或片状，长 4 ～ 8 cm，宽 3 ～ 6 cm。外表面红棕色或紫红色，平滑不皱，基部凹陷并残留果柄痕，先端有花柱残留。剖面较平坦或边缘稍向内翻，果肉厚 0.5 ～ 2 cm，粗糙，显颗粒性。种子呈扁平三角形，紫褐色，紧密排列成行或脱落。气微，味涩、微酸，嚼之有沙粒感。

| 功能主治 | 酸、涩，平。归胃、肝、肺经。和胃舒筋，祛风湿，消痰止咳。用于吐泻转筋，风湿痹痛，咳嗽痰多，泄泻，痢疾，跌仆伤痛，脚气水肿，发赤并白。

| 用法用量 | 内服煎汤，3 ～ 10 g。外用适量，浸油梳头。

蔷薇科 Rosaceae 木瓜属 *Chaenomeles*

皱皮木瓜 *Chaenomeles speciosa* (Sweet) Nakai.

| 药 材 名 | 木瓜（药用部位：果实。别名：铁脚梨、秋木瓜、木瓜实）、木瓜核（药用部位：种子。别名：木瓜子）、木瓜花（药用部位：花）、木瓜根（药用部位：根）、木瓜枝（药用部位：枝、叶）、木瓜皮（药用部位：树皮）。

| 形态特征 | 落叶灌木，高达 2 m。枝条直立开展，有刺，小枝圆柱形，微屈曲，无毛，紫褐色或黑褐色，疏生浅褐色皮孔。叶片卵形至椭圆形，稀长椭圆形，长 3 ~ 9 cm，宽 1.5 ~ 5 cm，先端急尖，稀圆钝，基部楔形至宽楔形，边缘具尖锐锯齿，齿尖开展，无毛或萌蘖上沿下面的叶脉上有短柔毛。花先于叶开放，3 ~ 5 花簇生于二年生老枝上；花梗短粗，长约 3 mm 或近无梗；花直径 3 ~ 5 cm；花瓣倒卵形或

近圆形，基部延伸成短爪，长 10 ~ 15 mm，宽 8 ~ 13 mm，猩红色，稀淡红色或白色；花柱 5，基部合生，无毛或稍有毛，柱头头状，不明显分裂。果实球形或卵球形，直径 4 ~ 6 cm，黄色或带黄绿色，有稀疏的不明显斑点，味芳香，萼片脱落；果柄短或近无梗。花期 3 ~ 5 月，果期 9 ~ 10 月。

| 生境分布 | 生于岗地、丘陵岗地、低山。栽培于排水良好、疏松肥沃的土壤中。分布于湖南长沙（长沙）、湘潭（湘潭）、岳阳（云溪、华容）、常德（临澧）、怀化（鹤城、中方）、湘西州（古丈）等。

| 资源情况 | 野生资源稀少。栽培资源丰富。药材来源于野生和栽培。

| 采收加工 | **木瓜**：7 ~ 8 月上旬当木瓜外皮呈青黄色时采收，用铜刀切成两半，不去籽，薄摊在竹帘上晒，先仰晒几日，至颜色变红时再翻晒至全干，阴雨天可用文火烘干。

木瓜核：9 ~ 10 月采收成熟的果实，剖开，取出种子，鲜用或晒干。

木瓜花：3 ~ 4 月采摘花，晒干。

木瓜根：全年均可采挖，洗净，切片，晒干。

木瓜枝：全年均可采收，切段，晒干。

木瓜皮：春、秋季剥取树皮，鲜用或晒干。

| 药材性状 | **木瓜：**果实多呈长圆形，长 4 ～ 9 cm，宽 2 ～ 5 cm，厚～ 2.5 cm；外表面紫红色或红棕色，有不规则的深皱纹；剖面边缘向内卷曲，果肉红棕色，中心部分凹陷，棕黄色。种子呈扁长三角形，多脱落，质坚硬。气微清香，味酸。

| 功能主治 | **木瓜：**酸、涩，寒。归肝经。平肝和胃，祛湿舒筋。用于吐泻转筋，风湿痹痛，脚气水肿，腰膝关节酸痛，痢疾。

木瓜核：酸、苦，温。归心、大肠经。祛湿舒筋。用于霍乱。

木瓜花：养颜润肤。用于面黑粉滓。

木瓜根：酸、涩，温。归肝、脾经。祛湿舒筋。用于霍乱，脚气，风湿痹痛，肢体麻木。

木瓜枝：酸、涩，温。归肝、胃经。祛湿舒筋。用于霍乱吐下，腹痛转筋。

木瓜皮：酸、涩，温。祛湿舒筋。用于霍乱转筋，脚气。

| 用法用量 | **木瓜：**内服煎汤，5 ～ 10 g；或入丸、散剂。外用适量，煎汤熏洗。

木瓜核：内服适量，生嚼。

木瓜花：外用适量，研末，盥洗手面。

木瓜根：内服煎汤，10 ～ 15 g；或浸酒。外用适量，煎汤洗。

木瓜枝：内服煎汤，10 ～ 15 g。

木瓜皮：内服煎汤，10 ～ 15 g。

蔷薇科 Rosaceae 栒子属 *Cotoneaster*

灰栒子 *Cotoneaster acutifolius* Turcz.

| 药 材 名 | 灰栒子（药用部位：枝、叶、果实。别名：栒子、察尔正）。

| 形态特征 | 落叶灌木，高 2 ~ 4 m。枝条开张，小枝细瘦，圆柱形，棕褐色或红褐色，幼时被长柔毛。叶片椭圆状卵形至长圆状卵形，长 2.5 ~ 5 cm，宽 1.2 ~ 2 cm，先端急尖，稀渐尖，基部宽楔形，全缘，幼时两面均被长柔毛，下面较密，老时逐渐脱落，最后常近无毛；叶柄长 2 ~ 5 mm，具短柔毛；托叶线状披针形，脱落。花 2 ~ 5，聚伞花序，总花梗和花梗被长柔毛；苞片线状披针形，微具柔毛；花梗长 3 ~ 5 mm；花直径 7 ~ 8 mm；萼筒钟状或短筒状，外面被短柔毛，内面无毛；萼片三角形，先端急尖或稍钝，外面具短柔毛，内面先端微具柔毛；花瓣直立，宽倒卵形或长圆形，长约 4 mm，宽 3 mm，先端圆钝，白色外带红晕；雄蕊 10 ~ 15，比花瓣短；花柱

通常 2，离生，短于雄蕊，子房先端密被短柔毛。果实椭圆形，稀倒卵形，直径 7 ～ 8 mm，黑色，内有小核 2 ～ 3。花期 5 ～ 6 月，果期 9 ～ 10 月。

| 生境分布 | 生于海拔 1 400 ～ 2 000 m 的山坡、山麓、山沟及丛林。分布于湖南湘西州（古丈）、张家界（桑植）、常德（石门）等。

| 资源情况 | 野生资源稀少。药材来源于野生。

| 采收加工 | 6 ～ 8 月采收。

| 功能主治 | 苦、涩，平。凉血，止血。用于鼻衄，牙龈出血，月经过多。

| 用法用量 | 内服煎汤，3 ～ 9 g。

蔷薇科 Rosaceae 栒子属 *Cotoneaster*

匍匐栒子 *Cotoneaster adpressus* Bois

| 药 材 名 | 枇杷叶（药用部位：根及根茎。别名：千年耗子屎、黄风）。

| 形态特征 | 落叶匍匐灌木。茎不规则分枝，平铺于地上；小枝细瘦，圆柱形，幼嫩时具糙伏毛，老后毛逐渐脱落，红褐色至暗灰色。叶片宽卵形或倒卵形，稀椭圆形，长 5 ~ 15 mm，宽 4 ~ 10 mm，先端圆钝或稍急尖，基部楔形，全缘而呈波状，上面无毛，下面具稀疏短柔毛或无毛；叶柄长 1 ~ 2 mm，无毛；托叶钻形，成长时脱落。花 1 ~ 2，几无梗，直径 7 ~ 8 mm；萼筒钟状，外具稀疏短柔毛，内面无毛；萼片卵状三角形，先端急尖，外面有稀疏短柔毛，内面常无毛；花瓣直立，倒卵形，长约 4.5 mm，宽几与长相等，先端微凹或圆钝，粉红色；雄蕊 10 ~ 15，短于花瓣；花柱 2，离生，比雄蕊短，子房

顶部有短柔毛。果实近球形，直径 6 ~ 7 mm，鲜红色，无毛，通常有 2 小核，稀具 3 小核。花期 5 ~ 6 月，果期 8 ~ 9 月。

| 生境分布 | 生于海拔 1 900 ~ 2 000 m 的山坡、杂木林边及岩石山坡中。分布于邵阳（新宁）、湘西州（龙山）等。

| 资源情况 | 野生资源稀少。药材来源于野生。

| 功能主治 | 甘，平。生肌拔毒，清热解毒。用于烂疮、黄水疮久不收口，溃疡。

蔷薇科 Rosaceae 栒子属 *Cotoneaster*

平枝栒子 *Cotoneaster horizontalis* Dcne.

| 药 材 名 | 水莲沙（药用部位：枝叶、根。别名：牛肋巴、铺地红子、铁扫帚）。

| 形态特征 | 落叶或半常绿匍匐灌木，高不超过 0.5 m。枝水平开张成整齐 2 列，小枝圆柱形，幼时外被糙伏毛，老时毛脱落，黑褐色。叶片近圆形或宽椭圆形，稀倒卵形，长 5 ~ 14 mm，宽 4 ~ 9 mm，先端多数急尖，基部楔形，全缘，上面无毛，下面有稀疏的平贴柔毛；叶柄长 1 ~ 3 mm，被柔毛；托叶钻形，早落。花 1 ~ 2，近无梗，直径 5 ~ 7 mm；萼筒钟状，外面有稀疏短柔毛，内面无毛；萼片三角形，先端急尖，外面微具短柔毛，内面边缘有柔毛，花瓣直立，倒卵形，先端圆钝，长约 4 mm，宽 3 mm，粉红色；雄蕊约 12，短于花瓣；花柱常为 3，偶为 2，离生，短于雄蕊，子房先端有柔毛。果实近球

形，直径 4 ~ 6 mm，鲜红色，常具 3 小核，稀具 2 小核。花期 5 ~ 6 月，果期 9 ~ 10 月。

| 生境分布 | 生于海拔 2 000 m 的岩石坡上或灌丛中。分布于湖南岳阳（临湘）、怀化（靖州）、湘西州（龙山）、衡阳（衡东）等。

| 资源情况 | 野生资源稀少。药材来源于野生。

| 采收加工 | 全年均可采收，洗净，切片，晒干。

| 功能主治 | 酸、涩，凉。归肺、肝经。清热利湿，化痰止咳，止血止痛。用于痢疾，泄泻，腹痛，咳嗽，吐血，痛经，带下。

| 用法用量 | 内服煎汤，10 ~ 15 g。

蔷薇科 Rosaceae 山楂属 *Crataegus*

野山楂 *Crataegus cuneata* Sieb. et Zucc.

| 药 材 名 | 野山楂(药用部位:果实。别名:南山楂)、山楂根(药用部位:根)、山楂核(药用部位:种子)、山楂木(药用部位:木材。别名:赤爪木)、山楂叶(药用部位:叶)。

| 形态特征 | 落叶灌木,高达 15 m。分枝密,通常具细刺,小枝细弱,圆柱形,有棱,幼时被柔毛,一年生枝紫褐色,无毛,老枝灰褐色,散生长圆形皮孔。叶片宽倒卵形至倒卵状长圆形,长 2 ~ 6 cm,宽 1 ~ 4.5 cm,先端急尖,基部楔形,下延连于叶柄,边缘有不规则重锯齿,先端常有浅裂片 3,稀有浅裂片 5 ~ 7,上面无毛,有光泽,下面具稀疏柔毛,沿叶脉较密,以后脱落,叶脉显著;叶柄两侧有叶翼;托叶大型,草质,镰状,边缘有齿。伞房花序,直径 2 ~ 2.5 cm,

具花 5 ~ 7；花梗均被柔毛；花直径约 1.5 cm；萼筒钟状，外被长柔毛；花瓣近圆形或倒卵形，长 6 ~ 7 mm，白色，基部有短爪；花药红色。果实近球形或扁球形，直径 1 ~ 1.2 cm，红色或黄色，常具有宿存反折萼片或 1 苞片，小核 4 ~ 5，内面两侧平滑。花期 5 ~ 6 月，果期 9 ~ 11 月。

| **生境分布** | 生于海拔 250 ~ 2 000 m 的山谷、多石湿地或山地灌丛中。湖南有广泛分布。

| **资源情况** | 野生资源较丰富。药材来源于野生。

| 采收加工 |

野山楂： 10 ～ 11 月果实变为红色、果点明显时采收，采收时用剪刀剪断果柄或直接摘下果实，横切成两半或切片，晒干。

山楂根： 春、秋季采挖，洗净，切段，晒干。

山楂核： 加工山楂或山楂糕时，收集种子，晒干。

山楂木： 修剪时留较粗茎枝，去皮，切片，晒干。

山楂叶： 夏、秋季采收，晒干。

| 药材性状 |

野山楂： 本品呈球形，直径 0.8 ～ 1 cm，表面棕色至棕红色，有灰白色小斑点，先端有圆形凹窝状宿存花萼，基部有短果柄或果柄痕。果肉薄，果皮常皱缩；种子 5，土黄色。质坚硬。气微，味酸、涩、微甜。

山楂核： 本品呈橘瓣状椭圆形或卵形，长 3 ～ 5 mm，宽 2 ～ 3 mm。表面黄棕色，背面稍隆起，左右两面平坦或有凹痕。质坚硬，不易碎。气微。

| 功能主治 |

野山楂： 酸、甘，微温。归胃、肝经。健脾消食，活血化瘀。用于食滞肉积，脘腹胀痛，产后腹痛，漆疮，冻疮。

山楂根： 甘，平。归胃、肝经。消积和胃，止血，祛风，消肿。用于食积，痢疾，反胃，风湿痹痛，咯血，痔漏，水肿。

山楂核： 苦，平。归胃、肝经。消食，散结，催生。用于食积不化，疝气，睾丸偏坠，难产。

山楂木： 苦，寒。归肝、脾经。祛风燥湿，止痒。用于痢疾，头风，身痒。

山楂叶： 酸，平。归肺经。止痒，敛疮，降血压。用于漆疮，溃疡不敛，高血压。

| 用法用量 |

野山楂： 内服煎汤，3 ～ 10 g。外用适量，煎汤洗擦。

山楂根： 内服煎汤，10 ～ 15 g。外用适量，煎汤熏洗。

山楂核： 内服煎汤，3 ～ 10 g；或研末吞。

山楂木： 内服煎汤，3 ～ 10 g。外用适量，煎汤洗。

山楂叶： 内服煎汤，3 ～ 10 g；或泡茶饮。外用适量，煎汤洗。

蔷薇科 Rosaceae 山楂属 *Crataegus*

湖北山楂 *Crataegus hupehensis* Sarg.

| 药 材 名 | 野山楂（药用部位：果实。别名：南山楂）。

| 形态特征 | 乔木或灌木，高达 3 ~ 5 m。枝条开展，刺少，直立，长约 1.5 cm，小枝圆柱形，无毛，紫褐色，疏生浅褐色皮孔，二年生枝条灰褐色。叶片卵形至卵状长圆形，长 4 ~ 9 cm，宽 4 ~ 7 cm，先端短渐尖，基部宽楔形或近圆形，边缘有圆钝锯齿，上半部具 2 ~ 4 对浅裂片，裂片卵形，无毛或仅下部脉腋有髯毛；叶柄长 3.5 ~ 5 cm，无毛；托叶草质，披针形或镰形，边缘具腺齿，早落。伞房花序，直径 3 ~ 4 cm，具多花；花梗长 4 ~ 5 mm；苞片膜质，线状披针形，边缘有齿，早落；花直径约 1 cm；萼筒钟状，外面无毛；花瓣卵形，长约 8 mm，宽约 6 mm，白色；花药紫色；花柱 5，基部被白色绒

毛，柱头头状。果实近球形，直径约 2.5 cm，深红色，有斑点；萼片宿存，反折，小核 5，两侧平滑。花期 5 ~ 6 月，果期 8 ~ 9 月。

| 生境分布 | 生于海拔 500 ~ 2 000 m 的山坡灌丛中。分布于湖南株洲（茶陵）、常德（澧县）、益阳（安化）等。

| 资源情况 | 野生资源稀少。药材来源于野生。

| 采收加工 | 同野山楂。

| 药材性状 | 本品近球形，直径约 2.5 cm，深红色，种子 5，内面两侧平滑。

| 功能主治 | 同野山楂。

| 用法用量 | 同野山楂。

蔷薇科 Rosaceae 山楂属 *Crataegus*

山里红 *Crataegus pinnatifida* Bge. var. *major* N. E. Br.

| 药 材 名 | 山楂（药用部位：果实。别名：赤爪实、酸枣、赤枣子）、山楂根（药用部位：根）、山楂核（药用部位：种子）、山楂木（药用部位：木材。别名：赤爪木）、山楂叶（药用部位：叶）、山楂花（药用部位：花）、山楂糕（药材来源：果实经加工而制成的糕）。

| 形态特征 | 落叶乔木，高可达 6 m。枝刺长 1 ~ 2 cm，或无刺。单叶互生；叶柄长 2 ~ 6 cm；叶片宽卵形或三角状卵形，稀菱状卵形，长 6 ~ 12 cm，宽 5 ~ 8 cm，有 2 ~ 4 对羽状裂片，先端渐尖，基部宽楔形，上面有光泽，下面沿叶脉被短柔毛，边缘有不规则重锯齿。伞房花序，直径 4 ~ 6 cm；萼筒钟状，5 齿裂；花冠白色，直径约 1.5 cm；花瓣 5，倒卵形或近圆形；雄蕊约 20，花药粉红色；雌蕊 1，

子房下位，5 室，花柱 5。梨果近球形，直径可达 2.5 cm，深红色，有黄白色小斑点；萼片脱落很迟，先端留下 1 圆形深洼；小核 3 ～ 5，向外的一面稍具棱，向内两侧面平滑。花期 5 ～ 6 月，果期 8 ～ 10 月。

| 生境分布 | 生于丘陵岗地、岗地、低山。分布于湖南株洲（攸县、醴陵）、衡阳（雁峰）、邵阳（邵东）、岳阳（汨罗）、常德（石门、津市）、张家界（武陵源）、郴州（苏仙）、娄底（新化）等。

| 资源情况 | 野生资源较少。药材来源于野生。

| 采收加工 | **山楂**：9 ～ 10 月果实成熟后采收，采下后趁鲜横切或纵切成两半，晒干，或用切片机切成薄片，在 6 ～ 65 ℃下烘干。

山楂根：同“野山楂”。

山楂核：同“野山楂”。

山楂木：同“野山楂”。

山楂叶：同“野山楂”。

山楂花：5 ～ 6 月采摘，晒干。

山楂糕：9 ～ 10 月采摘成熟果实，加工后制成糕。

| 药材性状 | **山楂**：本品近球形，直径 1 ～ 2.5 cm。表面鲜红色至紫红色，有光泽，满布灰白色斑点，先端有宿存花萼，基部有果柄残痕。果肉厚，深黄色至浅棕色，切面可见浅黄色种子 3 ～ 5，有的已脱落。质坚硬。气微清香，味酸、微甜。

山楂糕：本品多呈长方块状，长短、厚薄不一。表面红色，有光泽。具黏性，质软，极易切成各种形状。气微香，味甜，具山楂特有的酸味。

| 功能主治 | **山楂**：酸、甘，微温。归脾、胃、肝经。消食积，化瘀滞。用于饮食积滞，脘腹胀痛，泄泻，痢疾，痛经，闭经，产后腹痛，恶露不尽，疝气或睾丸肿痛，高脂血症。

山楂根：同“野山楂”。

山楂核：同“野山楂”。

山楂木：同“野山楂”。

山楂叶：同“野山楂”。

山楂花：苦，平。归肝经。降血压。用于高血压。

山楂糕：酸、甘，微温。归脾、胃经。消食，导滞，化积。用于食积停滞，肉

积不消，脘腹胀满，大便秘结。

| 用法用量 | **山楂：**内服煎汤，3 ~ 10 g；或入丸、散剂。外用适量，煎汤洗；或捣敷。

山楂根：同“野山楂”。

山楂核：同“野山楂”。

山楂木：同“野山楂”。

山楂叶：同“野山楂”。

山楂花：内服煎汤，3 ~ 10 g；或泡茶饮。

山楂糕：内服嚼食，15 ~ 30 g。

蔷薇科 Rosaceae 山楂属 *Crataegus*

山楂 *Crataegus pinnatifida* Bge.

| 药 材 名 | 山楂（药用部位：果实。别名：赤爪实、酸枣、赤枣子）、山楂花（药用部位：花）。

| 形态特征 | 落叶乔木，高达 6 m。树皮粗糙，暗灰色或灰褐色。叶片宽卵形或三角状卵形，稀菱状卵形，长 5 ~ 10 cm，宽 4 ~ 7.5 cm，先端短渐尖，基部截形至宽楔形，通常两侧各有羽状深裂片 3 ~ 5，裂片卵状披针形或带形，先端短渐尖，边缘有尖锐、稀疏的不规则重锯齿，上面暗绿色，有光泽，下面沿叶脉疏生短柔毛或在脉腋有髯毛，侧脉 6 ~ 10 对，有的达裂片先端，有的达裂片分裂处。伞房花序具多花，直径 4 ~ 6 cm，总花梗和花梗均被柔毛，花后毛脱落；花直径约 1.5 cm；萼筒钟状，长 4 ~ 5 mm，外面密被灰白色柔毛；

花瓣倒卵形或近圆形，长 7 ～ 8 mm，宽 5 ～ 6 mm，白色。果实近球形或梨形，直径 1 ～ 1.5 cm，深红色，有浅色斑点；小核 3 ～ 5，外面稍具棱，内面两侧平滑；萼片脱落很迟，先端留 1 圆形深洼。花期 5 ～ 6 月，果期 9 ～ 10 月。

| 生境分布 | 生于海拔 100 ～ 1 500 m 的山坡林边或灌丛中。栽培于排水良好、疏松肥沃的砂壤土中。湖南有广泛分布。

| 资源情况 | 野生资源较丰富。栽培资源稀少。药材来源于野生和栽培。

| 采收加工 | **山楂**：同“山里红”。
山楂花：同“山里红”。

| 药材性状 | **山楂**：同“山里红”。
山楂花：同“山里红”。

| 功能主治 | **山楂**：同“山里红”。
山楂花：同“山里红”。

| 用法用量 | **山楂**：同“山里红”。
山楂花：同“山里红”。

蔷薇科 Rosaceae 蛇莓属 *Duchesnea*

蛇莓 *Duchesnea indica* (Andr.) Focke

| 药 材 名 | 蛇莓根（药用部位：根。别名：三皮风根、蛇泡草根）、蛇莓（药用部位：全草。别名：蚕莓、鸡冠果、野杨梅）。

| 形态特征 | 多年生草本。根茎短，粗壮，匍匐茎多数，长 30 ～ 100 cm，有柔毛。小叶片倒卵形至菱状长圆形，长 2 ～ 3.5（～ 5）cm，宽 1 ～ 3 cm，先端圆钝，边缘有钝锯齿，两面皆有柔毛，或上面无毛，具小叶柄；叶柄长 1 ～ 5 cm，有柔毛；托叶窄卵形至宽披针形，长 5 ～ 8 mm。花单生于叶腋，直径 1.5 ～ 2.5 cm；花梗长 3 ～ 6 cm，有柔毛；萼片卵形，长 4 ～ 6 mm，先端锐尖，外面有散生柔毛，副萼片倒卵形，长 5 ～ 8 mm，比萼片长，先端常具 3 ～ 5 锯齿；花瓣倒卵形，长 5 ～ 10 mm，黄色，先端圆钝；雄蕊 20 ～ 30，心皮多数，离生；

花托在果期膨大，海绵质，鲜红色，有光泽，直径 10 ~ 20 mm，外面有长柔毛。瘦果卵形，长约 1.5 mm，光滑或具不明显突起，鲜时有光泽。花期 6 ~ 8 月，果期 8 ~ 10 月。

| 生境分布 | 生于海拔 1 800 m 以下的山坡、河岸、草地、潮湿处。栽培于排水良好、疏松肥沃的砂壤土中。湖南各地均有分布。

| 资源情况 | 野生资源丰富。栽培资源一般。药材来源于野生和栽培。

| 采收加工 | **蛇莓根：**夏、秋季采挖，除去茎叶，洗净，晒干或鲜用。

蛇莓：6 ~ 11 月采收，洗净，晒干或鲜用。

| 药材性状 | **蛇莓:** 本品多缠绕成团，被白色茸毛，具匍匐茎。叶互生，三出复叶；小叶多皱缩，完整者倒卵形，长 1.5 ~ 4 cm，宽 1 ~ 3 cm，基部偏斜，边缘有钝齿，表面黄绿色，上面近无毛，下面被疏毛。花单生于叶腋，具长梗。聚合果棕红色，瘦果小，花萼宿存。气微，味微涩。

| 功能主治 |

蛇莓根：苦、微甘，寒；有小毒。清热泻火，解毒消肿。用于热病，小儿惊风，目赤红肿，痄腮，牙龈肿痛，咽喉肿痛，热毒疮疡。

蛇莓：甘、苦，寒；有小毒。归肝、肺、大肠经。清热解毒，凉血止血，散结消肿。用于热病，惊痫，咳嗽，吐血，咽喉肿痛，痢疾，痈肿，疔疮。

| 用法用量 |

蛇莓根：内服煎汤，3 ~ 6 g。外用适量，捣敷。

蛇莓：内服煎汤，9 ~ 15 g，鲜品 30 ~ 60 g；或捣汁饮。外用适量，捣敷；或研末撒。

蔷薇科 Rosaceae 枇杷属 *Eriobotrya*

大花枇杷 *Eriobotrya cavaleriei* (Lévl.) Rehd.

| 药材名 | 野棉花（药用部位：果实、叶。别名：山枇杷）。

| 形态特征 | 常绿乔木。高 4 ~ 6 m。小枝粗壮，棕黄色，无毛。叶片集生于枝顶，长圆形、长圆状披针形或长圆状倒披针形，长 7 ~ 18 cm，宽 2.5 ~ 7 cm，先端渐尖，基部渐狭，边缘具疏生内曲的浅锐锯齿，近基部全缘，上面光亮，无毛，下面近无毛，中脉在两面凸起，侧脉 7 ~ 14 对，网脉在下面显著；叶柄长 1.5 ~ 4 cm，无毛。圆锥花序顶生，直径 9 ~ 12 cm；总花梗和花梗有稀疏的棕色短柔毛，花梗粗壮，长 3 ~ 10 mm；花直径 1.5 ~ 2.5 cm；萼筒浅杯状，长 3 ~ 5 mm，外面有稀疏的棕色短柔毛；萼片三角状卵形，长 2 ~ 3 mm，先端钝，沿边缘有棕色绒毛；花瓣白色，倒卵形，长 8 ~ 10 mm，

微缺，无毛；雄蕊 20，长 4 ~ 5 mm；花柱 2 ~ 3，基部合生，长 4 mm，中部以下有白色长柔毛，子房无毛。果实椭圆形或近球形，直径 1 ~ 1.5 cm，橘红色，肉质，具颗粒状突起，无毛或微有柔毛，先端有反折的宿存萼片。花期 4 ~ 5 月，果期 7 ~ 8 月。

| 生境分布 | 生于海拔 500 ~ 2 000 m 的山坡、河边的杂木林中。分布于郴州（宜章）、湘西州（花垣）等。

| 资源情况 | 野生资源稀少。药材来源于野生。

| 功能主治 | 清肺止咳。用于热病。

蔷薇科 Rosaceae 枇杷属 *Eriobotrya*

枇杷 *Eriobotrya japonica* (Thunb.) Lindl.

| 药 材 名 | 枇杷（药用部位：果实）、枇杷根（药用部位：根）、枇杷核（药用部位：种子）、枇杷花（药用部位：花。别名：土冬花）、枇杷木白皮（药用部位：树干的韧皮部。别名：枇杷树二层皮）、枇杷叶露（药材来源：枇杷叶经蒸馏所得的液体。别名：枇杷露）、枇杷叶（药用部位：叶。别名：巴叶、枇杷、蜜枇杷叶）。

| 形态特征 | 常绿小乔木，高可达 10 m。小枝粗壮，黄褐色，密生锈色或灰棕色绒毛。叶片革质，披针形、倒披针形、倒卵形或椭圆状长圆形，长 12 ~ 30 cm，宽 3 ~ 9 cm，先端急尖或渐尖，基部楔形或渐狭成叶柄，上部边缘有疏锯齿，基部全缘，上面光亮，多皱纹，下面密生灰棕色绒毛，侧脉 11 ~ 21 对。圆锥花序顶生，长 10 ~ 19 cm，

具多花，总花梗和花梗密生锈色绒毛；花直径 12 ～ 20 mm；花瓣白色，长圆形或卵形，长 5 ～ 9 mm，宽 4 ～ 6 mm，基部具爪，有锈色绒毛；雄蕊 20，远短于花瓣，花丝基部扩展；花柱 5，离生，柱头头状，无毛，子房先端有锈色柔毛，5 室，每室有 2 胚珠。果实球形或长圆形，直径 2 ～ 5 cm，黄色或橘黄色，外有锈色柔毛，不久毛脱落；种子 1 ～ 5，球形或扁球形，直径 1 ～ 1.5 cm，褐色，光亮，种皮纸质。花期 10 ～ 12 月，果期翌年 5 ～ 6 月。

| 生境分布 | 生于岗地、丘陵岗地、低山、中山。栽培于排水良好、疏松肥沃的土壤中。湖南各地均有分布。

| 资源情况 | 野生资源丰富。栽培资源丰富。药材来源于野生和栽培。

| 采收加工 | **枇杷：**分次采收成熟果实。

枇杷根：全年均可采挖，洗净泥土，切片，晒干或鲜用。

枇杷核：春、夏季果实成熟时采摘，取出种子，鲜用或晒干。

枇杷花：冬、春季采收，晒干。

枇杷木白皮：全年均可采收，剥取树皮，除去外层粗皮，晒干或鲜用。

枇杷叶：全年均可采收，采摘后晒至七八成干，扎成小把，再晒干。

| 药材性状 | **枇杷：**本品呈圆形或椭圆形，直径 2 ～ 5 cm，外果皮黄色或橙黄色，具柔毛，顶部具黑色宿存萼齿，除去萼齿可见 1 小空室。基部有短果柄，具糙毛。外果皮薄，中果皮肉质，厚 3 ～ 7 mm，内果皮纸膜质，棕色，内有 1 至多颗种子。气微清香，味甘、酸。

枇杷根：本品表面棕褐色，较平，无纵沟纹。质坚韧，不易折断，断面不平整，类白色。气清香，味苦、涩。

枇杷核：本品呈圆形或扁圆形，直径 1 ～ 1.5 cm，表面棕褐色，有光泽。种皮纸质，子叶 2，外表面淡绿色或类白色，内表面白色，富油性。气微香，味涩。

枇杷花：本品为圆锥花序，密被绒毛。苞片凿状，有褐色绒毛。花萼 5 浅裂，萼管短，密被绒毛。花瓣 5，黄白色，长圆形或卵形，内面近基部有毛。雄蕊 20，子房下位，5 室，每室有胚珠 2，花柱 5，柱头头状。气微清香，味微甘、涩。

枇杷木白皮：本品表面类白色，易被氧化而呈淡棕色，外表面较粗糙，内表面光滑，带有黏性分泌物。质柔韧。气清香，味苦。

枇杷叶：本品长圆形或倒卵形，长 12 ～ 30 cm，宽 4 ～ 9 cm，先端尖，基部楔形，边缘有疏锯齿，近基部全缘。上表面灰绿色、黄棕色或红棕色，较光滑，下表面密被黄色绒毛，主脉下表面显著凸起，侧脉羽状，叶柄极短，被棕色绒毛。叶革质而脆，易折断。无臭，味微苦。以叶大、绿色或绿棕色、不破碎、无黄叶者为佳。

| 功能主治 | **枇杷：**甘、酸，凉。归脾、肺、肝经。润肺下气，止渴。用于肺热咳喘，吐逆，烦渴。

枇杷根：苦，平。归肺经。清肺止咳，下乳，祛湿。用于虚劳咳嗽，乳汁不通，风湿痹痛。

枇杷核：苦，平。归肾经。化痰止咳，疏肝行气，利水消肿。用于咳嗽痰多，疝气，水肿，瘰疬。

枇杷花：淡，平。归肺经。疏风止咳，通鼻窍。用于感冒咳嗽，鼻塞流涕，虚劳久嗽，痰中带血。

枇杷木白皮：苦，平。归胃经。降逆和胃，止咳，止泻，解毒。用于呕吐，呃逆，久咳，久泻，痈疡肿痛。

枇杷叶露：淡，平。归肺、胃经。清肺止咳，和胃下气。用于肺热咳嗽，痰多，呕逆，口渴。

枇杷叶：苦，微寒。归肺、胃经。清肺止咳，降逆止呕。用于肺热咳嗽，气逆喘急，胃热呕逆，烦热口渴。

| 用法用量 |

枇杷：内服生食或煎汤，30 ~ 60 g。

枇杷根：内服煎汤，6 ~ 30 g，鲜品可用至 120 g。外用适量，捣敷。

枇杷核：内服煎汤，6 ~ 15 g。外用适量，研末调敷。

枇杷花：内服煎汤，6 ~ 12 g；或研末，3 ~ 6 g；或入丸、散剂。外用适量，捣敷。

枇杷木白皮：内服煎汤，3 ~ 9 g；或研末，3 ~ 6 g。外用适量，研末调敷。

枇杷叶露：内服隔水炖温，30 ~ 60 ml。

枇杷叶：内服煮散，3 ~ 5 g；或入丸、散剂。

蔷薇科 Rosaceae 蛇莓属 *Duchesnea*

白鹃梅 *Duchesnea racemosa* (Lindl.) Rehd.

|药材名|

茧子花（药用部位：根皮、树皮）。

|形态特征|

灌木，高 3 ~ 5 m。枝条细弱开展，小枝圆柱形，微有棱角，无毛，幼时呈红褐色，老时呈褐色，冬芽三角状卵形，先端钝，平滑无毛，暗紫红色。叶片椭圆形、长椭圆形至长圆状倒卵形，长 3.5 ~ 6.5 cm，宽 1.5 ~ 3.5 cm，先端圆钝或急尖，稀有突尖，全缘，稀中部以上有钝锯齿，上下两面均无毛；叶柄短，长 5 ~ 15 mm，或近无柄，不具托叶。总状花序有花 6 ~ 10，无毛；花梗长 3 ~ 8 mm，基部花梗较顶部花梗稍长，无毛；苞片小，宽披针形；花直径 2.5 ~ 3.5 cm；萼筒浅钟状，无毛；萼片宽三角形，长约 2 mm，先端急尖或钝，边缘有尖锐细锯齿，无毛，黄绿色；花瓣倒卵形，长约 1.5 cm，宽约 1 cm，先端钝，基部有短爪，白色；雄蕊与花瓣对生；心皮 5，花柱分离。蒴果，倒圆锥形，无毛，有 5 脊；果柄长 3 ~ 8 mm。花期 5 月，果期 6 ~ 8 月。

|生境分布|

生于海拔 250 ~ 500 m 的山坡阴处等。

| 资源情况 | 野生资源稀少。药材来源于野生。

| 采收加工 | 春、夏季采剥根皮、树皮，洗净，晒干。

| 功能主治 | 甘，平。用于腰膝酸痛。

| 用法用量 | 内服煎汤，30 ~ 60 g。

蔷薇科 Rosaceae 草莓属 *Fragaria*

草莓 *Fragaria* × *ananassa* Duch.

| 药材名 | 草莓（药用部位：果实）。

| 形态特征 | 多年生草本，高 10 ~ 40 cm。茎低于叶或与叶近等高，密被开展的黄色柔毛。叶三出，小叶具短柄，质地较厚，倒卵形或菱形，稀圆形，长 3 ~ 7 cm，宽 2 ~ 6 cm，先端圆钝，基部阔楔形，侧生小叶基部偏斜，边缘具缺刻状锯齿，锯齿急尖，上面深绿色，几无毛，下面淡白绿色，疏生毛，沿脉较密；叶柄长 2 ~ 10 cm，密被开展的黄色柔毛。聚伞花序有花 5 ~ 15，花序下面有 1 具短柄的小叶；花两性，直径 1.5 ~ 2 cm；萼片卵形，比副萼片稍长，副萼片椭圆状披针形，全缘，稀 2 深裂，果时扩大；花瓣白色，近圆形或倒卵状椭圆形，基部具不明显的爪；雄蕊 20，不等长；雌蕊极多。聚合果大，直径

达 3 cm，鲜红色，宿存萼片直立，紧贴于果实，瘦果尖卵形，光滑。花期 4 ~ 5 月，果期 6 ~ 7 月。

| 生境分布 | 栽培种。湖南各地均有栽培。

| 资源情况 | 栽培资源丰富。药材来源于栽培。

| 采收加工 | 草莓开花后约 30 天果实即可成熟，当果面着色 75% ~ 80% 时即可采收，每隔 1 ~ 2 天采收 1 次，可连续采摘 2 ~ 3 周，采摘时不要伤及花萼，必须带有果柄，轻采轻放，以保证果实质量。

| 药材性状 | 本品聚合果肉质膨大，呈球形或卵球形，直径 1.5 ~ 3 cm，鲜红色，瘦果多数嵌生在肉质膨大的花托上。气清香，味甜、酸。

| 功能主治 | 甘、微酸，凉。清凉止渴，健胃消食。用于口渴，食欲不振，消化不良。

| 用法用量 | 内服适量，生食。

蔷薇科 Rosaceae 草莓属 *Fragaria*

黄毛草莓 *Fragaria nilgerrensis* Schltdl. ex Gay

| 药 材 名 | 白草莓（药用部位：全草。别名：白泡儿、白地莓、三匹风）。

| 形态特征 | 多年生草本，粗壮，密集成丛，高 5 ~ 25 cm。茎密被黄棕色绢状柔毛，几与叶等长。叶三出，小叶具短柄，质地较厚，小叶片倒卵形或椭圆形，长 1 ~ 4.5 cm，宽 0.8 ~ 3 cm，先端圆钝，顶生小叶基部楔形，侧生小叶基部偏斜，边缘具缺刻状锯齿，锯齿先端急尖或圆钝，上面深绿色，被疏柔毛，下面淡绿色，被黄棕色绢状柔毛，叶脉上毛长而密；叶柄长 4 ~ 18 cm，密被黄棕色绢状柔毛。聚伞花序有花（1 ~ ）2 ~ 5（ ~ 6），花序下部具有柄的一出或三出小叶；花两性，直径 1 ~ 2 cm；萼片卵状披针形，比副萼片宽或与副萼片近相等，副萼片披针形，全缘或 2 裂，果时增大；花瓣白色，圆形，

基部有短爪。聚合果圆形，白色、淡白黄色或红色，宿存萼片直立，紧贴果实，瘦果卵形，光滑。花期 4 ~ 7 月，果期 6 ~ 8 月。

| 生境分布 | 生于海拔 700 ~ 2 000 m 的山坡草地或沟边林下。分布于湖南张家界（永定）、湘西州（龙山）等。

| 资源情况 | 野生资源稀少。药材来源于野生。

| 采收加工 | 春、夏季采收，洗净，切段，阴干或鲜用。

| 药材性状 | 本品被柔毛。根长圆锥形，被鳞片，具多数须根。茎具黄棕色柔毛。基生叶有长柄，披散状，三出复叶，小叶片卵圆形，先端钝圆，基部宽楔形，边缘有粗锯齿，长 2 ~ 3 cm，宽 1.5 ~ 2 cm。具皱缩的淡黄色小花。聚合果黄白色或红色，小瘦果卵圆形。

| 功能主治 | 甘、苦，凉。归肺、肝、肾经。清肺止咳，解毒消肿。用于肺热咳嗽，百日咳，口舌生疮，疔疮，蛇咬伤，烫火伤。

| 用法用量 | 内服煎汤，15 ~ 30 g。外用适量，捣敷。

蔷薇科 Rosaceae 草莓属 *Fragaria*

粉叶黄毛草莓 *Fragaria nilgerrensis* Schlecht. ex Gay var. *mairei* (Lévl.) Hand.-Mazz.

| 药 材 名 | 白桃子（药用部位：全草。别名：白泡、白划莓）。

| 形态特征 | 多年生草本，粗壮，密集成丛，高 5 ~ 25 cm。茎密被黄棕色绢状柔毛，几与叶等长；叶三出，叶下面具苍白色腊质乳头；小叶具短柄，质地较厚，小叶片倒卵形或椭圆形，长 1 ~ 4.5 cm，宽 0.8 ~ 3 cm，先端圆钝，顶生小叶基部楔形，侧生小叶基部偏斜，边缘具缺刻状锯齿，锯齿先端急尖或圆钝，上面深绿色，被疏柔毛，下面淡绿色，被黄棕色绢状柔毛，沿叶脉上毛长而密；叶柄长 4 ~ 18 cm，密被黄棕色绢状柔毛。聚伞花序 2 ~ 5，花序下部具一或三出有柄的小叶；花两性，直径 1 ~ 2 cm；萼片卵状披针形，比副萼片宽或近相等，副萼片披针形，全缘或 2 裂，果时增大；花瓣白色，圆形，基部有短爪；雄蕊 20，不等长。聚合果圆形，白色、淡白黄色或红色，

宿存萼片直立，紧贴果实；瘦果卵形，光滑。花期 4 ~ 7 月，果期 6 ~ 8 月。

| 生境分布 | 生于海拔 800 ~ 2 000 m 的山坡草地、沟谷、灌丛及林缘。分布于湖南湘西州（龙山）、张家界（桑植）等。

| 资源情况 | 野生资源稀少。药材来源于野生。

| 功能主治 | 用于肺痈咳嗽，清热化痰，筋骨疼痛。

蔷薇科 Rosaceae 路边青属 *Geum*

路边青 *Geum aleppicum* Jacq.

| 药 材 名 |

五气朝阳草（药用部位：全草或根。别名：追风七、见肿消、头晕药）。

| 形态特征 |

多年生草本。须根簇生。茎直立，高 30 ~ 100 cm，被开展的粗硬毛，稀无毛。基生叶为大头羽状复叶，通常有小叶 2 ~ 6 对，连叶柄长 10 ~ 25 cm，叶柄被粗硬毛，小叶大小极不相等，顶生小叶最大，菱状广卵形或宽扁圆形，长 4 ~ 8 cm，宽 5 ~ 10 cm，边缘常浅裂，有不规则粗大锯齿，锯齿急尖或圆钝，两面绿色，疏生粗硬毛；茎生叶羽状复叶，有时重复分裂，向上小叶逐渐减少，顶生小叶披针形或倒卵状披针形，托叶大，绿色，叶状，卵形，边缘有不规则粗大锯齿。花序顶生，疏散排列；花梗被短柔毛或微硬毛；花直径 1 ~ 1.7 cm；花瓣黄色，几圆形，比萼片长。聚合果倒卵球形，瘦果被长硬毛，花柱宿存部分无毛，先端有小钩，果托被短硬毛，长约 1 mm。花果期 7 ~ 10 月。

| 生境分布 |

生于海拔 200 ~ 2 000 m 的山坡草地、沟边、

田地边、河滩、林间及林缘。湖南各地均有分布。

| 资源情况 | 野生资源丰富。药材来源于野生。

| 采收加工 | 夏季采收，鲜用或切段晒干。

| 药材性状 | 本品根茎短粗，长 1 ～ 2.5 cm，有多数棕褐色细须根。茎圆柱形，被毛或近无毛。基生叶有长柄，羽状全裂或为近羽状复叶，顶裂片较大，卵形或宽卵形，边缘有锯齿，两面被毛，侧生裂片小，边缘有不规则粗齿；茎生叶为羽状复叶，有时重复分裂，向上小叶逐渐减少，顶生小叶披针形或倒卵状披针形。花顶生，常脱落。聚合果近球形。气微，味辛、微苦。

| 功能主治 | 甘、辛，平。祛风除湿，活血消肿。用于风湿痹痛，痢疾，带下，跌打损伤，痈疽，疮疡，咽喉痛，瘰疬。

| 用法用量 | 内服煎汤，10 ～ 15 g；或研末，1 ～ 1.5 g。外用适量，捣敷；或煎汤洗。

蔷薇科 Rosaceae 路边青属 *Geum*

柔毛路边青 *Geum japonicum* Thunb. var. *chinense* F. Bolle

| 药材名 | 柔毛水杨梅（药用部位：全草。别名：水杨梅、小益母、路边黄）、柔毛水杨梅根（药用部位：根。别名：头晕药根、草本水杨梅根）、柔毛水杨梅花（药用部位：花）。

| 形态特征 | 多年生草本。须根簇生。茎直立，高 25 ~ 60 cm，被黄色短柔毛及粗硬毛。基生叶为大头羽状复叶，通常有小叶 1 ~ 2 对，其余侧生小叶呈附片状，连叶柄长 5 ~ 20 cm，叶柄被粗硬毛及短柔毛，顶生小叶最大，卵形或广卵形，浅裂或不裂，长 3 ~ 8 cm，宽 5 ~ 9 cm，边缘有粗大圆钝或急尖锯齿，两面绿色，被稀疏糙伏毛；下部茎生叶有 3 小叶，上部茎生叶为单叶，3 浅裂，裂片圆钝或急尖，托叶草质，绿色，边缘有不规则粗大锯齿。花序疏散，顶生数花；

花直径 1.5 ~ 1.8 cm；萼片三角状卵形，先端渐尖，副萼片狭小，椭圆状披针形，先端急尖，比萼片短，外面被短柔毛；花瓣黄色，几呈圆形，比萼片长。聚合果卵球形或椭球形，瘦果被长硬毛，花柱宿存部分光滑，先端有小钩，果托被长硬毛，长 2 ~ 3 mm。花果期 5 ~ 10 月。

| 生境分布 | 生于海拔 200 ~ 2 000 m 的山坡草地、田边、河边、灌丛及疏林下。湖南各地均有分布。

| 资源情况 | 野生资源丰富。药材来源于野生。

| 采收加工 | **柔毛水杨梅：**夏、秋季采收，切碎，晒干或鲜用。

柔毛水杨梅根：夏、秋季采挖，洗净，晒干。

柔毛水杨梅花：夏、秋季花盛开时采摘，晒干。

| 功能主治 | **柔毛水杨梅：**苦、辛，寒。归肝、肾经。补肾平肝，活血消肿。用于头晕目眩，小儿惊风，阳痿，遗精，虚劳咳嗽，风湿痹痛，月经不调，疮疡肿痛，跌打损伤。

柔毛水杨梅根：辛、甘，平。活血祛风，消肿止痛。用于疮疖疔毒，咽喉肿痛，跌打损伤，小儿惊风，感冒，风湿痹痛，痢疾，瘰疬。

柔毛水杨梅花：苦、涩，平。止血。用于出血证。

| 用法用量 | **柔毛水杨梅：**内服煎汤，9 ~ 15 g。外用适量，捣敷。

柔毛水杨梅根：内服煎汤，15 ~ 30 g。外用适量，捣敷。

柔毛水杨梅花：内服煎汤，9 ~ 15 g。外用适量，研末敷。

蔷薇科 Rosaceae 棣棠花属 *Kerria*

棣棠花 *Kerria japonica* (L.) DC.

|药 材 名|

棣棠花（药用部位：花。别名：鸡蛋花、三月花、青通花）、棣棠根（药用部位：根）、棣棠枝叶（药用部位：枝叶）。

|形态特征|

落叶灌木，高 1 ～ 2 m，稀达 3 m。小枝绿色，圆柱形，无毛，常拱垂，嫩枝有棱角，枝条折断后可见白色的髓。叶互生；叶柄长 5 ～ 10 mm，无毛；托叶膜质，带状披针形，有缘毛，早落；叶片三角状卵形或卵圆形，先端长渐尖，基部圆形、截形或微心形，边缘有尖锐重锯齿，上面无毛或有稀疏柔毛，下面沿脉或脉腋有柔毛。花两性，大而单生，着生在当年生侧枝先端；花梗无毛；花直径 2.5 ～ 6 cm；萼片 5，覆瓦状排列，卵状椭圆形，先端急尖，有小尖头，全缘，无毛，果时宿存；花瓣 5，宽椭圆形，先端下凹，比萼片长 1 ～ 4 倍，黄色，具短爪；雄蕊多数，排列成数组，疏被柔毛；雌蕊 5 ～ 8，分离，生于萼筒内。瘦果倒卵形至半球形，褐色或黑褐色，表面无毛，有折皱。花期 4 ～ 6 月，果期 6 ～ 8 月。

| 生境分布 | 生于海拔 200 ~ 2 000 m 的山坡、灌丛中。湖南各地均有分布。

| 资源情况 | 野生资源丰富。药材来源于野生。

| 采收加工 | **棣棠花**：4 ~ 5 月采摘，晒干。

棣棠根：7 ~ 8 月采挖，洗净，切段，晒干。

棣棠枝叶：7 ~ 8 月采收，晒干。

| 药材性状 | **棣棠花**：本品呈扁球形，直径 0.5 ~ 1 cm，黄色；萼片 5，深裂，裂片卵形，筒部短广；花瓣 5，金黄色，广椭圆形，钝头；萼筒内有环状花盘；雄蕊多数；雌蕊 5。气微，味苦、涩。

棣棠枝叶：本品茎枝绿色，表面粗糙，质硬脆，易折断，断面不整齐。叶多皱缩，展平后呈卵形或卵状披针形，长 5 ~ 10 cm，宽 1.5 ~ 4 cm，边缘有锯齿，上面无毛，下面沿叶脉疏生短毛。气微，味苦、涩。

| 功能主治 | **棣棠花**：苦、涩，平。归肺、胃、脾经。化痰止咳，利尿消肿，解毒。用于咳嗽，风湿痹痛，产后劳伤，水肿，小便不利，消化不良，痈疽肿毒，湿疹，荨麻疹。

棣棠根：涩、微苦，平。祛风止痛，解毒消肿。用于关节疼痛，痈疽肿毒。

棣棠枝叶：微苦、涩，平。祛风除湿，解毒消肿。用于风湿关节痛，荨麻疹，湿疹，痈疽肿毒。

| 用法用量 | **棣棠花**：内服煎汤，6 ~ 15 g。外用适量，煎汤洗。

棣棠根：内服煎汤，9 ~ 15 g；或浸酒。

棣棠枝叶：内服煎汤，9 ~ 15 g。外用适量，煎汤熏洗。

蔷薇科 Rosaceae 桂樱属 *Laurocerasus*

刺叶桂樱 *Laurocerasus spinulosa* (Sieb. et Zucc.) Schneid.

| 药 材 名 | 橉木子（药用部位：种子。别名：乌于、甜珠）。

| 形态特征 | 常绿乔木，高可达 20 m，稀为灌木。小枝紫褐色或黑褐色，具明显皮孔，无毛或幼时微被柔毛，老时毛脱落。叶片草质至薄革质，长圆形或倒卵状长圆形，长 5 ~ 10 cm，宽 2 ~ 4.5 cm，先端渐尖至尾尖，一侧常偏斜，边缘不平，常呈波状，两面无毛，上面亮绿色，下面颜色较浅，近基部沿叶缘或在叶边常具 1 对或 2 对基腺，侧脉稍明显，8 ~ 14 对；叶柄长 5 ~ 10（~ 15）mm，无毛；托叶早落。总状花序生于叶腋，单生，具花 10 至 20 余，长 5 ~ 10 cm，被细短柔毛，花序下部的苞片常无花；花直径 3 ~ 5 mm；花萼外面无毛或微被细短柔毛；花瓣圆形，直径 2 ~ 3 mm，白色，无毛。果实椭圆形，长

8 ~ 11 mm，宽 6 ~ 8 mm，褐色至黑褐色，无毛；核壁较薄，表面光滑。花期 9 ~ 10 月，果期 11 月至翌年 3 月。

| 生境分布 | 生于海拔 400 ~ 1 500 m 的山坡阳处疏密杂木林中或山谷、沟边阔叶林下及林缘。分布于湖南湘西州（古丈）、郴州（安仁）等。

| 资源情况 | 野生资源稀少。药材来源于野生。

| 采收加工 | 果实成熟后采摘，敲碎果壳，取出种子，晒干。

| 功能主治 | 止痢。用于痢疾。

| 用法用量 | 内服研末，9 ~ 15 g。

蔷薇科 Rosaceae 桂樱属 *Laurocerasus*

尖叶桂樱 *Laurocerasus undulata* (D. Don) Rocm.

| 药 材 名 |

尖叶桂樱（药用部位：种子）。

| 形态特征 |

常绿灌木或小乔木，高 5 ~ 16 m。小枝灰褐色至紫褐色，具不明显小皮孔，无毛。叶片草质或薄革质，椭圆形至长圆状披针形，长 6 ~ 15 cm，宽 3 ~ 5 cm，先端渐尖，基部宽楔形至近圆形，全缘，稀在中部以上有少数锯齿，两面无毛，上面光亮，下面近基部常有 1 对扁平小基腺，另外下面沿中脉常有多数几与中脉平行的扁平小腺体，尤其在叶片下半部更为明显，侧脉 6 ~ 9 对，在下面稍凸起，网脉不明显；叶柄长 5 ~ 10 mm，无毛，无腺体；托叶长 4 ~ 6 mm，无毛，早落。总状花序单生或 2 ~ 4 簇生于叶腋，长 5 ~ 19 cm，具花 10 ~ 30 余，无毛，在同一花序中发现有雄花和两性花；花梗长 2 ~ 5 mm；苞片长 1 ~ 2 mm，早落；花萼外面无毛；萼筒宽钟形；萼片卵状三角形，先端圆钝；花瓣椭圆形或倒卵形，长 2 ~ 4 mm，浅黄白色；雄蕊 10 ~ 30，长 3 ~ 4 mm；子房具柔毛，花柱短于雄蕊。果实卵球形或椭圆形，长 10 ~ 16 mm，宽 7 ~ 11 mm，先端急尖或稍钝，紫黑色，无毛；核壁较薄，光滑。花期 8 ~ 10 月，果期冬季至翌年春季。

| 生境分布 | 生于海拔 500 ~ 1 800 m 的山坡混交林中或沿溪常绿林下。分布于湖南郴州（桂东）、永州（东安）、张家界（桑植）等。

| 资源情况 | 野生资源稀少。药材来源于野生。

| 功能主治 | 镇咳利尿，润燥通便。

| 附　　注 | 本种在 FOC 中被修订为蔷薇科 Rosaceae 李属 *Prunus* 尖叶桂樱 *Prunus undulate* Buch.-Ham. ex D. Don。

蔷薇科 Rosaceae 桂樱属 *Laurocerasus*

大叶桂樱 *Laurocerasus zippeliana* (Miq.) Yu et Lu

| 药材名 | 大叶桂樱根（药用部位：根）、大叶桂樱叶（药用部位：叶）。

| 形态特征 | 常绿乔木。高 10 ~ 25 m。小枝灰褐色至黑褐色，具明显小皮孔，无毛。叶片革质，宽卵形至椭圆状长圆形或宽长圆形，长 10 ~ 19 cm，宽 4 ~ 8 cm，先端急尖至短渐尖，基部宽楔形至近圆形，叶边具稀疏或稍密粗锯齿，齿顶有黑色硬腺体，两面无毛，侧脉明显，7 ~ 13 对；叶柄长 1 ~ 2 cm，粗壮，无毛，有 1 对扁平的基腺；托叶线形，早落。总状花序单生或 2 ~ 4 簇生于叶腋，长 2 ~ 6 cm，被短柔毛；花梗长 1 ~ 3 mm；苞片长 2 ~ 3 mm，位于花序最下面者常在先端 3 裂而无花；花直径 5 ~ 9 mm；花萼外面被短柔毛，萼筒钟形，长约 2 mm，萼片卵状三角形，长 1 ~ 2 mm，先端圆钝；花瓣近圆形，

长约为萼片的 2 倍，白色；雄蕊 20 ~ 25，长 4 ~ 6 mm；子房无毛，花柱几与雄蕊等长。果实长圆形或卵状长圆形，长 18 ~ 24 mm，宽 8 ~ 11 mm，先端急尖并具短尖头，黑褐色，无毛；核壁表面稍具网纹。花期 7 ~ 10 月，果期冬季。

| 生境分布 | 生于海拔 600 ~ 2 000 m 的石灰岩山地阳坡杂木林中或山坡混交林下。分布于湖南邵阳（邵阳）、益阳（桃江）、郴州（桂阳）、永州（冷水滩、祁阳、道县、江永、新田）、怀化（新晃）、湘西州（吉首、花垣）等。

| 资源情况 | 野生资源较少。药材来源于野生。

| 功能主治 | **大叶桂樱根：**用于鹤膝风，跌打损伤。

大叶桂樱叶：镇咳祛痰，祛风解毒。用于咳嗽，喘息，子宫痉挛，全身瘙痒。

蔷薇科 Rosaceae 苹果属 *Malus*

台湾林檎 *Malus doumeri* (Boiss.) Chev.

| 药材名 |

冬梨茶（药用部位：叶）、涩梨（药用部位：果实、种子）。

| 形态特征 |

乔木。高达 15 m。小枝圆柱形；嫩枝被长柔毛；老枝暗灰褐色或紫褐色，无毛，具稀疏纵裂皮孔；冬芽卵形，先端急尖，被柔毛或仅在鳞片边缘有柔毛，红紫色。叶片长椭圆状卵形至卵状披针形，长 9 ~ 15 cm，宽 4 ~ 6.5 cm，先端渐尖，基部圆形或楔形，边缘有不整齐尖锐锯齿，嫩时两面有白色绒毛，成熟时毛脱落；叶柄长 1.5 ~ 3 cm，嫩时被绒毛，以后毛脱落至无毛；托叶膜质，线状披针形，先端渐尖，全缘，无毛，早落。花序近似伞形，有花 4 ~ 5；花梗长 1.5 ~ 3 cm，有白色绒毛；苞片膜质，线状披针形，先端钝，全缘，无毛；花直径 2.5 ~ 3 cm；萼筒倒钟形，外面有绒毛，萼片卵状披针形，先端渐尖，全缘，长约 8 mm，内面密被白色绒毛，与萼筒等长或稍长于萼筒；花瓣卵形，基部有短爪，黄白色；雄蕊约 30，花药黄色；花柱 4 ~ 5，基部有长绒毛，较雄蕊长，柱头半圆形。果实球形，直径 4 ~ 5.5 cm，黄红色，宿萼有短

筒，萼片反折，先端隆起，果心分离，外面有点，果柄长 1 ～ 3 cm。

| 生境分布 | 生于海拔 1000 ～ 2 000 m 的林中。分布于湖南永州（江华）、怀化（新晃）等。

| 资源情况 | 野生资源较少。药材来源于野生。

| 功能主治 | **冬梨茶：** 消积化滞，和胃健脾。用于食积停滞，消化不良，痢疾，疳积。

涩梨： 甘、酸、涩，微温。理气健脾，消食导滞。用于消化不良。

蔷薇科 Rosaceae 苹果属 *Malus*

垂丝海棠 *Malus halliana* Koehne

| 药材名 | 垂丝海棠（药用部位：花）。

| 形态特征 | 乔木，高达 5 m，树冠开展。小枝细弱，微弯曲，圆柱形，紫色或紫褐色，最初有毛，不久毛脱落，冬芽卵形，先端渐尖，无毛或仅鳞片边缘具柔毛，紫色。叶片卵形或椭圆形至长椭圆状卵形，长 3.5 ~ 8 cm，宽 2.5 ~ 4.5 cm，先端长渐尖，基部楔形至近圆形，边缘有圆钝细锯齿，中脉有时具短柔毛，其余部分均无毛，上面深绿色，有光泽并常带紫晕。伞房花序具花 4 ~ 6；花梗细弱，长 2 ~ 4 cm，下垂，有稀疏柔毛，紫色；花直径 3 ~ 3.5 cm；花瓣倒卵形，长约 1.5 cm，基部有短爪，粉红色，常为 5 数以上；雄蕊 20 ~ 25，花丝长短不齐，长约为花瓣之半；花柱 4 或 5，较雄蕊为长，

基部有长绒毛，顶花有时缺少雌蕊。果实梨形或倒卵形，直径 6 ~ 8 mm，略带紫色，成熟很迟，萼片脱落；果柄长 2 ~ 5 cm。花期 3 ~ 4 月，果期 9 ~ 10 月。

| 生境分布 | 生于海拔 50 ~ 1 200 m 的山坡丛林中或溪边。栽培于土层深厚、疏松肥沃、排水良好且略带黏性的土壤中。分布于湘北、湘中、湘东、湘西南、湘南等。

| 资源情况 | 野生资源一般。栽培资源一般。药材来源于野生和栽培。

| 采收加工 | 3 ~ 4 月花盛开时采摘，晒干。

| 药材性状 | 本品暗红色，下垂；萼筒紫红色，5 裂，裂片卵形，边缘有毛，外表面无毛，内表面密生白色绒毛；花瓣倒卵形，外表面光滑无毛，内表面疏生白色绒毛；雄蕊多数，花柱 4 或 5，基部密生绒毛；花梗细长，紫色，长 2 ~ 4 cm，疏生绒毛。气微，味微苦、涩。

| 功能主治 | 淡、苦，平。归肝经。调经和血。用于血崩。

| 用法用量 | 内服煎汤，6 ~ 15 g。

蔷薇科 Rosaceae 苹果属 *Malus*

湖北海棠 *Malus hupehensis* (Pamp.) Rehd.

| 药材名 | 湖北海棠（药用部位：叶、果实）、湖北海棠根（药用部位：根）。

| 形态特征 | 乔木，高达 8 m。小枝最初有短柔毛，不久毛脱落，老枝紫色至紫褐色。叶片卵形至卵状椭圆形，长 5 ~ 10 cm，宽 2.5 ~ 4 cm，先端渐尖，基部宽楔形，稀近圆形，边缘有细锐锯齿，嫩时具稀疏短柔毛，不久毛脱落，常呈紫红色。伞房花序具花 4 ~ 6；花梗长 3 ~ 6 cm，无毛或略被长柔毛，苞片膜质，披针形，早落；花直径 3.5 ~ 4 cm；萼筒外面无毛或略被长柔毛；萼片三角状卵形，先端渐尖或急尖，长 4 ~ 5 mm，外表面无毛，内表面有柔毛，略带紫色，与萼筒等长或较萼筒稍短；花瓣倒卵形，长约 1.5 cm，基部有短爪，粉白色或近白色；雄蕊 20，花丝长短不齐，长约为花瓣之

半；花柱 3，稀 4，基部有长绒毛，较雄蕊稍长。果实椭圆形或近球形，直径约 1 cm，黄绿色，稍带红晕，萼片脱落；果柄长 2 ~ 4 cm。花期 4 ~ 5 月，果期 8 ~ 9 月。

| **生境分布** | 生于海拔 50 ~ 2 000 m 的山坡、山谷丛林中。湖南各地均有分布。

| **资源情况** | 野生资源较丰富。药材来源于野生。

| **采收加工** | **湖北海棠：**叶，夏、秋季采收，鲜用。果实，8 ~ 9 月采收，鲜用。
湖北海棠根：夏、秋季采挖，洗净，切片，鲜用或晒干。

| **药材性状** | **湖北海棠：**本品叶卵形或卵状椭圆形，长 5 ~ 10 cm，宽 2.5 ~ 4 cm，先端急尖或渐尖，基部圆形或宽楔形，边缘有细锐锯齿，齿端具腺点，主脉下面具沟，幼叶被细毛，托叶 2，披针形。薄革质。气微，味微苦、涩。果实椭圆形或近球形，直径约 1 cm，黄绿色且稍带红晕，萼片脱落；果柄长 2 ~ 4 cm。

| **功能主治** | **湖北海棠：**酸，平。消积化滞，和胃健脾。用于食积停滞，消化不良，痢疾，疳积。
湖北海棠根：活血通络。用于跌打损伤。

| **用法用量** | **湖北海棠：**内服煎汤，鲜果 60 ~ 90 g；或嫩叶适量，泡茶饮。
湖北海棠根：内服煎汤，60 ~ 90 g。外用适量，研末调敷。

蔷薇科 Rosaceae 苹果属 *Malus*

西府海棠 *Malus micromalus* Makino

| 药 材 名 | 海红（药用部位：果实）。

| 形态特征 | 小乔木。高达 2.5 ~ 5 m。树枝直立性强；小枝细弱圆柱形，嫩时被短柔毛，老时毛脱落，紫红色或暗褐色，具稀疏皮孔。叶片长椭圆形或椭圆形，先端急尖或渐尖，基部楔形，稀近圆形，边缘有尖锐锯齿；托叶膜质，线状披针形，早落。伞形总状花序有花 4 ~ 7，集生于小枝先端；苞片膜质，线状披针形，早落；花直径约 4 cm；萼筒外面密被白色长绒毛，萼片全缘，内面被白色绒毛，外面毛较稀疏；花瓣近圆形或长椭圆形，基部有短爪，粉红色；雄蕊约 20，花丝长短不等，比花瓣稍短；花柱 5，基部具绒毛，约与雄蕊等长。果实近球形，直径 1 ~ 1.5 cm，红色，萼洼、梗洼均下陷，萼片多

数脱落，少数宿存。花期 4 ～ 5 月，果期 8 ～ 9 月。

| 生境分布 | 分布于湖南长沙（望城）、衡阳（雁峰）、岳阳（湘阴）、常德（澧县、津市）、益阳（沅江）、郴州（临武、汝城）、怀化（辰溪）、娄底（娄星）等。

| 资源情况 | 栽培资源一般。药材来源于栽培。

| 采收加工 | 8 ～ 9 月果实成熟时采摘，鲜用或切片晒干。

| 药材性状 | 本品近球形，直径 1 ～ 1.5 cm。表面红色带黄色，无斑点，光亮，基部凹陷。花萼脱落或宿存。内果皮革质，形似苹果。气清香，味微酸、甜。

| 功能主治 | 酸、甘，平。涩肠止痢。用于泄泻，痢疾。

| 用法用量 | 内服煎汤，15 ～ 30 g；或生食。

蔷薇科 Rosaceae 苹果属 *Malus*

三叶海棠 *Malus sieboldii* (Regel) Rehd.

| 药 材 名 | 三叶海棠（药用部位：果实。别名：山茶果、野黄子、山楂子）。

| 形态特征 | 灌木，高 2 ~ 6 m。小枝稍有棱角，暗紫色或紫褐色。叶互生；叶柄长 1 ~ 2.5 cm，有短柔毛；托叶狭披针形，全缘；叶片椭圆形、长椭圆形或卵形，长 3 ~ 7.5 cn，宽 2 ~ 4 cm，先端急尖，基部圆形或宽楔形，边缘有尖锐锯齿，常 3 浅裂，稀 5 浅裂，下面沿中肋及侧脉有短柔毛。花两性，4 ~ 8 花集生于小枝先端；花梗长 2 ~ 2.5 cm，有柔毛或近无毛；苞片线状披针形，早落；萼片 5，三角状卵形；花瓣红色，长椭圆状倒卵形，直径 2 ~ 3 cm，基部有短爪；雄蕊 20，花丝长短不等，长约为花瓣之半；花柱 3 ~ 5，基部有长柔毛。梨果近球形，直径 6 ~ 8 mm，红色或褐黄色，萼片脱落；果柄长 2 ~ 3 cm。花期 4 ~ 5 月，果期 8 ~ 9 月。

| 生境分布 | 生于海拔 150 ~ 2 000 m 的山坡杂木林或灌丛中。分布于湘中、湘东、湘南、湘西南等。

| 资源情况 | 野生资源一般。药材来源于野生。

| 采收加工 | 8 ~ 9 月果实成熟时采摘，鲜用或晒干。

| 药材性状 | 本品近球形，直径 6 ~ 8 mm，红色或褐黄色，萼片脱落；果柄长 2 ~ 3 cm。气微，味酸、微甜。

| 功能主治 | 酸，温。归脾、胃经。消食健胃。用于饮食积滞。

| 用法用量 | 内服煎汤，6 ~ 12 g。

蔷薇科 Rosaceae 苹果属 *Malus*

中华绣线梅 *Neillia sinensis* Oliv.

| 药 材 名 | 中华绣线梅（药用部位：全株）、钓竿柴（药用部位：根。别名：钓鱼竿、黑椿子、杆杆梢）。

| 形态特征 | 灌木，高达 2 m。小枝圆柱形，无毛，幼时紫褐色，老时暗灰褐色，冬芽卵形，先端钝，微被短柔毛或近无毛，红褐色。叶片卵形至卵状长椭圆形，长 5 ~ 11 cm，宽 3 ~ 6 cm，先端长渐尖，基部圆形或近心形，稀宽楔形，边缘有重锯齿，常不规则分裂，稀不裂，两面无毛或下面脉腋有柔毛。顶生总状花序长 4 ~ 9 cm；花梗长 3 ~ 10 mm，无毛；花直径 6 ~ 8 mm；萼筒筒状，长 1 ~ 1.2 cm，外面无毛，内面被短柔毛；萼片三角形，先端尾尖，全缘，长 3 ~ 4 mm；花瓣倒卵形，长约 3 mm，宽约 2 mm，先端圆钝，淡粉色；

雄蕊 10 ~ 15，花丝不等长，着生于萼筒边缘，排成不规则的 2 轮；心皮 1 ~ 2，子房先端有毛，花柱直立，内含 4 ~ 5 胚珠。蓇葖果长椭圆形，萼筒宿存，疏生长腺毛。花期 5 ~ 6 月，果期 8 ~ 9 月。

| 生境分布 | 生于海拔 1 000 ~ 2 000 m 的山坡、山谷或沟边杂木林中。分布于湘西北、湘西南、湘南、湘中、湘东等。

| 资源情况 | 野生资源一般。药材来源于野生。

| 采收加工 | **中华绣线梅：**全年均可采收，晒干或鲜用。

钓竿柴：夏、秋季采挖，洗净，切片，晒干。

| 功能主治 | **中华绣线梅：**辛，平。祛风解表，和中止泻。用于感冒，泄泻。

钓竿柴：苦、酸、甘，凉。归肺、膀胱、脾经。利水消肿，清热止血。用于水肿，咯血。

| 用法用量 | **中华绣线梅：**内服煎汤，30 ~ 60 g。

钓竿柴：内服煎汤，6 ~ 12 g；或入丸剂。

蔷薇科 Rosaceae 稠李属 *Padus*

短梗稠李 *Padus brachypoda* (Batal.) Schneid.

| 药材名 | 短梗稠李（药用部位：根、叶、树皮。别名：野苦桃树、短柄稠李）。

| 形态特征 | 落叶乔木，高 8 ~ 10 m；树皮黑色；多年生小枝黑褐色，无毛，有散生浅色皮孔；当年生小枝红褐色，被短绒毛或近无毛；冬芽卵圆形通常无毛。叶片长圆形，稀椭圆形，长 6 ~ 16 cm，宽 3 ~ 7 cm，先端急尖或渐尖，稀短尾尖，基部圆形或微心形，稀截形，叶边有贴生或开展锐锯齿，齿尖带短芒，上面深绿色，无毛，中脉和侧脉均下陷，下面淡绿色，无毛或在脉腋有髯毛，中脉和侧脉均凸起；叶柄长 1.5 ~ 2.3 cm，无毛，先端两侧各有 1 腺体；托叶膜质，线形，先端渐尖，边缘有带腺锯齿，早落。总状花序具多花，长 16 ~ 30 cm，基部有 1 ~ 3 叶，叶片长圆形或长圆状披针形，长 5 ~ 7 cm，宽 2 ~ 3 cm；花梗长 5 ~ 7 mm，总花梗和花梗均被短

柔毛；花直径 5 ~ 7 mm；萼筒钟状，比萼片稍长，萼片三角状卵形，先端急尖，边缘有带腺细锯齿，萼筒和萼片外面有疏生短柔毛，内面基部被短柔毛，比花瓣短；花瓣白色，倒卵形，中部以上啮蚀状或波状，基部楔形，有短爪；雄蕊 25 ~ 27，花丝长短不等，排成不规则 2 轮，着生在花盘边缘，长花丝和花瓣近等长或稍长；雌蕊 1，心皮无毛，柱头盘状，花柱比长花丝短。核果球形，直径 5 ~ 7 mm，幼时紫红色，老时黑褐色，无毛；果柄被短柔毛；萼片脱落，萼筒基部宿存；核光滑。花期 4 ~ 5 月，果期 5 ~ 10 月。

| 生境分布 | 生于海拔 1 500 ~ 2 000 m 的山坡灌丛或山谷和山沟林中。分布于湖南张家界（桑植）等。

| 资源情况 | 野生资源稀少。药材来源于野生。

| 功能主治 | 根、叶，用于筋骨扭伤。树皮，杀虫止痒。

蔷薇科 Rosaceae 稠李属 *Padus*

橉木 *Padus buergeriana* (Miq.) Yu et Ku

| 药 材 名 |

橉木种子（药用部位：种子）。

| 形态特征 |

落叶乔木。高 6 ~ 12 m。老枝黑褐色，小枝红褐色或灰褐色。叶片椭圆形或长椭圆形，长 4 ~ 10 cm，宽 2.5 ~ 5 cm；叶柄长 1 ~ 1.5 cm，通常无毛，无腺体，有时在叶片基部边缘两侧各有 1 腺体；托叶膜质，线形，早落。总状花序通常具 20 ~ 30 花，长 6 ~ 9 cm，基部无叶；花梗长约 2 mm，总花梗和花梗近无毛或被疏短柔毛；花直径 5 ~ 7 mm；萼筒钟状，与萼片近等长，萼片三角状卵形，长和宽几相等，先端急尖，边有不规则细锯齿；花瓣白色，宽倒卵形；雄蕊 10，花丝细长，基部扁平；花盘圆盘形，紫红色；心皮 1，子房无毛。核果近球形或卵球形，黑褐色，无毛，果柄无毛，萼片宿存。花期 4 ~ 5 月，果期 5 ~ 10 月。

| 生境分布 |

生于海拔 1 000 ~ 1 200 m 的山坡杂木林或山谷林缘。分布于湖南长沙（浏阳）、株洲（炎陵）、衡阳（南岳、衡山）、邵阳（洞口、绥宁、新宁、武冈）、岳阳（平江）、

常德（石门）、张家界（桑植、永定）、永州（零陵）、怀化（会同）、娄底（双峰）、湘西州（永顺、龙山）等。

| 资源情况 | 野生资源较少。药材来源于野生。

| 采收加工 | 果实成熟后采收，除去果肉和核壳，取出种子，干燥。

| 功能主治 | 辛、苦、甘，平。缓泻，利尿。用于水肿腹满，小便不利，痢疾。

| 用法用量 | 内服煎汤，3 ~ 9 g。

蔷薇科 Rosaceae 石楠属 *Photinia*

中华石楠 *Photinia beauverdiana* Schneid.

| 药 材 名 | 中华石楠（药用部位：叶、根）、中华石楠果（药用部位：果实）。

| 形态特征 | 落叶灌木或小乔木，高 3 ～ 10 m。小枝无毛，紫褐色，有散生的灰色皮孔。叶片薄纸质，长圆形、倒卵状长圆形或卵状披针形，长 5 ～ 10 cm，宽 2 ～ 4.5 cm，先端突渐尖，基部圆形或楔形，边缘疏生具腺锯齿，上面光亮，无毛，下面中脉疏生柔毛，侧脉 9 ～ 14 对；叶柄长 5 ～ 10 mm，微有柔毛。多数花组成复伞房花序，花序直径 5 ～ 7 cm，总花梗和花梗无毛，密生疣点；花梗长 7 ～ 15 mm；花直径 5 ～ 7 mm；萼筒杯状，长 1 ～ 1.5 mm，外面微有毛；萼片三角状卵形，长 1 mm；花瓣白色，卵形或倒卵形，长 2 mm，先端圆钝，无毛；雄蕊 20；花柱（2 ～）3，基部合生。果实卵形，长 7 ～

8 mm，直径 5 ~ 6 mm，紫红色，无毛，微有疣点，先端有宿存萼片；果柄长 1 ~ 2 cm。花期 5 月，果期 7 ~ 8 月。

| 生境分布 | 生于海拔 1 000 ~ 1 700 m 的山坡或山谷林下。湖南有广泛分布。

| 资源情况 | 野生资源一般。药材来源于野生。

| 采收加工 | **中华石楠：**叶，夏、秋季采收，晒干。根，全年均可采收，洗净，切片，晒干。
中华石楠果：7 ~ 8 月果实成熟时采摘，鲜用。

| 功能主治 | **中华石楠：**辛、苦，平。行气活血，祛风止痛。用于风湿痹痛，肾虚脚膝酸软，头痛，跌打损伤。
中华石楠果：补肾强筋。用于劳伤疲乏。

| 用法用量 | **中华石楠：**内服煎汤，5 ~ 9 g。
中华石楠果：内服煎汤，120 ~ 150 g。

蔷薇科 Rosaceae 石楠属 *Photinia*

贵州石楠 *Photinia bodinieri* Lévl.

| 药 材 名 | 贵州石楠叶（药用部位：叶）、贵州石楠根（药用部位：根）。

| 形态特征 | 常绿乔木。高 6 ~ 15 m。叶片革质，长圆形、倒披针形或稀为椭圆形，长 5 ~ 15 cm，宽 2 ~ 5 cm，先端急尖或渐尖，基部楔形，边缘稍反卷，中脉初有贴生柔毛，后毛渐脱落至无毛，侧脉 10 ~ 12 对；叶柄长 8 ~ 15 mm，无毛。花多数，密集成顶生复伞房花序，直径 10 ~ 12 mm；总花梗和花梗有平贴短柔毛，花梗长 5 ~ 7 mm；花直径 10 ~ 12 mm；萼筒浅杯状，直径 2 ~ 3 mm，外面疏生平贴短柔毛，萼片阔三角形，长约 1 mm，先端急尖，有柔毛；花瓣圆形，直径 3.5 ~ 4 mm，先端圆钝，基部有极短爪，内外两面皆无毛；雄蕊 20，较花瓣短；花柱 2，基部合生并密被白色长柔毛。果实球形

或卵形，直径 7 ~ 10 mm，黄红色，无毛；种子 2 ~ 4，卵形，长 4 ~ 5 mm，褐色。花期 5 月，果期 9 ~ 10 月。

| 生境分布 | 生于山坡疏林中。分布于湖南衡阳（南岳）、邵阳（洞口、绥宁、新宁、武冈）、岳阳（平江）、张家界（慈利、桑植）、郴州（宜章）、永州（江永）、怀化（洪江）、湘西州（花垣、保靖、古丈、永顺）等。

| 资源情况 | 野生资源一般。药材来源于野生。

| 采收加工 | **贵州石楠叶：**全年均可采收，以夏、秋季采收者为佳，晒干。

贵州石楠根：全年均可采挖，洗净，晒干。

| 功能主治 | **贵州石楠叶：**清热解毒。用于痈肿疮疖。

贵州石楠根：祛风镇痛。

蔷薇科 Rosaceae 石楠属 *Photinia*

光叶石楠 *Photinia glabra* (Thunb.) Maxim.

| 药 材 名 | 醋林子（药用部位：果实。别名：红檬子）、光叶石楠（药用部位：叶。别名：千年红、石眼树）。

| 形态特征 | 常绿乔木，高 3 ~ 5 m，最高可达 7 m。老枝灰黑色，无毛，皮孔棕黑色，近圆形，散生。叶片革质，幼时及老时皆呈红色，椭圆形、长圆形或长圆状倒卵形，长 5 ~ 9 cm，宽 2 ~ 4 cm，先端渐尖，基部楔形，边缘疏生浅钝细锯齿，两面无毛，侧脉 10 ~ 18 对；叶柄长 1 ~ 1.5 cm，无毛。多数花组成顶生复伞房花序，直径 5 ~ 10 cm，总花梗和花梗均无毛；花直径 7 ~ 8 mm；萼筒杯状，无毛；萼片三角形，长 1 mm，先端急尖，外面无毛，内面有柔毛；花瓣白色，反卷，倒卵形，长约 3 mm，先端圆钝，内面近基部有白色绒毛，基部

有短爪；雄蕊 20，约与花瓣等长或较花瓣短；花柱 2，稀 3，离生或下部合生，柱头头状，子房先端有柔毛。果实卵形，长约 5 mm，红色，无毛。花期 4 ~ 5 月，果期 9 ~ 10 月。

| 生境分布 | 生于海拔 500 ~ 800 m 的山坡杂木林下。栽培于土层深厚、肥沃，排水良好的土壤中。湖南有广泛分布。

| 资源情况 | 野生资源一般。栽培资源一般。药材来源于野生和栽培。

| 采收加工 | **醋林子：** 9 ~ 10 月果实成熟时采收，晒干。
光叶石楠： 全年均可采收，晒干，切丝。

| 药材性状 | **光叶石楠：** 本品椭圆形、长圆形或椭圆状倒卵形，长 5 ~ 9 cm，宽 2 ~ 4 cm，先端渐尖或短渐尖，基部楔形，边缘具细锯齿，两面均无毛；叶柄长 1 ~ 1.5 cm，无毛。革质。气微，味苦。

| 功能主治 | **醋林子：** 酸，温。杀虫，止血，涩肠，生津，解酒。用于蛔虫所致腹痛，痔漏下血，久痢。
光叶石楠： 全年均可采，晒干，切丝。苦、辛，凉。清热利尿，消肿止痛。用于小便不利，跌打损伤，头痛。

| 用法用量 | **醋林子：** 内服研末，酒调，1 ~ 3 g；或盐、醋腌渍，生食。
光叶石楠： 内服煎汤，3 ~ 9 g。外用适量，捣敷。

蔷薇科 Rosaceae 石楠属 *Photinia*

倒卵叶石楠 *Photinia lasiogyna* (Franch.) Schneid

| 药 材 名 | 倒卵叶石楠（药用部位：叶）。

| 形态特征 | 灌木或小乔木，高 1 ~ 2 m；小枝幼时疏生柔毛，老时无毛，紫褐色，具黄褐色皮孔。叶片革质，倒卵形或倒披针形，长 5 ~ 10 cm，宽 2.5 ~ 3.5 cm，先端圆钝，或有凸尖，基部楔形或渐狭，边缘微卷，有不明显的锯齿，上面光亮，两面皆无毛，侧脉 9 ~ 11 对，不明显；叶柄长 15 ~ 18 mm，无毛。复伞房花序顶生，直径 3 ~ 5 cm，有绒毛；苞片及小苞片钻形，长 1 ~ 2 mm；花梗长 3 ~ 4 mm；花直径 10 ~ 15 mm；萼筒杯状，有绒毛；萼片阔三角形，外面有绒毛；花瓣白色，倒卵形，长 5 ~ 6 mm，宽 3 ~ 4 mm，无毛，基部有短爪；雄蕊 20，较花瓣短；花柱 2 ~ 4，基部合生，子房先端有毛。果实卵形，直径 4 ~ 5 mm，红色，有明显斑点。花期 5 ~ 6 月，果期 9 ~

11 月。

| 生境分布 | 生于海拔约 1 960 m 的丛林。分布于湖南长沙（岳麓）、张家界（桑植）等。

| 资源情况 | 野生资源稀少。药材来源于野生。

| 功能主治 | 补肾，强腰膝，除风湿。用于肾虚腰膝软弱，风湿痹痛。

蔷薇科 Rosaceae 石楠属 *Photinia*

小叶石楠 *Photinia parvifolia* (Pritz.) Schneid.

| 药 材 名 |

小叶石楠（药用部位：根及根茎）。

| 形态特征 |

落叶灌木。高 1 ～ 3 m。枝纤细；小枝红褐色，无毛，有黄色散生皮孔。叶片草质，椭圆形、椭圆状卵形或菱状卵形，长 4 ～ 8 cm，宽 1 ～ 3.5 cm，边缘有具腺尖锐锯齿，上面光亮，初疏生柔毛，以后无毛，下面无毛，侧脉 4 ～ 6 对；叶柄无毛。伞形花序有花 2 ～ 9，生于侧枝先端，无总花梗；苞片及小苞片钻形，早落；萼筒杯状，直径约 3 mm，无毛，萼片卵形，先端急尖；花瓣白色，圆形，先端钝，有极短爪；雄蕊 20，较花瓣短；花柱 2 ～ 3，中部以下合生，较雄蕊稍长，子房先端密生长柔毛。果实椭圆形或卵形，橘红色或紫色，无毛，有直立宿存萼片，内含 2 ～ 3 卵形种子，果柄长 1 ～ 2.5 cm，密布疣点。花期 4 ～ 5 月，果期 7 ～ 8 月。

| 生境分布 |

生于海拔 200 ～ 1 000 m 的低山丘陵灌丛中。湖南各地均有分布。

| **资源情况** | 野生资源丰富。药材来源于野生。

| **采收加工** | 秋、冬季采挖，洗净，晒干。

| **功能主治** | 苦、涩，微寒。归肝经。清热解毒，活血止痛。用于牙痛，黄疸，乳痈。

| **用法用量** | 内服煎汤，15 ～ 60 g。

蔷薇科 Rosaceae 石楠属 *Photinia*

桃叶石楠 *Photinia prunifolia* (Hook. et Arn.) Lindl.

| 药 材 名 | 桃叶石楠叶（药用部位：叶。别名：石班木、石笔木、山杠木）。

| 形态特征 | 常绿乔木。高 10 ~ 20 m。小枝无毛，灰黑色，具黄褐色皮孔。叶片革质，长圆形或长圆状披针形，长 7 ~ 13 cm，宽 3 ~ 5 cm，先端渐尖，基部圆形至宽楔形，边缘密生具腺的细锯齿，上面光亮，下面满布黑色腺点，两面均无毛，侧脉 13 ~ 15 对；叶柄长 10 ~ 25 mm，无毛，具多数腺体，有时有锯齿。花多数，密集成顶生复伞房花序，花序直径 12 ~ 16 cm；总花梗和花梗微有长柔毛；花直径 7 ~ 8 mm；萼筒杯状，外面有柔毛，萼片三角形，长 1 ~ 2 mm，先端渐尖，内面微有绒毛；花瓣白色，倒卵形，长约 4 mm，先端圆钝，基部有绒毛；雄蕊 20，与花瓣等长或稍长于花瓣；花柱

2（～3），离生，子房先端有毛。果实椭圆形，长 7 ～ 9 mm，直径 3 ～ 4 mm，红色，内有 2（～3）种子。花期 3 ～ 4 月，果期 10 ～ 11 月。

| 生境分布 | 生于海拔 900 ～ 1 100 m 的疏林中。分布于湖南长沙（天心）、湘潭（雨湖）、衡阳（蒸湘、衡阳、衡南、衡山、祁东）、邵阳（大祥）、张家界（武陵源）、郴州（宜章、汝城、安仁）、永州（江永、蓝山）、怀化（新晃）等。

| 资源情况 | 野生资源较少。药材来源于野生。

| 功能主治 | 有小毒。祛风，通络，益肾。

蔷薇科 Rosaceae 石楠属 *Photinia*

绒毛石楠 *Photinia schneideriana* Rehd. et Wils.

|药 材 名|

绒毛石楠（药用部位：根皮）。

|形态特征|

灌木或小乔木。高达 7 m。幼枝有稀疏长柔毛，以后毛脱落至近无毛；一年生枝紫褐色，老时带灰褐色，具梭形皮孔。叶片长圆状披针形或长椭圆形，长 6 ~ 11 cm，宽 2 ~ 5.5 cm，边缘有锐锯齿，上面初疏生长柔毛，以后毛脱落，下面永被稀疏绒毛，侧脉 10 ~ 15 对，微凸起；叶柄长 6 ~ 10 mm，初被柔毛，以后毛脱落。花多数组成顶生复伞房花序，花序直径 5 ~ 7 cm；总花梗和分枝疏生长柔毛，花梗长 3 ~ 8 mm；萼片圆形，长约 1 mm；花瓣白色，近圆形，直径约 4 mm，先端钝；雄蕊 20，约和花瓣等长；花柱 2 ~ 3，基部连合，子房先端有柔毛。果实卵形，长 10 mm，直径约 8 mm，先端具宿存萼片；种子 2 ~ 3，卵形，长 5 ~ 6 mm，两端尖，黑褐色。花期 5 月，果期 10 月。

|生境分布|

生于海拔 1 000 ~ 1 500 m 的山坡疏林中。分布于湖南湘潭（岳塘）、郴州（汝城）、永州（道县）、怀化（麻阳）等。

| 资源情况 | 野生资源较少。药材来源于野生。

| 采收加工 | 全年均可采挖根，除去细根和泥沙，剥取根皮，晒干。

| 功能主治 | 用于内热。

蔷薇科 Rosaceae 石楠属 *Photinia*

石楠 *Photinia serrulata* Lindl.

| 药 材 名 | 石南（药用部位：叶。别名：风药、栾茶）、石南实（药用部位：果实。别名：鬼目、南石、石南果）、石楠根（药用部位：根）、石楠藤（药用部位：带叶嫩茎枝）。

| 形态特征 | 常绿灌木或小乔木，高 4 ～ 6 m，有时高可达 12 m。枝褐灰色，无毛，冬芽卵形，鳞片褐色，无毛。叶片革质，长椭圆形、长倒卵形或倒卵状椭圆形，长 9 ～ 22 cm，宽 3 ～ 6.5 cm，先端尾尖，基部圆形或宽楔形，边缘有疏生具腺细锯齿，近基部全缘，上面光亮，幼时中脉有绒毛，成熟后两面皆无毛，中脉显著，侧脉 25 ～ 30 对；叶柄粗壮，长 2 ～ 4 cm，幼时有绒毛，后无毛。复伞房花序顶生，直径 10 ～ 16 cm；花密生，直径 6 ～ 8 mm；萼筒杯状，长约 1 mm，

无毛；萼片阔三角形，长约 1 mm，先端急尖，无毛；花瓣白色，近圆形，直径 3 ～ 4 mm，内外两面皆无毛；花药带紫色；花柱 2，有时为 3，基部合生。果实球形，直径 5 ～ 6 mm，初呈红色，后呈褐紫色，有 1 种子；种子卵形，长 2 mm，棕色，平滑。花期 4 ～ 5 月，果期 10 月。

| 生境分布 | 生于海拔 1 000 ～ 2 000 m 的杂木林中。湖南各地均有分布。

| 资源情况 | 野生资源丰富。药材来源于野生。

| 采收加工 | **石南：**全年均可采收，但以夏、秋季采收为佳，采后晒干。

石南实：9 ～ 11 月果实成熟时采收，晾干。

石楠根：全年均可采挖，洗净，切碎，晒干或鲜用。

石楠藤：夏、秋季采割，晒干。

| 功能主治 | **石南：**辛、苦，平；有小毒。归肝、肾经。祛风湿，止痒，强筋骨，益肝肾。用于风湿痹痛，风疹，脚膝痿弱，肾虚腰痛，阳痿，遗精。

石南实：辛、苦，平。祛风湿，消积聚。用于风痹，积聚。

石楠根：辛、苦，平。祛风除湿，活血解毒。用于风痹，历节痛风，外感咳嗽，疮痈肿痛，跌打损伤。

石楠藤：辛、苦，平。祛风止痛。用于头痛，眩晕，筋骨酸痛。

蔷薇科 Rosaceae 石楠属 *Photinia*

毛叶石楠 *Photinia villosa* (Thunb.) DC.

| 药 材 名 | 毛叶石楠（药用部位：根、果实。别名：邓向观根）。

| 形态特征 | 落叶灌木或小乔木，高 2 ~ 5 m。小枝幼时有白色长柔毛，后无毛，灰褐色，有散生皮孔，冬芽卵形，长 2 mm，鳞片褐色，无毛。叶片草质，倒卵形或长圆状倒卵形，长 3 ~ 8 cm，宽 2 ~ 4 cm，先端尾尖，基部楔形，边缘上半部密生尖锐锯齿，两面初有白色长柔毛，后几无毛，仅下面叶脉有柔毛，侧脉 5 ~ 7 对。10 ~ 20 花组成顶生伞房花序，直径 3 ~ 5 cm；花梗长 1.5 ~ 2.5 cm，在果期具疣点；花直径 7 ~ 12 mm；萼筒杯状，长 2 ~ 3 mm，外面有白色长柔毛；萼片三角状卵形，长 2 ~ 3 mm，先端钝，外面有长柔毛，内面有毛或无毛；花瓣白色，近圆形，直径 4 ~ 5 mm，外面无毛，内面基部

具柔毛，有短爪；雄蕊 20，较花瓣短。果实椭圆形或卵形，长 8 ~ 10 mm，直径 6 ~ 8 mm，红色或黄红色，稍有柔毛，先端有直立宿存萼片。花期 4 月，果期 8 ~ 9 月。

| 生境分布 | 生于海拔 800 ~ 1 200 m 的山坡灌丛中。分布于湖南长沙（岳麓）、郴州（桂阳、宜章）、永州（江永）等。

| 资源情况 | 野生资源较少。药材来源于野生。

| 采收加工 | 根，全年均可采挖，洗净，晒干。果实，8 ~ 9 月果实成熟时采摘，晒干。

| 功能主治 | 辛、苦，平。归脾、胃、大肠经。清热利湿，和中健脾。用于湿热内蕴，呕吐，泄泻，痢疾，劳伤疲乏。

| 用法用量 | 内服煎汤，10 ~ 15 g。

蔷薇科 Rosaceae 委陵菜属 *Potentilla*

皱叶委陵菜 *Potentilla ancistrifolia* Bge.

| 药 材 名 | 皱叶委陵菜（药用部位：全草。别名：翻白草、钩叶委陵菜）。

| 形态特征 | 多年生草本。根粗壮，圆柱形，木质。花茎直立，高 10 ~ 30 cm，被稀疏柔毛，上部有时混生有腺毛。基生叶为羽状复叶，有小叶 2 ~ 4 对，下面 1 对常小形，连叶柄长 5 ~ 15 cm，叶柄被稀疏柔毛；小叶片无柄或有时顶生小叶有短柄，亚革质，椭圆形、长椭圆形或椭圆状卵形，长 1 ~ 4 cm，宽 0.5 ~ 1.5 cm，先端急尖或圆钝，基部楔形或宽楔形，边缘有急尖锯齿，齿常粗大，三角状卵形，上面绿色或暗绿色，通常有明显折皱，疏生伏柔毛，下面灰色或灰绿色，网脉通常较凸出，密生柔毛，沿脉伏生长柔毛，茎生叶 2 ~ 3，有小叶 1 ~ 3 对；基生叶托叶膜质，褐色，外被长柔毛；茎生叶托叶草质，绿色，卵状披针形或披针形，边缘有 1 ~ 3 齿，稀全缘。

伞房状聚伞花序顶生，疏散，花梗长 0.5 ~ 1 cm，密被长柔毛和腺毛；花直径 8 ~ 12 cm；萼片三角状卵形，先端尾尖，副萼片狭披针形，先端锐尖，与萼片近等长，外面常带紫色，被疏柔毛；花瓣黄色，倒卵长圆形，先端圆形，比萼片长 0.5 ~ 1 倍；花柱近顶生，丝状，柱头不扩大，子房脐部密被长柔毛。成熟瘦果表面有脉纹，脐部有长柔毛。花果期 5 ~ 9 月。

| 生境分布 | 生于海拔 300 ~ 1 800 m 的山坡草地、岩石缝中、多砂砾地及灌木林下。分布于湖南张家界（永定、武陵源）等。

| 资源情况 | 野生资源稀少。药材来源于野生。

| 功能主治 | 清热解毒，止痢。

蔷薇科 Rosaceae 委陵菜属 *Potentilla*

委陵菜 *Potentilla chinensis* Ser.

| 药材名 | 委陵菜（药用部位：带根全草。别名：翻白菜、白头翁、根头菜）。

| 形态特征 | 多年生草本。根粗壮，圆柱形，稍木质化。花茎直立或上升，高 20 ~ 70 cm，被稀疏短柔毛及白色绢状长柔毛。基生叶为羽状复叶，有小叶 5 ~ 15 对，连叶柄长 4 ~ 25 cm，小叶片对生或互生，无柄，长 1 ~ 5 cm，宽 0.5 ~ 1.5 cm，边缘羽状中裂，裂片三角状卵形，边缘向下反卷，上面绿色，被短柔毛或几无毛，中脉下陷，下面被白色绒毛，沿脉被白色绢状长柔毛；茎生叶与基生叶相似，唯叶片对数较少。伞房状聚伞花序；花梗长 0.5 ~ 1.5 cm，基部有披针形苞片，外面密被短柔毛；花直径通常为 0.8 ~ 1 cm；花瓣黄色，宽倒卵形，先端微凹，比萼片稍长；花柱近顶生，柱头扩大。瘦果卵

球形，深褐色，有明显皱纹。花果期 4 ~ 10 月。

| 生境分布 | 生于海拔 400 ~ 2 000 m 的山坡草地、沟谷、林缘、灌丛或疏林下。分布于湘西北、湘西南、湘北、湘中、湘东等。

| 资源情况 | 野生资源一般。药材来源于野生。

| 采收加工 | 4 ~ 10 月采挖，除去花枝与果枝，洗净，晒干。

| 药材性状 | 本品圆柱形或类圆锥形，略扭曲，有的分枝，长 5 ~ 17 cm，直径 0.5 ~ 1 cm，表面暗棕色或暗紫红色，有纵纹，粗皮易片状剥落，根头部稍膨大，质硬，易折断，断面皮部薄，暗棕色，常与木部分离，射线呈放射状排列。叶基生，奇数羽状复叶，有柄，小叶狭长椭圆形，边缘羽状中裂，下面及叶柄均密被灰白色柔毛。气微，味涩、微苦。

| 功能主治 | 苦，寒。归肝、大肠经。清热解毒，凉血止痢。用于血痢腹痛，久痢不止，痔疮出血，痈肿疮毒。

| 用法用量 | 内服煎汤，15 ~ 30 g；或研末；或浸酒。外用适量，煎汤洗；或捣敷；或研末敷。

蔷薇科 Rosaceae 委陵菜属 *Potentilla*

翻白草 *Potentilla discolor* Bge.

| 药 材 名 | 翻白草（药用部位：带根全草。别名：千锤打、叶下白、茯苓草）。

| 形态特征 | 多年生草本。根粗壮，下部肥厚，呈纺锤形。花茎直立，高10 ~ 45 cm，密被白色绵毛。基生叶有小叶2 ~ 4对，连叶柄长4 ~ 20 cm，小叶对生或互生，无柄，小叶片长圆形或长圆状披针形，长1 ~ 5 cm，宽0.5 ~ 0.8 cm，边缘具圆钝锯齿，稀急尖，上面暗绿色，被白色稀疏绵毛或几无毛，下面密被白色或灰白色绵毛，脉不显或微显；茎生叶1 ~ 2，有3 ~ 5掌状小叶；基生叶托叶膜质，褐色，外被白色长柔毛；茎生叶托叶草质，绿色，下面密被白色绵毛。聚伞花序有花数朵至多朵，疏散，外被绵毛；花直径1 ~ 2 cm；萼片三角状卵形，副萼片披针形，比萼片短，外面被白色绵毛；花瓣

黄色，倒卵形，先端微凹或圆钝，比萼片长；花柱近顶生，基部具乳头状膨大，柱头稍微扩大。瘦果近肾形，宽约 1 mm，光滑。花果期 5 ~ 9 月。

| 生境分布 | 生于海拔 100 ~ 1 850 m 的荒地、山谷、沟边、山坡草地、草甸及疏林下。栽培于土质疏松、肥沃的砂壤土中。湖南有广泛分布。

| 资源情况 | 野生资源较丰富。栽培资源一般。药材来源于野生和栽培。

| 采收加工 | 夏、秋季采挖，抖去泥土，洗净，晒干或鲜用。

| 药材性状 | 本品块根呈纺锤形或圆柱形，少数瘦长，有扭曲的不规则纵槽纹，长 3 ~ 8 cm，表面黄棕色或暗红棕色，栓皮较平坦，质硬而脆，断面黄白色。基生叶丛生，奇数羽状复叶皱缩而卷曲，小叶 3 ~ 9，矩圆形或狭长椭圆形，先端小叶片较大，上表面暗绿色，下表面密生白色绒毛，边缘有粗锯齿。气微，味甘、微涩。

| 功能主治 | 甘、微苦，平。归肝、胃、大肠经。清热解毒，止痢，止血。用于湿热泻痢，痈肿疮毒，血热吐衄，便血，崩漏。

| 用法用量 | 内服煎汤，10 ~ 15 g；或浸酒。外用适量，煎汤洗；或鲜品捣敷。

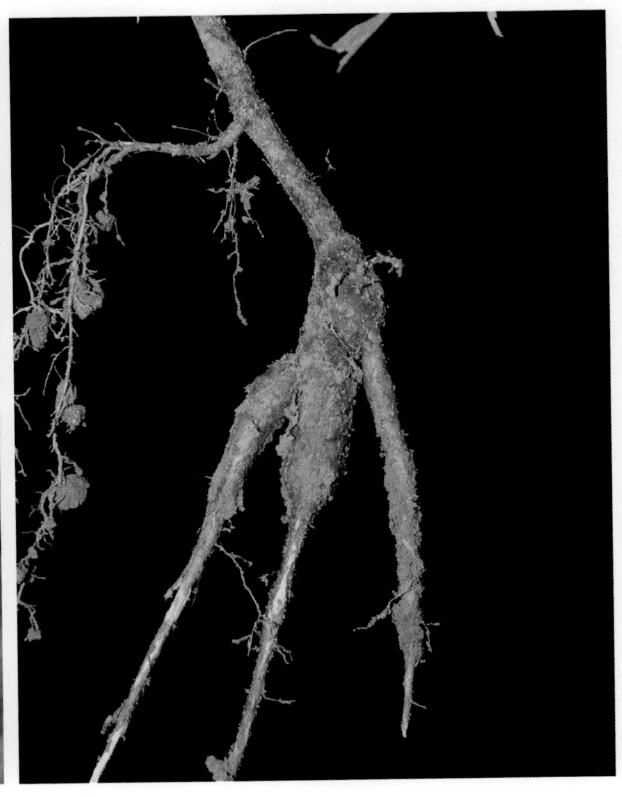

蔷薇科 Rosaceae 委陵菜属 *Potentilla*

莓叶委陵菜 *Potentilla fragarioides* L.

|药材名|

雉子筵（药用部位：全草。别名：鬼刺风、毛猴子、瓢子）。

|形态特征|

多年生草本。根极多，簇生。花茎多数，丛生，上升或铺散，长 8 ~ 25 cm，被开展长柔毛。基生叶羽状复叶，有小叶 2 ~ 3 对，间隔 0.8 ~ 1.5 cm，稀 4 对，连叶柄长 5 ~ 22 cm，叶柄被开展疏柔毛，小叶有短柄或几无柄；小叶片倒卵形、椭圆形或长椭圆形，长 0.5 ~ 7 cm，宽 0.4 ~ 3 cm，先端圆钝或急尖，基部楔形或宽楔形，边缘有多数急尖或圆钝锯齿，近基部全缘，两面绿色，被平铺疏柔毛，下面沿脉较密，锯齿边缘有时密被缘毛；茎生叶，常有 3 小叶，小叶与基生叶小叶相似或长圆形先端有锯齿而下半部全缘，叶柄短或几无柄；基生叶托叶膜质，褐色，外面有稀疏开展长柔毛，茎生叶托叶草质，绿色，卵形，全缘，先端急尖，外被平铺疏柔毛。伞房状聚伞花序顶生，多花，松散，花梗纤细，长 1.5 ~ 2 cm，外被疏柔毛；花直径 1 ~ 1.7 cm；萼片三角状卵形，先端急尖至渐尖，副萼片长圆状披针形，先端急尖，与萼片近等长或稍短；花瓣黄色，倒卵形，先端圆钝或微凹；花柱近顶生，上部大，基部小。成熟瘦果近肾形，直径约 1 mm，表面有脉纹。花期 4 ~ 6 月，果期 6 ~ 8 月。

| 生境分布 | 生于海拔 350 ~ 2 000 m 的地边、沟边、草地、灌丛及疏林下。分布于湖南永州（东安）、益阳（南县）等。

| 资源情况 | 野生资源较少。药材来源于野生。

| 采收加工 | 夏季采收，洗净，晒干。

| 功能主治 | 甘，温。归肺、脾经。活血化瘀，养阴清热。用于疝气，干血痨。

| 用法用量 | 内服煎汤，9 ~ 15 g。

蔷薇科 Rosaceae 委陵菜属 *Potentilla*

三叶委陵菜 *Potentilla freyniana* Bornm.

| 药材名 | 地蜂子（药用部位：带根全草。别名：蜂子七、土蜂子、大救驾）。

| 形态特征 | 多年生草本，有纤匍枝或不明显枝。根分枝多，簇生。花茎纤细，直立或上升，高 8 ~ 25 cm，被平铺或开展疏柔毛。基生叶掌状，三出复叶，连叶柄长 4 ~ 30 cm，宽 1 ~ 4 cm，小叶片长圆形、卵形或椭圆形，边缘有多数急尖锯齿，两面绿色，疏生平铺柔毛，下面沿脉毛较密；茎生叶 1 ~ 2，小叶与基生叶小叶相似，唯叶柄短，叶边锯齿少；基生叶托叶膜质，褐色，外面被稀疏长柔毛；茎生叶托叶草质，绿色，呈缺刻状锐裂，有稀疏长柔毛。伞房状聚伞花序顶生，松散；花梗长 1 ~ 1.5 cm，外面被疏柔毛；花直径 0.8 ~ 1 cm；萼片三角状卵形，副萼片披针形，与萼片近等长，外被柔毛；

花瓣淡黄色，长圆状倒卵形，先端微凹或圆钝；花柱近顶生，上部粗，基部细。成熟瘦果卵球形，直径 0.5 ~ 1 mm，表面有显著脉纹。花果期 3 ~ 6 月。

| 生境分布 | 生于海拔 300 ~ 2 000 m 的山坡草地、溪边及疏林下阴湿处。湖南有广泛分布。

| 资源情况 | 野生资源一般。药材来源于野生。

| 采收加工 | 夏季采挖，洗净，晒干或鲜用。

| 药材性状 | 本品根茎呈纺锤形、圆柱形或哑铃形，微弯曲，有的形似蜂腹，长 1.5 ~ 4 cm，直径 0.5 ~ 1.2 cm，表面灰褐色或黄褐色，粗糙，有皱纹和凸起的根痕及须根，先端有叶柄残基，被柔毛。质坚硬，不易折断，断面颗粒状，深棕色或黑褐色，中央色深，在放大镜下可见白色细小结晶。气微，味微苦而涩，微具清凉感。

| 功能主治 | 甘，温。归肺、大肠、胃、肝经。清热解毒，敛疮止血，散瘀止痛。用于咳嗽，痢疾，肠炎，痈肿疔疮，烫伤，口舌生疮，骨髓炎，骨结核，瘰疬，痔疮，毒蛇咬伤，崩漏，月经过多，产后出血，外伤出血，胃痛，牙痛，胸骨痛，腰痛，跌打损伤。

| 用法用量 | 内服煎汤，10 ~ 15 g；或研末，1 ~ 3 g；或浸酒。外用适量，捣敷；或煎汤洗；或研末撒。

蔷薇科 Rosaceae 委陵菜属 *Potentilla*

中华三叶委陵菜 *Potentilla freyniana* Bornm. var. *sinica* Ago

| 药 材 名 | 地蜂子（药用部位：全草或根。别名：山蜂子、狼牙委陵菜）。

| 形态特征 | 多年生草本，有纤匍枝或不明显。根分枝多，簇生。花茎纤细，直立或上升，高 8 ~ 25 cm，被平铺或开展疏柔毛。基生叶掌状三出复叶，连叶柄长 4 ~ 30 cm，宽 1 ~ 4 cm；茎和叶柄上被开展柔毛较密，小叶两面被开展或微开展柔毛，尤其沿脉较密，小叶片菱状卵形或宽卵形，边缘具圆钝锯齿，花茎或纤匍枝上托叶卵圆形且全缘，极稀先端 2 裂。伞房状聚伞花序顶生，多花，松散，花梗纤细，长 1 ~ 1.5 cm，外被疏柔毛；花直径 0.8 ~ 1 cm；萼片三角状卵形，先端渐尖，副萼片披针形，先端渐尖，与萼片近等长，外面被平铺柔毛；花瓣淡黄色，长圆状倒卵形，先端微凹或圆钝；花柱近顶生，

上部粗，基部细。成熟瘦果卵球形，直径 0.5 ~ 1 mm，表面有显著脉纹。花果期 4 ~ 5 月。

| 生境分布 | 生于海拔 600 ~ 800 m 的草丛中及林下阴湿处。分布于湖南长沙（长沙）、张家界（武陵源）等。

| 资源情况 | 野生资源稀少。药材来源于野生。

| 采收加工 | 夏季采挖带根的全草，洗净，晒干或鲜用。

| 药材性状 | 本品根茎呈纺锤形、圆柱形或哑铃形，微弯曲，有的形似蜂腹，长 1.5 ~ 4 cm，直径 0.5 ~ 1.2 cm，表面灰褐色或黄褐色，粗糙，有皱纹和凸起的根痕及须根，先端有叶柄残基，被柔毛。质坚硬，不易折断，断面颗粒状，深棕色或黑褐色，中央色深，在扩大镜下可见白色细小结晶。气微，味微苦、涩，微具清凉感。

| 功能主治 | 甘，温。归肺、大肠、胃、肝经。清热解毒，敛疮止血，散瘀止痛。用于咳嗽，痢疾，肠炎，痈肿疔疮，烫伤，口舌生疮，骨髓炎，骨结核，瘰疬，痔疮，毒蛇咬伤，崩漏，月经过多，产后出血，外伤出血，胃痛，牙痛，胸骨痛，腰痛，跌打损伤。

| 用法用量 | 内服煎汤，10 ~ 15 g；或研末服，1 ~ 3 g；或浸酒。外用适量，捣敷；或煎汤洗；或研末敷。

蔷薇科 Rosaceae 委陵菜属 *Potentilla*

蛇含委陵菜 *Potentilla kleiniana* Wight et Arn.

|药材名|

蛇含（药用部位：全草）。

|形态特征|

一年生、二年生或多年生宿根草本。多须根。花茎上升或匍匐，常于节处生根并发育出新植株，长 10 ~ 50 cm，被疏柔毛。基生叶为近鸟足状5小叶，连叶柄长3 ~ 20 cm，叶柄被疏柔毛或开展长柔毛；小叶几无柄，稀有短柄，长 0.5 ~ 4 cm，宽 0.4 ~ 2 cm，先端圆钝，基部楔形，边缘有多数急尖或圆钝锯齿，被疏柔毛，下部茎生叶有 5 小叶，上部茎生叶有 3 小叶；托叶外被稀疏长柔毛。聚伞花序密生于枝顶如假伞形；花梗长 1 ~ 1.5 cm；花直径 0.8 ~ 1 cm；萼片三角状卵圆形；副萼片披针形或椭圆状披针形，外被稀疏长柔毛；花瓣黄色，倒卵形，先端微凹，长于萼片；花柱近顶生，直径约 0.5 mm，具皱纹。花果期 4 ~ 9 月。

|生境分布|

生于田边、水旁、草甸及山坡草地。湖南各地均有分布。

| 资源情况 | 野生资源丰富。药材来源于野生。

| 采收加工 | 夏、秋季采收，抖净泥沙，除去杂质，晒干或鲜用。

| 功能主治 | 苦，微寒。清热定惊，截疟，止咳化痰，解毒活血。用于高热惊风，疟疾，肺热咳嗽，百日咳，痢疾，疮疖肿毒，急性咽喉痛，风火牙痛，蛇虫咬伤等。

| 用法用量 | 内服煎汤，9 ~ 15 g，鲜品加倍。外用适量，煎汤洗；或捣敷；或捣汁涂；或煎汤含漱。

蔷薇科 Rosaceae 委陵菜属 *Potentilla*

匍匐委陵菜 *Potentilla reptans* L.

| 药材名 | 金棒槌（药用部位：全草或根及根茎。别名：细蔓委陵菜、小五爪龙）。

| 形态特征 | 多年生匍匐草本。根多分枝，常具纺锤状块根。匍匐枝长 20 ~ 100 cm，节上生不定根，被稀疏柔毛或毛脱落几无毛。基生叶为鸟足状 5 出复叶，连叶柄长 7 ~ 12 cm，叶柄被疏柔毛或脱落几无毛；小叶有短柄或几无柄，小叶片倒卵形至倒卵圆形，先端圆钝，基部楔形，边缘有急尖或圆钝锯齿，两面绿色，上面几无毛，下面被疏柔毛；匍匐枝上叶与基生叶相似；基生叶托叶膜质，褐色，外面几无毛，匍匐枝上托叶草质，绿色，卵状长圆形或卵状披针形，全缘或稀有 1 ~ 2 齿，先端渐尖或急尖。单花自叶腋生或与叶对生；花梗长 6 ~ 9 cm，被疏柔毛；花直径 1.5 ~ 2.2 cm；萼片卵状披针形，

先端急尖；副萼片长椭圆形或椭圆状披针形，先端急尖或圆钝，与萼片近等长，外面被疏柔毛，果时显著增大；花瓣黄色，宽倒卵形，先端显著下凹，比萼片稍长；花柱近顶生，基部细，柱头扩大。瘦果黄褐色，卵球形，外面被显著点纹。花果期 6 ～ 8 月。

| 生境分布 | 生于海拔 300 ～ 2 000 m 的山坡草地、渠旁、溪边灌丛中及林缘。分布于湖南长沙（岳麓）、湘西州（泸溪、永顺、保靖）等。

| 资源情况 | 野生资源较少。药材来源于野生。

| 功能主治 | 全草，发表，止咳。外用于疮疖。根及根茎，生津止渴，养阴清热，解毒。用于虚劳，带下，虚喘，胃肠炎，痢疾。

蔷薇科 Rosaceae 委陵菜属 *Potentilla*

朝天委陵菜 *Potentilla supina* L.

| 药 材 名 | 朝天委陵菜（药用部位：全草）。

| 形态特征 | 一年生或二年生草本。茎平展，上升或直立，长 20 ~ 50 cm，被疏柔毛。基生叶为羽状复叶，有小叶 2 ~ 5 对，间隔 0.8 ~ 1.2 cm，连叶柄长 4 ~ 15 cm；小叶互生或对生，无柄，最上面 1 ~ 2 对小叶基部下延与叶轴合生，通常长 1 ~ 2.5 cm，宽 0.5 ~ 1.5 cm；茎生叶与基生叶相似，向上小叶对数逐渐减少；基生叶托叶膜质，茎生叶托叶草质，绿色。花茎上有多叶，下部花自叶腋生，先端呈伞房状聚伞花序状；花梗长 0.8 ~ 1.5 cm，常密被短柔毛；花直径 0.6 ~ 0.8 cm；萼片三角状卵形；副萼片长椭圆形；花瓣黄色，倒卵形；花柱近顶生，基部呈乳头状膨大。瘦果长圆形，先端尖，表面具脉纹，

腹部鼓胀若翅。花果期 3 ~ 10 月。

| 生境分布 | 生于海拔 100 ~ 2 000 m 的田边、荒地、河岸沙地、草甸或山坡湿地。分布于湖南长沙（芙蓉）、株洲（天元）、衡阳（石鼓、蒸湘）、邵阳（大祥）、岳阳（君山）、常德（澧县）、益阳（南县、沅江）、娄底（娄星）、湘西州（泸溪）、张家界（慈利）等。

| 资源情况 | 野生资源一般。药材来源于野生。

| 采收加工 | 夏季采收开花的全草，除去杂质，扎把晒干。

| 功能主治 | 甘、酸，寒。收敛止泻，凉血止血，滋阴益肾。用于泄泻，吐血，尿血，血热出血，须发早白，牙齿不固等。

| 用法用量 | 内服煎汤，6 ~ 15 g。外用适量，煎汤熏洗。

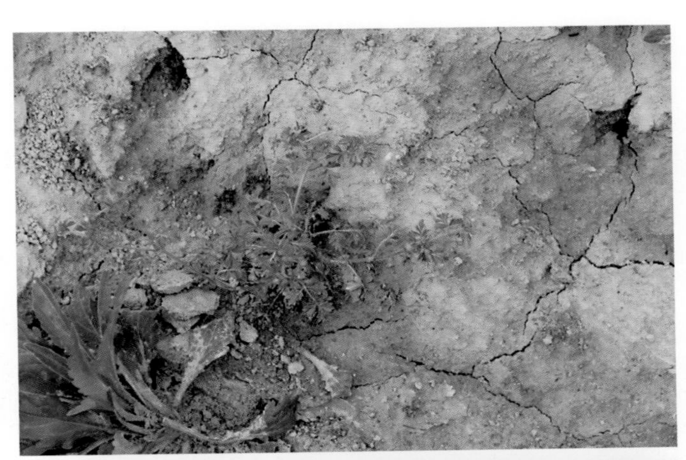

蔷薇科 Rosaceae 杏属 *Armeniaca*

杏 *Armeniaca vulgaris* Lam.

药材名

杏仁（药用部位：种子。别名：杏核仁、木落子）、杏子（药用部位：果实。别名：杏实）、杏叶（药用部位：叶。别名：杏树叶）、杏花（药用部位：花）、杏枝（药用部位：树枝）、杏树皮（药用部位：树皮）、杏树根（药用部位：根）。

形态特征

乔木，高 5 ~ 8（~ 12）m。树皮灰褐色，纵裂。多年生枝浅褐色，皮孔大而横生，一年生枝浅红褐色，有光泽，无毛，具多数小皮孔。叶片宽卵形或圆卵形，长 5 ~ 9 cm，宽 4 ~ 8 cm，先端急尖至短渐尖，叶边有圆钝锯齿，两面无毛或下面脉腋具柔毛；叶柄长 2 ~ 3.5 cm，无毛。花单生，直径 2 ~ 3 cm，先于叶开放；萼片卵形至卵状长圆形，先端急尖或圆钝，花后反折；花瓣圆形至倒卵形，白色或带红色，具短爪；雄蕊稍短于花瓣。果实球形，稀倒卵形，直径约 2.5 cm 以上，白色、黄色至黄红色，常具红晕，微被短柔毛，果肉多汁，成熟时不开裂；核卵形或椭圆形，两侧扁平，先端圆钝，基部对称，稀不对称，表面稍粗糙或平滑，腹棱较圆，常稍钝，背棱较直，腹面

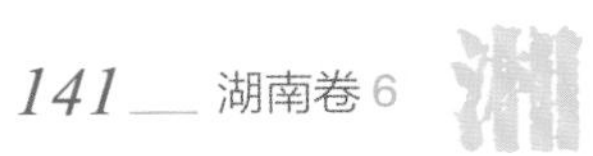

具龙骨状棱；种仁味苦或甜。花期 3 ~ 4 月，果期 6 ~ 7 月。

| 生境分布 | 生于海拔 2 000 m 以下的地区。湖南有广泛分布。

| 资源情况 | 野生资源较少。药材来源于野生。

| 采收加工 | **杏仁**：6 ~ 7 月果实成熟时采摘，除去果肉，洗净，晒干，敲碎果核，取种子，晾干，防虫蛀。

杏子：6 ~ 7 月果实成熟时采收，鲜用或晒干。

杏叶：夏、秋季叶茂盛时采收，鲜用或晒干。

杏花：3 ~ 4 月采摘，阴干。

杏枝：夏、秋季采收，切段，晒干。

杏树皮：春、秋季剥取树皮，削去外面栓皮，切碎，晒干。

杏树根：全年均可采挖，洗净，切碎，晒干。

| 功能主治 | **杏仁**：苦，温；有毒。归肺、脾、大肠经。祛痰止咳，平喘，润肠，下气开痹。用于外感咳嗽，喘满，寒气奔豚，惊痫，胸痹，食滞脘痛，血崩，耳聋，疳肿胀，湿热淋证，疥疮，喉痹，肠燥便秘。

杏子：酸、甘，温；有毒。归肺、心经。润肺定喘，生津止渴。用于肺燥咳嗽，津伤口渴。

杏叶：辛、苦，微凉。归肝、脾经。祛风利湿，明目。用于水肿，皮肤瘙痒，目疾多泪，痈疮瘰疬。

杏花：苦，温。归脾、肾经。活血，补虚。用于不孕，肢体痹痛，手足逆冷。

杏枝：辛，平。归肝经。活血散瘀。用于跌打损伤，瘀血阻络。

杏树皮：甘，寒。归心、肺经。解毒。用于苦杏仁中毒。

杏树根：苦，温。归肝、肾经。解毒。用于苦杏仁中毒。

| 用法用量 | **杏仁**：内服煎汤，3 ~ 10 g；或入丸、散剂。外用适量，捣敷。

杏子：内服煎汤，6 ~ 12 g；或生食；或晒干为脯食。

杏叶：内服煎汤，3 ~ 10 g。外用适量，煎汤洗；或研末调敷；或捣敷。

杏花：内服煎汤，5 ~ 10 g；或研末。

杏枝：内服煎汤，30 ~ 90 g。

杏树皮：内服煎汤，30 ～ 60 g。

杏树根：内服煎汤，30 ～ 60 g。

| **附　　注** | 本种的拉丁学名在《中国植物志》中被修订为 *Prunus armeniaca* L.。

蔷薇科 Rosaceae 李属 *Prunus*

郁李 *Prunus japonica* (Thunb.) Lois.

| 药 材 名 | 郁李仁（药用部位：种仁。别名：郁子、郁里仁、李仁肉）、郁李根（药用部位：根）。

| 形态特征 | 落叶灌木，高 1 ~ 1.5 m。树皮灰褐色，有不规则纵条纹。幼枝黄棕色，光滑。叶互生，卵形或卵状披针形，长 3 ~ 7 cm，有缺刻状尖锐重锯齿，上面无毛，下面淡绿色，无毛或有稀疏柔毛，侧脉 5 ~ 8 对；叶柄长 2 ~ 3 mm，无毛或被稀疏柔毛；托叶线形，长 4 ~ 6 mm，有腺齿。1 ~ 3 花簇生，花与叶同放或先于叶开放；花梗长 0.5 ~ 1 cm，无毛或被疏柔毛；萼筒陀螺形，长、宽均为 2.5 ~ 3 mm，无毛；萼片椭圆形，比萼筒稍长，有细齿；花瓣白色或粉红色，倒卵状椭圆形，花柱与雄蕊近等长，无毛。核果近球形，成熟时呈深红色，直径约

1 cm；核光滑。花期 5 月，果期 7 ~ 8 月。

| 生境分布 | 生于海拔 2 000 m 以下的向阳山坡、路旁或小灌丛中。分布于湖南常德（临澧）、郴州（宜章、临武）、永州（道县）、株洲（渌口）、娄底（涟源）、张家界（桑植）等。

| 资源情况 | 野生资源稀少。药材来源于野生。

| 采收加工 | **郁李仁：**当果实呈鲜红色时采收，堆放在阴湿处，待果肉腐烂后取果核，清除杂质，稍晒干，压碎，去壳，即得种仁。

郁李根：秋、冬季采挖，洗净，切段，晒干。

| 功能主治 | **郁李仁：**辛、苦、甘，平。归脾、大肠、小肠经。润肠通便，下气利水。用于津枯肠燥，食积气滞，腹胀便秘，水肿，脚气，小便不利。

郁李根：苦、酸，凉。归脾、胃经。清热，杀虫，行气破积。用于龋齿疼痛，小儿发热，气滞积聚。

| 用法用量 | **郁李仁：**内服煎汤，3 ~ 10 g；或入丸、散剂。

郁李根：内服煎汤，3 ~ 10 g。外用适量，煎汤含漱或洗浴。

蔷薇科 Rosaceae 杏属 *Armeniaca*

梅 *Armeniaca mume* Sieb.

| 药 材 名 | 乌梅（药用部位：近成熟果实。别名：梅实、熏梅、桔梅肉）、白梅（药用部位：盐渍的未成熟果实。别名：盐梅、霜梅、白霜梅）、青梅（药用部位：未成熟果实。别名：生梅子、梅子）、梅核仁（药用部位：种仁）、梅叶（药用部位：叶）、梅梗（药用部位：带叶枝条）、梅根（药用部位：根）。

| 形态特征 | 小乔木，稀为灌木，高 4 ~ 10 m。树皮浅灰色或绿色，平滑。小枝绿色，光滑无毛。叶片卵形或椭圆形，长 4 ~ 8 cm，宽 2.5 ~ 5 cm，先端尾尖，基部宽楔形至圆形，叶边常具小锐锯齿，灰绿色，幼时两面被短柔毛，成熟时毛逐渐脱落，或仅下面脉腋具短柔毛。花单生或 2 花同生于 1 芽内，直径 2 ~ 2.5 cm，香味浓，先于叶开放；

花梗短，长 1 ～ 3 mm，常无毛；花瓣倒卵形，白色至粉红色；雄蕊短于或稍长于花瓣；子房密被柔毛，花柱短于或稍长于雄蕊。果实近球形，直径 2 ～ 3 cm，黄色或绿白色，被柔毛，味酸，果肉与核粘贴在一起；核椭圆形，先端圆形而有小突尖头，基部渐狭成楔形，两侧微扁，腹棱稍钝，腹面和背棱上均有明显纵沟，表面具蜂窝状孔穴。花期冬、春季，果期 5 ～ 6 月（在华北地区果期延至 7 ～ 8 月）。

| 生境分布 | 生于海拔 2 000 m 以下的地区。栽培于排水良好、疏松肥沃的砂壤土中。分布于湘中、湘东、湘北、湘南、湘西北等。

| 资源情况 | 野生资源较丰富。栽培资源一般。药材来源于野生和栽培。

| 采收加工 | **乌梅**：5 ~ 6 月当果实近成熟时采摘，按大小分开，分别置炕上，用无烟火炕焙，火力不宜过大，温度保持在 40 ℃左右，当梅子焙至六成干时，轻轻翻动（勿翻破表皮），使其干燥均匀，一般炕焙 2 ~ 3 昼夜，至果肉呈黄褐色并起皱皮为度，焙后再闷 2 ~ 3 天，待果肉呈黑色即可。

白梅：果实未成熟时采摘，用盐水浸渍，日晒夜渍，约经 10 天即可，久则表面生霜。

青梅：果实未成熟时采摘，鲜用。

梅核仁：果实成熟时采摘，除去果肉，将核砸开，取出种仁，晒干。

梅叶：夏、秋季采收，晒干或鲜用。

梅梗： 夏、秋季采收，切段，鲜用。

梅根： 全年均可采挖，洗净，切段，晒干或鲜用。

| 功能主治 | **乌梅：** 酸、涩，平。归肝、脾、肺、大肠经。敛肺，涩肠，生津，安蛔。用于肺虚久咳，久泻久痢，虚热消渴，蛔厥。

白梅： 酸、涩、咸，平。归肝、肾经。利咽生津，涩肠止泻，除痰开噤，消疮，止血。用于咽喉肿痛，烦渴呕恶，久泻久痢，便血，崩漏，中风，惊痫，痰厥口噤，梅核气，痈疽肿毒，外伤出血。

青梅： 酸，平。归肺、胃、大肠经。利咽，生津，涩肠止泻，利筋脉。用于咽喉肿痛，喉痹，津伤口渴，泻痢，筋骨疼痛。

梅核仁： 酸，平。归肺、心、肝、大肠经。祛暑清络，益肝明目，清热化湿。用于暑气霍乱，烦热，视物不清。

梅叶： 酸，平。归胃、大肠经。止痢，止血，解毒。用于痢疾，崩漏。

梅梗： 理气安胎。用于妇女小产。

梅根： 微苦、微寒，平。归肝、胆经。祛风除湿，清热解毒。用于风痹，休息痢，胆囊炎，瘰疬。

| 用法用量 | **乌梅：** 内服煎汤，3 ~ 10 g；或入丸、散剂。外用适量，烧存性，研末撒或调敷。

白梅： 内服煎汤，6 ~ 9 g；或噙咽津液；或入丸剂。外用适量，擦牙；或捣敷；或煅存性，研末调敷。

青梅： 内服煎汤，6 ~ 9 g；或噙咽津液；或入丸剂。外用适量，浸酒擦，或熬膏点眼。

梅核仁： 内服煎汤，2 ~ 5 g；或入丸剂。外用适量，捣敷。

梅叶： 内服煎汤，3 ~ 10 g。外用适量，蒸热熏。

梅梗： 内服煎汤，10 ~ 15 g。

梅根： 内服煎汤，10 ~ 15 g。外用适量，研末调敷。

| 附　　注 | 本种的拉丁学名在《中国植物志》中被修订为 *Prunus mume* Siebold et Zucc.。

蔷薇科 Rosaceae 桃属 *Amygdalus*

桃 *Amygdalus persica* L.

| 药 材 名 | 桃仁（药用部位：种子。别名：桃核仁、桃核人）、碧桃干（药用部位：未成熟果实。别名：气桃、桃奴、桃干）、桃子（药用部位：成熟果实。别名：桃实）、桃毛（药用部位：果实上的毛）、桃花（药用部位：花）、桃叶（药用部位：叶）、桃枝（药用部位：幼枝）、桃茎白皮（药用部位：除去栓皮的树皮。别名：桃皮、桃树皮、桃白皮）、桃根（药用部位：根或根皮。别名：桃树根）、桃胶（药用部位：树脂）。

| 形态特征 | 乔木，高 3 ~ 8 m。树皮暗红褐色，老时粗糙，呈鳞片状。小枝多呈绿色，向阳处呈红色，具大量小皮孔。叶片长圆状披针形、椭圆状披针形或倒卵状披针形，长 7 ~ 15 cm，宽 2 ~ 3.5 cm，上面无毛，

下面脉腋具少数短柔毛或无毛，叶边具细锯齿或粗锯齿。花单生，先于叶开放，直径 2.5 ~ 3.5 cm；萼筒绿色而具红色斑点；花瓣长圆状椭圆形至宽倒卵形，多呈粉红色，稀呈白色。果实形状和大小均有变异，卵形、宽椭圆形或扁圆形，直径（3 ~ ）5 ~ 7（ ~ 12） cm，长与宽几相等，淡绿白色至橙黄色，向阳面常具红晕，外面密被短柔毛，稀无毛，腹缝明显；果柄短而深入果洼；果肉白色、浅绿白色、黄色、橙黄色或红色，多汁，有香味，甜或酸甜；核大，离核或粘核，椭圆形或近圆形，两侧扁平，先端渐尖，表面具纵、横沟纹和孔穴；种仁味苦，稀味甜。花期 3 ~ 4 月，果期通常为 8 ~ 9 月。

| 生境分布 | 生于海拔 800 ～ 1 200 m 的山坡、山谷沟底、荒野疏林及灌丛。栽培于排水良好、疏松肥沃的土壤中。湖南各地均有分布。

| 资源情况 | 野生资源丰富。栽培资源丰富。药材来源于野生和栽培。

| 采收加工 | **桃仁：**夏、秋季采摘成熟果实，取出果核，或在食用果肉时收集果核，除净果肉及核壳，取出种子，晒干。

碧桃干：4 ～ 6 月采收未成熟的果实，翻晒 4 ～ 6 天，当果实由青色变为青黄色即可。

桃子：果实成熟时采摘，鲜用或作脯。

桃毛：将未成熟果实之毛刮下，晒干。

桃花：3 ～ 4 月桃花将开放时采摘，阴干，贮于干燥处。

桃叶：夏季采收，鲜用或晒干。

桃枝：夏季采收，切段，晒干，或随剪随用。

桃茎白皮：夏、秋季剥取树皮，除去栓皮，切碎，晒干或鲜用。

桃根：全年均可采收，挖取树根，洗净，切片，晒干，或剥取根皮，切碎，晒干。

桃胶：夏季用刀切割树皮，待树脂溢出后收集，水浸，洗去杂质，晒干。

| 功能主治 | **桃仁：**苦、甘，平。归心、肝、大肠经。活血祛瘀，润肠通便，止咳平喘。用于闭经，痛经，癥瘕痞块，肺痈，肠痈，跌扑损伤，肠燥便秘，咳嗽气喘。

碧桃干：酸、苦，平。归肺、肝经。敛汗涩精，活血止血，止痛。用于盗汗，遗精，心腹痛，吐血，妊娠下血。

桃子：甘、酸，温。归肺、大肠经。生津，润肠，活血，消积。用于津少口渴，肠燥便秘，闭经，积聚。

桃毛：辛，平。用于活血，行气，血瘕，崩漏。

桃花：苦，平。归心、肝、大肠经。利水，活血化瘀。用于水肿，脚气，石淋，便秘，闭经，癫狂，疮疹。

桃叶：苦、辛，平。归脾、肾经。祛风清热，燥湿解毒，杀虫。用于外感风邪，头痛，风痹，湿疹，痈肿疮疡，癣疮，疟疾，滴虫性阴道炎。

桃枝：苦，平。归心、肝经。活血通络，解毒杀虫。用于心腹刺痛，风湿痹痛，跌打损伤，疮癣。

桃茎白皮：苦，平。归肺、脾经。清热利水，解毒，杀虫。用于水肿，痧气腹痛，肺热喘闷，痈疽，瘰疬，湿疹，风湿关节痛，牙痛，疮痈肿毒。

桃根：苦，平。归肝经。清热利湿，活血止痛，消痈肿。用于黄疸，吐血，衄血，闭经，痈肿，痔疮，风湿痹痛，跌打损伤，腰痛，痧气腹痛。

桃胶：甘、苦，平。归大肠、膀胱经。和血，通淋，止痢。用于石淋，血淋，痢疾，腹痛，糖尿病，乳糜尿。

| 用法用量 | **桃仁：**内服煎汤，6 ~ 10 g，用时打碎；或入丸、散剂。

碧桃干：内服煎汤，6 ~ 9 g；或入丸、散剂。外用适量，研末调敷；或烧烟熏。

桃子：内服适量，鲜食；或作脯食。外用适量，捣敷。

桃毛：内服煎汤，1 ~ 3 g。

桃花：内服煎汤，3 ~ 6 g；或研末，1.5 g。外用适量，捣敷；或研末调敷。

桃叶：内服煎汤，3 ~ 6 g。外用适量，煎汤洗；或鲜品捣敷；或捣汁涂。

桃枝：内服煎汤，9 ~ 15 g，鲜品加倍。外用适量，煎汤含漱或洗浴。

桃茎白皮：内服煎汤，9 ~ 15 g。外用适量，研末调敷；或煎汤洗；或含漱。

桃根：内服煎汤，15 ~ 30 g。外用适量，煎汤洗；或捣敷。

桃胶：内服煎汤，9 ~ 15 g；或入丸、散剂。

| 附　　注 | 本种的拉丁学名在《中国植物志》中被修订为 *Prunus persica* L.。

蔷薇科 Rosaceae 桃属 *Amygdalus*

蟠桃

Amygdalus persica L. var. *compressa* (Loud.) T T. Yu

| 药 材 名 | 蟠桃仁（药用部位：种子）。

| 形态特征 | 乔木，高 3 ~ 8 m；树冠宽广而平展；树皮暗红褐色，老时粗糙呈鳞片状；小枝细长，无毛，有光泽，绿色，向阳处转变成红色，具大量小皮孔；冬芽圆锥形，先端钝，外被短柔毛，常 2 ~ 3 簇生，中间为叶芽，两侧为花芽。叶片长圆状披针形、椭圆状披针形或倒卵状披针形，长 7 ~ 15 cm，宽 2 ~ 3.5 cm，先端渐尖，基部宽楔形，上面无毛，下面在脉腋间具少数短柔毛或无毛，叶边具细锯齿或粗锯齿，齿端具腺体或无腺体；叶柄粗壮，长 1 ~ 2 cm，常具 1 至数腺体，有时无腺体。花单生，先于叶开放，直径 2.5 ~ 3.5 cm；花梗极短或几无梗；萼筒钟形，被短柔毛，稀几无毛，绿色而具红色斑点；萼片卵形至长圆形，先端圆钝，外被短柔毛；花瓣长圆状椭

圆形至宽倒卵形，粉红色，罕为白色；雄蕊约 20 ～ 30，花药绯红色；花柱几与雄蕊等长或稍短，子房被短柔毛。果实扁平，直径 5 ～ 7 cm，长几与宽相等，色泽变化由淡绿白色至橙黄色，常在向阳面具红晕，外面密被短柔毛，稀无毛，腹缝明显，果柄短而深入果洼；果肉白色、浅绿白色、黄色、橙黄色或红色，多汁有香味，甜或酸甜；核小，圆形，有深沟纹；种仁味苦，稀味甜。花期 3 ～ 4 月，果实成熟期因品种而异，通常为 8 ～ 9 月。

｜资源情况｜ 野生资源稀少。药材来源于栽培。

｜功能主治｜ 润肺止咳，祛痰平喘。

蔷薇科 Rosaceae 李属 *Prunus*

李 *Prunus salicina* Lindl.

| 药材名 | 李子（药用部位：果实。别名：李实、嘉庆子、山李子）、李核仁（药用部位：种子。别名：李仁、李子仁、小李仁）、李树叶（药用部位：树叶。别名：李叶）、李子花（药用部位：花）、李根（药用部位：根。别名：山李子根、李子树根）、李根皮（药用部位：根皮。别名：甘李根白皮、李根白皮）、李树胶（药用部位：树脂）。

| 形态特征 | 落叶乔木，高 9 ~ 12 m。老枝紫褐色或红褐色，无毛，小枝黄红色，无毛。叶片长圆状倒卵形、长椭圆形，稀长圆状卵形，长 6 ~ 8（~ 12）cm，宽 3 ~ 5 cm；叶柄长 1 ~ 2 cm，通常无毛，先端有 2 腺体或无，有时叶片基部边缘有腺体。通常 3 花并生；花梗长 1 ~ 2 cm，通常无毛；花直径 1.5 ~ 2.2 cm；花瓣白色，长圆

状倒卵形，先端啮蚀状，基部楔形，有带紫色的脉纹，具短爪，着生在萼筒边缘，比萼筒长 2 ~ 3 倍；雄蕊多数，花丝长短不等，排成不规则 2 轮，比花瓣短；雌蕊 1，柱头盘状，花柱比雄蕊稍长。核果球形、卵球形或近圆锥形，直径 3.5 ~ 5 cm，栽培者核果直径可达 7 cm，多呈黄色或红色，有时呈绿色或紫色，果柄凹陷，先端微尖，基部有纵沟，外被蜡粉；核卵圆形或长圆形，有皱纹。花期 4 月，果期 7 ~ 8 月。

| 生境分布 | 生于海拔 400 ～ 2 000 m 的山沟路旁或灌丛。栽培于排水良好、疏松肥沃的土壤中。湖南有广泛分布。

| 资源情况 | 野生资源丰富。栽培资源丰富。药材来源于野生和栽培。

| 采收加工 | **李子**：7 ～ 8 月果实成熟时采摘，鲜用。

李核仁：7 ～ 8 月果实成熟时采摘，除去果肉，收集果核，洗净，破核取种子，晒干。

李树叶：夏、秋季采收，鲜用或晒干。

李子花：4 ～ 5 月花盛开时采摘，晒干。

李根：全年均可采挖，刮去粗皮，洗净，切段，晒干或鲜用。

李根皮：全年均可采挖根，剥取根皮，晒干。

李树胶：在李树生长繁茂季节采收由树干分泌的树脂，晒干。

| 药材性状 | **李子**：本品呈球状卵形，直径 2 ～ 4 cm，先端微尖，基部凹陷，一侧有深沟，表面黄棕色或棕色。果肉较厚，果核扁平，长椭圆形，褐黄色，有明显纵向皱纹。气微，味酸、微甜。

李核仁：本品扁平，呈长椭圆形，长 6 ～ 11 mm，宽 4 ～ 7 mm，厚约 2 mm，种皮褐黄色，有明显纵皱纹。子叶 2，白色，含油脂。气微弱，味微甜。

李树叶：本品大多皱缩，有的破碎。完整叶片呈长圆状倒卵形、长椭圆形，稀长圆状卵形，长 6 ～ 10 cm，宽 3 ～ 4 cm，边缘有细钝重锯齿，上下两面均呈棕绿色，上面脉疏生长毛，下面脉簇生柔毛。叶柄长 1 ～ 2 cm，上有数个腺体或无。质脆易碎。气微，味淡。

李根：本品呈圆柱形，长 30 ～ 130 cm，直径 0.3 ～ 2.5 cm。表面黑褐色或灰褐色，有纵皱纹及须根痕。质坚硬，不易折断，切断面黄白色或棕黄色，木质部有放射状纹理。气微，味淡。

李根皮：本品卷曲，呈筒状、槽状或不规则块片状，长短、宽窄不一，厚 0.2 ～ 0.5 cm。外表面灰褐色或黑褐色，内表面黄白色或淡黄棕色，有纵皱纹。体轻，质韧，纤维性强，难折断。气微，味苦而涩。

| 功能主治 | **李子**：甘、酸，平。归肝、脾、肾经。清热，生津，消积。用于虚劳骨蒸，消渴，食积。

李核仁：苦，平。归肝、肺、大肠经。祛瘀，利水，润肠。用于血瘀疼痛，跌打损伤，水肿，臌胀，脚气，肠燥便秘。

李树叶：甘、酸，平。归胃、脾、肺经。清热解毒。用于壮热惊痫，肿毒溃烂。

李子花：苦，平。泽面。用于粉滓䵟黵。

李根：苦，寒。归脾、胃经。清热解毒，利湿。用于疮疡肿毒，热淋，痢疾，带下。

李根皮：苦、咸，寒。归肝、脾、心经。降逆，燥湿，清热解毒。用于气逆奔豚，湿热痢疾，赤白带下，消渴，脚气，丹毒疮痈。

李树胶：苦，寒。归心、肝经。清热，透疹，退翳。用于麻疹透发不畅，目生翳障。

｜用法用量｜

李子：内服煎汤，10 ~ 15 g；或生食，每次 100 ~ 300 g。

李核仁：内服煎汤，3 ~ 9 g。外用适量，研末调敷。

李树叶：内服煎汤，10 ~ 15 g。外用适量，煎汤洗浴；或捣敷；或捣汁涂。

李子花：外用研末敷，6 ~ 18 g。

李根：内服煎汤，6 ~ 15 g。外用适量，烧存性，研末调敷。

李根皮：内服煎汤，3 ~ 9 g。外用适量，煎汤含漱；或磨汁涂。

李树胶：内服煎汤，15 ~ 30 g。

蔷薇科 Rosaceae 火棘属 *Pyracantha*

全缘火棘 *Pyracantha atalantioides* (Hance) Stapf

药材名

救军粮（药用部位：果实。别名：救命粮）、全缘火棘（药用部位：叶、根）。

形态特征

常绿灌木或小乔木。高达 6 m。叶椭圆形或长圆形，稀长圆状倒卵形，长 1.5 ～ 4 cm，先端微尖或圆钝，有时刺尖，基部楔形或圆形，全缘或有不明显细齿，幼时有黄褐色柔毛，老时无毛，下面微带白霜；叶柄长 2 ～ 5 mm，无毛或有时有柔毛。花多数组成复伞房花序；花序梗和花梗被黄褐色柔毛，花梗长 0.5 ～ 1 cm；花直径 7 ～ 9 mm；萼片宽卵形，和被丝托均被黄褐色柔毛；花瓣白色，卵形，长 4 ～ 5 mm，先端尖，基部具短爪；雄蕊 20，花药黄色；子房上部密生白色绒毛，花柱 5，与雄蕊近等长。梨果扁球形，直径 4 ～ 6 mm，亮红色。

生境分布

生于海拔 500 ～ 1 700 m 的山坡或谷地灌丛疏林中。湖南各地均有分布。

资源情况

野生资源丰富。药材来源于野生。

| 功能主治 | **救军粮：**清热，凉血，活血，镇痛。

全缘火棘：解毒拔脓，消肿止痛。用于骨髓炎。

蔷薇科 Rosaceae 火棘属 *Pyracantha*

细圆齿火棘 *Pyracantha crenulata* (D. Don) Roem.

| 药 材 名 | 红子根（药用部位：根、叶）。

| 形态特征 | 常绿灌木或小乔木，高达 5 m。有时具短枝刺，嫩枝有锈色柔毛，老时脱落，暗褐色，无毛。叶片长圆形或倒披针形，稀卵状披针形，长 2 ~ 7 cm，宽 0.8 ~ 1.8 cm，先端通常急尖或钝，有时具短尖头，基部宽楔形或稍圆形，边缘有细圆锯齿，或具稀疏锯齿，两面无毛，上面光滑，中脉下陷，下面淡绿色，中脉凸起；叶柄短，嫩时有黄褐色柔毛，老时毛脱落。复伞房花序生于主枝和侧枝先端，花序直径 3 ~ 5 cm，总花梗幼时基部有褐色柔毛，老时无毛；花梗长 4 ~ 10 mm，无毛；花直径 6 ~ 9 mm；萼筒钟状，无毛；萼片三角形，先端急尖，微具柔毛；花瓣圆形，长 4 ~ 5 mm，宽 3 ~ 4 mm，有

短爪；雄蕊 20，花药黄色；花柱 5，离生，与雄蕊等长，子房上部密生白色柔毛。梨果几球形，直径 3 ~ 8 mm，成熟时呈橘黄色或橘红色。花期 3 ~ 5 月，果期 9 ~ 12 月。

| 生境分布 | 生于海拔 750 ~ 2 000 m 的山坡、路边、沟旁、丛林或草地。分布于湘中、湘东、湘北、湘西北、湘南等。

| 资源情况 | 野生资源较少。药材来源于野生。

| 功能主治 | 用于劳伤腰痛，肠风下血，疔疮，盗汗，火眼。

蔷薇科 Rosaceae 火棘属 *Pyracantha*

火棘 *Pyracantha fortuneana* (Maxim.) Li

| 药 材 名 | 赤阳子（药用部位：果实。别名：救军粮、赤果、纯阳子）、红子根（药用部位：根。别名：火把果根）、救军粮叶（药用部位：叶。别名：红子叶、火把果叶）。

| 形态特征 | 常绿灌木，高达 3 m。侧枝短，先端呈刺状，嫩枝外被锈色短柔毛，老枝暗褐色，无毛，芽小，外被短柔毛。叶片倒卵形或倒卵状长圆形，长 1.5 ~ 6 cm，宽 0.5 ~ 2 cm，先端圆钝或微凹，有时具短尖头，基部楔形，下延连于叶柄，边缘有钝锯齿，齿尖向内弯，近基部全缘，两面皆无毛；叶柄短，无毛或嫩时有柔毛。花集成复伞房花序，直径 3 ~ 4 cm，花梗和总花梗近无毛；花梗长约 1 cm；花直径约 1 cm；萼筒钟状，无毛；萼片三角状卵形，先端钝；花瓣白色，近

圆形，长约 4 mm，宽约 3 mm；雄蕊 20，花丝长 3 ～ 4 mm，花药黄色，花柱 5，离生，与雄蕊等长；子房上部密生白色柔毛。果实近球形，直径约 5 mm，橘红色或深红色。花期 3 ～ 5 月，果期 8 ～ 11 月。

| 生境分布 | 生于海拔 500 ～ 2 000 m 的山地、丘陵阳坡灌丛、草地及河沟旁。栽培于排水良好、疏松肥沃的土壤中。湖南各地均有分布。

| 资源情况 | 野生资源丰富。栽培资源一般。药材来源于野生和栽培。

| 采收加工 | **赤阳子：**秋季果实成熟时采摘，晒干。

红子根：9 ～ 10 月采挖，洗净，切段，晒干。

救军粮叶：全年均可采收，随采随用。

| 功能主治 | **赤阳子：**甘、酸、涩，平。归肝、脾、胃经。健脾消积，收敛止痢，止痛。用于痞块，食积停滞，脘腹胀满，泄泻，痢疾，崩漏，带下，跌打损伤。

红子根：酸、涩，平。归肝、肾经。清热凉血，化瘀止痛。用于潮热盗汗，肠风下血，崩漏，疮疖痈疡，目赤肿痛，风火牙痛，跌打损伤，劳伤腰痛，外伤出血。

救军粮叶：微苦，凉。归肝经。清热解毒，止血。用于疮疡肿痛，目赤，痢疾，便血，外伤出血。

| 用法用量 | **赤阳子：**内服煎汤，12 ～ 30 g；或浸酒。外用适量，捣敷。

红子根：内服煎汤，10 ～ 30 g。外用适量，捣敷。

救军粮叶：内服煎汤，10 ～ 30 g。外用适量，捣敷。

蔷薇科 Rosaceae 梨属 *Pyrus*

杜梨 *Pyrus betulaefolia* Bge.

药材名

棠梨（药用部位：果实。别名：杜、甘棠、白棠）、棠梨枝叶（药用部位：枝叶）、棠梨树皮（药用部位：树皮）。

形态特征

乔木，高达 10 m。小枝嫩时密被灰白色绒毛，二年生枝条具稀疏绒毛或近无毛，紫褐色。叶片菱状卵形至长圆状卵形，长 4 ~ 8 cm，宽 2.5 ~ 3.5 cm，幼叶上下两面均密被灰白色绒毛，长成后毛脱落，老叶上面无毛而有光泽，下面微被绒毛或近无毛。伞形总状花序有 10 ~ 15 花，总花梗和花梗均被灰白色绒毛；花梗长 2 ~ 2.5 cm；苞片膜质，线形，长 5 ~ 8 mm，两面均微被绒毛，早落；花直径 1.5 ~ 2 cm；萼筒密被灰白色绒毛；萼片三角状卵形，长约 3 mm，先端急尖，全缘，内外两面均密被绒毛；花瓣白色，宽卵形，长 5 ~ 8 mm，宽 3 ~ 4 mm，先端圆钝，基部具短爪；雄蕊 20，花药紫色，长约为花瓣之半；花柱 2 ~ 3，基部微具毛。果实近球形，直径 5 ~ 10 mm，2 ~ 3 室，褐色，有淡色斑点，萼片脱落，基部具带绒毛的果柄。花期 4 月，果期 8 ~ 9 月。

| 生境分布 | 生于海拔 50 ～ 1 800 m 的平原或山坡阳处。栽培于排水良好、疏松肥沃的砂壤土中。分布于湘中、湘东、湘北、湘西南、湘西北等。

| 资源情况 | 野生资源一般。栽培资源稀少。药材来源于野生和栽培。

| 采收加工 | **棠梨：**8 ～ 9 月果实成熟时采摘，晒干或鲜用。

棠梨枝叶：夏季采收，切段，晒干。

棠梨树皮：全年均可采收，剥取树皮，晒干。

| 功能主治 | **棠梨：**酸、甘、涩，寒。归肺、肝经。敛肺，涩肠，消食。用于咳嗽，泻痢，食积。

棠梨枝叶：酸、甘、涩，寒。归大肠经。疏肝和胃，缓急止泻。用于反胃吐食，霍乱吐泻，转筋腹痛。

棠梨树皮：苦，平。敛疮。用于皮肤溃疡。

| 用法用量 | **棠梨：**内服煎汤，15 ～ 30 g。

棠梨枝叶：内服煎汤，15 ～ 30 g；或研末。外用适量，煎汤洗。

棠梨树皮：外用适量，煎汤熏洗。

蔷薇科 Rosaceae 梨属 *Pyrus*

白梨 *Pyrus bretschneideri* Rehd.

| 药 材 名 | 梨（药用部位：果实。别名：快果、果宗、玉乳）、梨皮（药用部位：果皮）、梨花（药用部位：花）、梨叶（药用部位：叶）、梨枝（药用部位：树枝）、梨木皮（药用部位：树皮）、梨木灰（药材来源：木材烧成的灰）、梨树根（药用部位：树根。别名：糖果根、糖梨根）。

| 形态特征 | 乔木，高 5 ~ 8 m。树冠开展。小枝粗壮，幼时被柔毛，二年生枝紫褐色，具稀疏皮孔。叶片卵形或椭圆形，长 5 ~ 11 cm，宽 3.5 ~ 6 cm，先端渐尖或急尖，基部宽楔形，边缘有带刺芒的尖锐齿，微向内合拢，幼时两面均有绒毛，老叶无毛；叶柄长 2.5 ~ 7 cm；托叶膜质，边缘具腺齿。伞形总状花序有 7 ~ 10 花，直径 4 ~

7 cm，总花梗和花梗幼时有绒毛；花梗长 1.5 ～ 3 cm；花瓣卵形，长 1.2 ～ 1.4 cm，宽 1 ～ 1.2 cm，先端呈啮齿状，基部具短爪；雄蕊 20，长约为花瓣的一半；花柱 5 或 4，离生，无毛。果实卵形或近球形，先端萼片脱落，基部具肥厚果柄，黄色，有细密斑点；种子倒卵形，微扁，褐色。花期 4 月，果期 8 ～ 9 月。

| 生境分布 | 生于海拔 100 ～ 2 000 m 的干旱、寒冷地区山坡的阳处。栽培于排水良好、疏松肥沃的砂壤土中。分布于湘中、湘东、湘北、湘南、湘西南等。

| 资源情况 | 野生资源丰富。栽培资源丰富。药材来源于野生和栽培。

| 采收加工 | **梨：** 8 ~ 9 月采摘，采摘时应轻摘轻放。

梨皮： 9 ~ 10 月果实成熟时采摘，削取果皮，鲜用或晒干。

梨花： 花盛开时采摘，晾干。

梨叶： 夏、秋季采摘，鲜用或晒干。

梨枝： 全年均可采收，剪取枝条，切成小段，晒干。

梨木皮： 春、秋季均可采收，但春季采收者质量较差，秋季采收者质量较优。在成龄树上剥皮可采用环状剥皮或条状剥皮法，将树皮按一定宽度截成条状，晒干。

梨木灰： 全年均可采收木材，晒干，烧成炭灰。

梨树根： 全年均可采挖，洗净，切段，晒干。

| 药材性状 | **梨：** 本品多呈卵形或近球形，直径通常为 5 ~ 7 cm，先端有残留的花萼，基部具肥厚果柄，长 3 ~ 4 cm，表面黄白色，有细密斑点，横切面可见白色子房，子房有 4 ~ 5 室；种子倒卵形，微扁，长 6 ~ 7 mm，褐色。果肉微香，多汁，味甜、微酸。

梨皮： 本品呈不规则片状或卷曲成条状，外表面淡黄色，有细密斑点，内表面黄白色。气微，味微甜而酸。

梨叶： 本品多皱缩、破碎，完整叶片呈卵形或卵状椭圆形，长 5 ~ 10 cm，宽 3 ~ 6 cm，先端锐尖，基部宽楔形或近圆形，叶缘锯齿呈刺芒状；叶柄长 2.5 ~ 7 cm。表面灰褐色，两面被绒毛或光滑无毛。质脆易碎。气微，味淡、微涩。

梨枝： 本品呈长圆柱形，有分枝，直径 0.3 ~ 1.0 cm。表面灰褐色或灰绿色，微有光泽，有纵皱纹，可见叶痕及点状凸起的皮孔。质硬而脆，易折断，断面皮部灰褐色或褐色，木部黄白色或灰黄白色。气微，味涩。

梨木皮： 本品呈卷筒状、槽状或不规则片状，长短、宽窄不一，厚 1 ~ 3 mm。外表面灰褐色，有不规则的细皱纹及较凸起的皮孔，内表面棕色或棕黄色，较平滑，有细纵纹。质硬而脆，易折断，断面较平坦。气微，味苦、涩。

梨木灰： 本品呈粉末状。灰白色或灰褐色。质轻。气微，味淡。

梨树根： 本品呈圆柱形，长 20 ~ 120 cm，直径 0.5 ~ 3 cm。表面黑褐色，有不规则皱纹及横向皮孔样突起。质硬脆，易折断，断面黄白色或淡棕黄色。气微，味涩。

| 功能主治 |

梨：甘、微酸，凉。归肺、胃、心、肝经。清肺化痰，生津止渴。用于肺燥咳嗽，热病烦躁，津少口干，消渴，目赤，疮疡，烫火伤。

梨皮：甘、涩，凉。归肺、心、肾、大肠经。清心润肺，降火生津，解疮毒。用于暑热烦渴，肺燥咳嗽，吐血，痢疾，疥癣，发背，疔疮。

梨花：淡，平。泽面祛斑。用于面生黑斑粉滓。

梨叶：苦、涩、辛，凉。归肺、脾、膀胱经。疏肝和胃，利水解毒。用于霍乱吐泻，腹痛，水肿，小便不利，小儿疝气，毒菇中毒。

梨枝：辛、涩，凉。归大肠、肺经。行气和中，止痛。用于霍乱吐泻，腹痛。

梨木皮：苦、涩，凉。归肺、肝、胆经。清热解毒。用于发热，疮癣。

梨木灰：微咸，平。归脾、肺经。降逆下气。用于气积郁冒，胸满气促，结气咳逆。

梨树根：甘、淡，平。归肺、大肠经。清肺止咳，理气止痛。用于肺虚咳嗽，疝气腹痛。

| 用法用量 |

梨：内服煎汤，15 ~ 30 g；或生食；或捣汁；或蒸服；或熬膏。外用适量，捣敷；或捣汁点眼。

梨皮：内服煎汤，9 ~ 15 g，鲜品 30 ~ 60 g。外用适量，捣汁涂。

梨花：内服煎汤，9 ~ 15 g；或研末。外用适量，研末调涂。

梨叶：内服煎汤，9 ~ 15 g；或鲜品捣汁。外用适量，捣敷；或捣汁涂。

梨枝：内服煎汤，9 ~ 15 g。

梨木皮：内服煎汤，3 ~ 9 g；或研末，每次 3 g。

梨木灰：内服煎汤，3 ~ 9 g；或入丸、散剂。

梨树根：内服煎汤，10 ~ 30 g。

蔷薇科 Rosaceae 梨属 *Pyrus*

豆梨 *Pyrus calleryana* Dcne.

| 药 材 名 | 鹿梨（药用部位：果实。别名：野梨、糖梨、杜梨）、鹿梨果皮（药用部位：果皮。别名：野梨果皮）、鹿梨叶（药用部位：叶）、鹿梨根（药用部位：根）、鹿梨根皮（药用部位：根皮）。

| 形态特征 | 乔木，高 5 ~ 8 m。小枝粗壮，圆柱形，幼嫩时有绒毛，不久毛脱落，二年生枝条灰褐色。叶片宽卵形至卵形，稀长椭卵形，长 4 ~ 8 cm，宽 3.5 ~ 6 cm，先端渐尖，稀短尖，基部圆形至宽楔形，边缘有钝锯齿，两面无毛；叶柄长 2 ~ 4 cm，无毛；托叶叶质，线状披针形，长 4 ~ 7 mm，无毛。伞形总状花序，具 6 ~ 12 花，直径 4 ~ 6 mm，总花梗和花梗均无毛；花梗长 1.5 ~ 3 cm；苞片膜质，线状披针形，长 8 ~ 13 mm，内面具绒毛；花直径 2 ~ 2.5 cm；萼筒无毛；萼片

披针形，先端渐尖，全缘，长约 5 mm，外面无毛，内面具绒毛，边缘较密；花瓣卵形，长约 13 mm，宽约 10 mm，基部具短爪，白色；雄蕊 20，稍短于花瓣；花柱 2，稀 3，基部无毛。梨果球形，直径约 1 cm，黑褐色，有斑点，萼片脱落，2 ～ 3 室，有细长果柄。花期 4 月，果期 8 ～ 9 月。

| 生境分布 | 生于海拔 80 ～ 1 800 m 的山坡、平原或山谷杂木林中。栽培于排水良好、疏松肥沃的砂壤土中。湖南有广泛分布。

| 资源情况 | 野生资源较丰富。栽培资源丰富。药材来源于野生和栽培。

| 采收加工 | **鹿梨**：8 ～ 9 月果实成熟时采摘，晒干。

鹿梨果皮：果实成熟时采摘果实，削取果皮，晒干。

鹿梨叶：夏、秋季采收，晒干或鲜用。

鹿梨根：全年均可采挖，洗净，切片，晒干。

鹿梨根皮：采挖根，洗净，剥取根皮，鲜用。

| 功能主治 | **鹿梨**：酸、涩，寒。归大肠经。健脾消食，涩肠止痢。用于饮食积滞，泻痢。

鹿梨果皮：甘、涩，凉。清热生津，涩肠止痢。用于热病伤津，久痢，疮癣。

鹿梨叶：涩、甘，凉。清热解毒，润肺止咳。用于毒菇中毒，毒蛇咬伤，胃肠炎，肺热咳嗽。

鹿梨根：涩、微甘，凉。润肺止咳，清热解毒。用于肺燥咳嗽，疮疡。

鹿梨根皮：酸、涩，寒。归肝经。清热解毒，敛疮。用于疮疡，疥癣。

| 用法用量 |

鹿梨：内服煎汤，15 ~ 30 g。

鹿梨果皮：内服煎汤，9 ~ 15 g。

鹿梨叶：内服煎汤，15 ~ 30 g。外用适量，捣涂。

鹿梨根：内服煎汤，9 ~ 15 g。外用适量，捣敷。

鹿梨根皮：外用适量，捣敷；或煎汤熏洗。

蔷薇科 Rosaceae 梨属 *Pyrus*

西洋梨 *Pyrus communis* L. var. *sativa* (DC.) DC.

| 药材名 | 洋梨（药用部位：果实）。

| 形态特征 | 乔木，高达 15 m，稀至 30 m；树冠广圆锥形；枝常无刺，无毛或嫩时微具短柔毛，二年生枝灰褐色或深褐红色；冬芽卵形，先端钝，无毛或近无毛。叶片大形，长 5 ~ 10 cm，宽 3 ~ 6 cm；叶柄细，长 1.5 ~ 5 cm，幼时微具柔毛，以后脱落；托叶膜质，线状披针形，长达 1 cm，微具柔毛，早落。伞形总状花序，具花 6 ~ 9，总花梗和花梗密被绒毛，花直径 2.5 ~ 3.5 cm；萼筒外被柔毛，内面无毛或近无毛；萼片三角状披针形，先端渐尖，内外两面均被短柔毛；花瓣倒卵形，长 1.3 ~ 1.5 cm，宽 1 ~ 1.3 cm，先端圆钝，基部具短爪，白色；雄蕊 20，长约花瓣的 1/2；花柱 5，基部有柔毛。果实倒卵形

或近球形，绿色、黄色或带红晕，大小形状和颜色，因品种不同差异很多。果柄粗厚，长 2.5 ～ 5 cm。花期 4 月，果期 7 ～ 9 月。

| 生境分布 | 栽培于果园。湖南各地均有栽培。

| 资源情况 | 栽培资源丰富。药材来源于栽培。

| 功能主治 | 清肺化痰，生津止渴。用于肺燥咳嗽，热病烦躁，津少口干，消渴，目赤，疮疡，烫火伤。

蔷薇科 Rosaceae 梨属 *Pyrus*

沙梨 *Pyrus pyrifolia* (Burm. f.) Nakai

| 药 材 名 | 梨（药用部位：果实。别名：快果、果宗、玉乳）、梨皮（药用部位：果皮）、梨花（药用部位：花）、梨叶（药用部位：叶）、梨枝（药用部位：树枝）、梨木皮（药用部位：树皮）、梨木灰（药材来源：木材烧成的灰）、梨树根（药用部位：树根。别名：糖果根、糖梨根）。

| 形态特征 | 乔木，高达 7 ~ 15 m。小枝嫩时具黄褐色长柔毛或绒毛，不久毛脱落，二年生枝紫褐色或暗褐色，具稀疏皮孔。叶片卵状椭圆形或卵形，长 7 ~ 12 cm，宽 4 ~ 6.5 cm，先端长尖，基部圆形或近心形，稀宽楔形，边缘有刺芒锯齿。伞形总状花序，具 6 ~ 9 花，直径 5 ~ 7 cm，总花梗和花梗幼时微具柔毛；花梗长 3.5 ~ 5 cm；

苞片膜质，线形，边缘有长柔毛；花直径 2.5 ～ 3.5 cm；萼片三角状卵形，长约 5 mm，先端渐尖，边缘有腺齿，外面无毛，内面密被褐色绒毛；花瓣卵形，长 15 ～ 17 mm，先端啮齿状，基部具短爪，白色；雄蕊 20，长约等于花瓣之半；花柱 5，稀 4，光滑无毛，约与雄蕊等长。果实近球形，浅褐色，有浅色斑点，先端微向下陷，萼片脱落；种子卵形，微扁，长 8 ～ 10 mm，深褐色。花期 4 月，果期 8 月。

| 生境分布 | 生于海拔 100 ～ 2 000 m 的干旱、寒冷地区山坡的阳处。栽培于排水良好、疏松肥沃的砂壤土中。分布于湘中、湘东、湘北、湘南、湘西南等。

| 资源情况 | 野生资源较丰富。栽培资源一般。药材来源于野生和栽培。

| 采收加工 | 同“白梨”。

| 药材性状 | **梨：**本品近球形，先端微向下陷，先端无宿萼；表面浅褐色或棕褐色，有浅色斑点；横切面可见子房室 2 ～ 5。种子卵形，稍扁平，长 8 ～ 10 mm，深褐色。气微，味甜。

梨皮：同“白梨”。

梨叶：同“白梨”。

梨枝：同“白梨”。

梨木皮：同“白梨”。

梨木灰：同“白梨”。

梨树根：同“白梨”。

| 功能主治 | 同“白梨”。

| 用法用量 | 同“白梨”。

蔷薇科 Rosaceae 梨属 *Pyrus*

麻梨 *Pyrus serrulata* Rehd.

| 药 材 名 | 麻梨（药用部位：果实）。

| 形态特征 | 乔木，高达 8 ~ 10 m。小枝圆柱形，微带棱角，幼嫩时具褐色绒毛，后毛脱落，二年生枝紫褐色，具白色稀疏皮孔，冬芽肥大，卵形，先端急尖，鳞片内面具有黄褐色绒毛。叶片卵形至长卵形，长 5 ~ 11 cm，宽 3.5 ~ 7.5 cm，先端渐尖，基部宽楔形或圆形，边缘有细锐锯齿，齿尖常向内合拢，幼嫩时下面被褐色绒毛，后毛脱落，侧脉 7 ~ 13 对，网脉明显。伞形总状花序，有 6 ~ 11 花，总花梗和花梗均被褐色绵毛，后毛逐渐脱落；花直径 2 ~ 3 cm；萼筒外面有稀疏绒毛；萼片三角状卵形，长约 3 mm，边缘具有腺齿，外面具有稀疏绒毛，内面密生绒毛；花瓣宽卵形，长 10 ~ 12 cm，先端圆

钝，基部具有短爪，白色。果实近球形或倒卵形，长 1.5 ~ 2.2 cm，深褐色，有浅褐色果点，3 ~ 4 室，萼片宿存，有时部分脱落；果柄长 3 ~ 4 cm。花期 4 月，果期 6 ~ 8 月。

| 生境分布 | 生于海拔 100 ~ 1 500 m 的灌丛中或林边。湖南各地均有分布。

| 资源情况 | 野生资源较少。药材来源于野生。

| 功能主治 | 生津润燥，清热化痰。

蔷薇科 Rosaceae 石斑木属 *Raphiolepis*

石斑木 *Raphiolepis indica* (L.) Lindl.

| 药 材 名 | 石斑木根（药用部位：根。别名：春花木、铁里木、石桂）、石斑木叶（药用部位：叶）。

| 形态特征 | 常绿灌木，稀为小乔木，高可达 4 m。幼枝初被褐色绒毛，后毛逐渐脱落。叶片集生于枝顶，卵形或长圆形，稀倒卵形或长圆状披针形，长（2 ~ ）4 ~ 8 cm，宽 1.5 ~ 4 cm，先端圆钝，急尖、渐尖或长尾尖，基部渐狭，连于叶柄，边缘具细钝锯齿，上面光亮，平滑无毛，网脉不明显或明显下陷，下面色淡，无毛或被稀疏绒毛，叶脉稍凸起，网脉明显；叶柄长 5 ~ 18 mm，近无毛；托叶钻形，长 3 ~ 4 mm，脱落。顶生圆锥花序或总状花序，总花梗和花梗被锈色绒毛；花梗长 5 ~ 15 mm；花直径 1 ~ 1.3 cm；花瓣 5，白色或

淡红色，倒卵形或披针形，长 5 ~ 7 mm，宽 4 ~ 5 mm，先端圆钝，基部具柔毛；雄蕊 15，与花瓣等长或较花瓣稍长；花柱 2 ~ 3，基部合生，近无毛。果实球形，紫黑色，直径约 5 mm；果柄短粗，长 5 ~ 10 mm。花期 4 月，果期 7 ~ 8 月。

| 生境分布 | 生于海拔 150 ~ 1 600 m 的山坡、路边或溪边灌木林中。分布于湘中、湘东、湘南、湘西南等。

| 资源情况 | 野生资源较少。药材来源于野生。

| 采收加工 | **石斑木根：**全年均可采挖，洗净，切片，晒干。

石斑木叶：全年均可采收，鲜用或晒干。

| 功能主治 | **石斑木根：**微苦、涩，寒。活血消肿，凉血解毒。用于跌打损伤，骨髓炎，关节炎。

石斑木叶：甘，平。补血，益肾。用于血虚，肾虚。

| 用法用量 | **石斑木根：**内服煎汤，15 ~ 30 g。

石斑木叶：外用适量，煎汤洗；或鲜品捣敷；或干品研末敷。

蔷薇科 Rosaceae 石斑木属 *Raphiolepis*

细叶石斑木 *Raphiolepis lanceolata* Hu

| 药材名 |

细叶石斑木（药用部位：根）。

| 形态特征 |

常绿灌木，高达 1 ~ 1.5 m，稀为乔木，高达 10 m。树皮暗灰色。分枝多，小枝幼时有褐色柔毛，后毛渐脱落。叶片革质，集生于枝顶，带状披针形，长 3 ~ 7.5 cm，宽 5 ~ 14 mm，先端圆钝或短渐尖，基部狭楔形，向下延伸，边缘略向下卷，具疏生圆钝锯齿，上面光亮，无毛，微具皱纹，下面无毛或几无毛，中脉及侧脉显明凸起；叶柄有翅，长 2 ~ 4 mm，无毛。顶生圆锥花序，总花梗及花梗均有褐色柔毛；苞片披针形或钻形，长 3 ~ 4 mm，边缘及两面均有毛；萼筒筒状，长约 4 mm，外面有褐色柔毛；花瓣椭圆状披针形，长 6 ~ 7 mm，宽 1.5 ~ 4 mm，先端钝，白色或淡红色；雄蕊 15，较花瓣稍长或与花瓣等长；花柱 3，基部合生，子房有毛。果实球形，黑色，直径 4 ~ 7 mm；果柄长 4 ~ 5 mm，有毛；种子 1，球形或稍扁，黑褐色，直径约 3 mm。花期 6 ~ 7 月，果期 10 ~ 11 月。

| 生境分布 | 生于海拔 450 ～ 1 500 m 的山坡疏林下或开阔山谷灌丛中。分布于郴州（汝城、桂东）、怀化（通道）等。

| 资源情况 | 野生资源稀少。药材来源于野生。

| 功能主治 | 用于半身不遂。

蔷薇科 Rosaceae 蔷薇属 *Rosa*

单瓣白木香 *Rosa banksiae* Ait.var. *normalis* Regel

|药材名|

香花刺（药用部位：根皮。别名：红皮）。

|形态特征|

落叶或半常绿灌木。茎攀缘，长达 10 m，具疏刺或近无刺。叶互生，奇数羽状复叶，小叶 3 ~ 5，椭圆状卵形至长披针形，长 2 ~ 6 cm，宽 1 ~ 2.5 cm，边缘有细锯齿。伞形花序顶生，常有数花；花直径 1.5 ~ 2.5 cm；苞片 5，卵形，先端长渐尖，全缘；萼筒和萼片外面均无毛，内面被白色柔毛；花瓣白色，单瓣，芳香。果实球形至卵球形，直径 5 ~ 7 mm，红黄色至黑褐色；萼片脱落。花期 4 ~ 5 月。

|生境分布|

生于海拔 500 ~ 1 500 m 的沟谷中。分布于湘中、湘东、湘南等。

|资源情况|

野生资源稀少。药材来源于野生。

|采收加工|

夏、秋季采挖根，洗净，剥取根皮，晒干。

| 功能主治 | 涩，温。归肝经。活血调经，消肿散瘀。用于月经不调，外伤红肿。

| 用法用量 | 内服煎汤，9 ~ 15 g。外用适量，研末调敷。

蔷薇科 Rosaceae 蔷薇属 *Rosa*

硕苞蔷薇 *Rosa bracteata* Wendl.

| 药 材 名 | 苞蔷薇根（药用部位：根。别名：猴局根、金柿根、大红袍）、苞蔷薇叶（药用部位：叶）、苞蔷薇花（药用部位：花）、苞蔷薇果（药用部位：果实。别名：猴柿刺）。

| 形态特征 | 铺散常绿灌木，高 2 ~ 5 m。有长匍枝，小枝粗壮，密被黄褐色柔毛，混生针刺和腺毛，皮刺扁弯，常成对着生在托叶下方。小叶 5 ~ 9，连叶柄长 4 ~ 9 cm，小叶片革质，椭圆形或倒卵形，长 1 ~ 2.5 cm，宽 8 ~ 15 mm，边缘有紧贴圆钝锯齿，上面无毛，深绿色，有光泽，下面颜色较淡，沿脉有柔毛或无毛。花单生或 2 ~ 3 朵集生，直径 4.5 ~ 7 cm；花梗长不到 1 cm，密生长柔毛和稀疏腺毛，有数枚大型宽卵形苞片，边缘有不规则缺刻状锯齿，外面密被柔毛，内面近

无毛；萼片宽卵形，先端尾状渐尖，与萼筒外面均密被黄褐色柔毛和腺毛，内面有稀疏柔毛，花后反折；花瓣白色，倒卵形，先端微凹；心皮多数，花柱密被柔毛，比雄蕊稍短。果实球形，密被黄褐色柔毛；果柄短，密被柔毛。花期 5 ~ 7 月，果期 8 ~ 11 月。

| 生境分布 | 生于海拔 100 ~ 300 m 的溪边、路旁和灌丛中。栽培于排水良好、疏松肥沃的土壤中。湖南各地均有分布。

| 资源情况 | 野生资源丰富。栽培资源较丰富。药材来源于野生和栽培。

| 采收加工 | **苞蔷薇根：**全年均可采挖，洗净，鲜用或晒干。

苞蔷薇叶：全年均可采收，鲜用或晒干。

苞蔷薇花：5 ~ 7 月采摘，晾干。

苞蔷薇果：秋季果实成熟时采摘，鲜用或晒干。

| 功能主治 | **苞蔷薇根：**甘、苦、涩，温。归脾、肾经。益脾补肾，敛肺涩肠，止汗，活血调经，祛风湿，散结解毒。用于腰膝酸软，水肿，脚气，遗精，盗汗，阴挺，久泻，脱肛，咳嗽气喘，胃痛，疝气，风湿痹痛，月经不调，闭经，带下，瘰疬，肠痈，烫伤。

苞蔷薇叶：微苦，凉。清热解毒，消肿敛疮。用于疔疮肿毒，烫火伤。

苞蔷薇花：甘，平。归肺经。润肺止咳。用于肺痨咳嗽。

苞蔷薇果：甘、酸，平。归脾、肾、大肠经。补脾益肾，涩肠止泻，祛风湿，活血调经。用于腹泻，痢疾，风湿痹痛，月经不调。

| 用法用量 |

苞蔷薇根：内服煎汤，15 ~ 30 g。外用适量，捣敷。

苞蔷薇叶：外用适量，研末；或捣敷。

苞蔷薇花：内服煎汤，6 ~ 15 g。

苞蔷薇果：内服煎汤，30 ~ 60 g。

蔷薇科 Rosaceae 蔷薇属 *Rosa*

月季花 *Rosa chinensis* Jacq.

| 药材名 | 月季花（药用部位：花。别名：四季花、月月红、胜春）、月季花叶（药用部位：叶。别名：月季叶）、月季花根（药用部位：根。别名：月月开根、月月红根）。

| 形态特征 | 直立灌木，高 1 ~ 2 m。小枝粗壮，圆柱形，近无毛，有短粗的钩状皮刺或无刺。小叶 3 ~ 5，稀 7，宽卵形至卵状长圆形，长 2.5 ~ 6 cm，宽 1 ~ 3 cm，两面近无毛，上面暗绿色，常带光泽，下面颜色较浅，顶生小叶片有柄，侧生小叶片近无柄；总叶柄较长，有散生皮刺和腺毛；托叶大部贴生于叶柄，仅先端分离部分呈耳状，边缘常有腺毛。花几朵集生，稀单生，直径 4 ~ 5 cm；花梗长 2.5 ~ 6 cm，近无毛或有腺毛；萼片卵形，先端尾状渐尖，有时呈叶状，

边缘常有羽状裂片，稀全缘，外面无毛，内面密被长柔毛；花瓣重瓣至半重瓣，红色、粉红色至白色，倒卵形，先端有凹缺，基部楔形；花柱离生，伸出萼筒口外，约与雄蕊等长。果实卵球形或梨形，长 1 ~ 2 cm，红色；萼片脱落。花期 4 ~ 9 月，果期 6 ~ 11 月。

| 生境分布 | 生于海拔 2 000 m 以下的地区。栽培于疏松肥沃、有机质丰富、微酸性的土壤中。湖南各地均有分布。

| 资源情况 | 野生资源丰富。栽培资源丰富。药材来源于野生和栽培。

| 采收加工 |

月季花：夏、秋季选晴天采收半开放的花朵，及时摊开晾干或用微火烘干，或鲜用。

月季花叶：春、秋季采收，鲜用或晒干。

月季花根：全年均可采挖，洗净，切段，晒干。

| 功能主治 |

月季花：甘，温。归肝经。活血调经，疏肝解郁。用于月经不调，痛经，闭经，胸胁胀痛。

月季花叶：微苦，平。归肝经。活血消肿，解毒，止血。用于疮疡肿毒，瘰疬，跌打损伤，腰膝肿痛，外伤出血。

月季花根：甘，温。归肝经。活血调经，消肿散结，涩精止带。用于月经不调，痛经，闭经，血崩，跌打损伤，瘰疬，遗精，带下。

| 用法用量 |

月季花：内服煎汤或开水泡服，3 ～ 6 g，鲜品 9 ～ 15 g。外用适量，鲜品捣敷；或干品研末调搽。

月季花叶：内服煎汤，3 ～ 9 g。外用适量，鲜品捣敷。

月季花根：内服煎汤，9 ～ 30 g。

蔷薇科 Rosaceae 蔷薇属 *Rosa*

小果蔷薇 *Rosa cymosa* Tratt.

|药材名|

小果蔷薇根（药用部位：根。别名：山木香根、红刺根、小和尚头）、小果蔷薇茎（药用部位：藤茎。别名：五加莲、狗屎刺、茳刺甲）、小果蔷薇叶（药用部位：叶。别名：山木香叶、荆刺叶、红刺叶）、小果蔷薇果（药用部位：果实。别名：小金樱子、鸡公子、小金荚）、小果蔷薇花（药用部位：花。别名：小刺花、野蔷薇花、七叶朝春花）。

|形态特征|

攀缘灌木，高 2 ~ 5 m。小枝圆柱形，无毛或稍有柔毛，有钩状皮刺。小叶 3 ~ 5，稀 7，连叶柄长 5 ~ 10 cm，小叶片卵状披针形或椭圆形，稀长圆状披针形，长 2.5 ~ 6 cm，宽 8 ~ 25 mm，先端渐尖，基部近圆形，边缘有紧贴或尖锐细锯齿，两面均无毛，上面亮绿色，下面颜色较淡，中脉凸起，沿脉有稀疏长柔毛；托叶膜质，离生，线形，早落。花多朵成复伞房花序；花直径 2 ~ 2.5 cm；花梗长约 1.5 cm，幼时密被长柔毛，老时近无毛；萼片卵形，先端渐尖，常有羽状裂片，外面近无毛，稀有刺毛，内面被稀疏白色绒毛，沿边缘绒毛较密；花瓣白色，倒卵形，先端凹，基部楔形；花柱离生，稍伸出花托

口外，与雄蕊近等长，密被白色柔毛。果实球形，直径 4 ~ 7 mm，红色至黑褐色；萼片脱落。花期 5 ~ 6 月，果期 7 ~ 11 月。

| 生境分布 | 生于海拔 250 ~ 1 300 m 的向阳山坡、路旁、溪边或丘陵。湖南各地均有分布。

| 资源情况 | 野生资源丰富。药材来源于野生。

| 采收加工 | **小果蔷薇根：**全年均可采挖，洗净，切段，鲜用或晒干。

小果蔷薇茎：全年均可采收，切段，晒干。

小果蔷薇叶：夏、秋季采收，鲜用。

小果蔷薇果：秋、冬季果实成熟时采摘，鲜用或晒干。

小果蔷薇花：5 ~ 6 月花盛开时采摘，除去杂质，晾干或晒干。

| 功能主治 | **小果蔷薇根：**苦、酸，微温。归肺、肝、大肠经。散瘀，止血，消肿解毒。用于跌打损伤，外伤出血，月经不调，子宫脱垂，痔疮，风湿痹痛，腹泻，痢疾。

小果蔷薇茎：酸、微苦，平。固涩益肾。用于遗尿，子宫脱垂，脱肛，带下，痔疮。

小果蔷薇叶：苦，平。归肝经。解毒，活血散瘀，消肿散结。用于疮痈肿痛，烫火伤，跌打损伤，风湿痹痛。

小果蔷薇果：甘、涩，平。归肺、肝、肾经。化痰止咳，养肝明目，益肾固涩。用于痰多咳嗽，眼目昏糊，遗精，遗尿，带下。

小果蔷薇花：甘、酸，凉。归脾、胃经。健脾，解暑。用于食欲不振，暑热口渴。

| 用法用量 |

小果蔷薇根：内服煎汤，10 ~ 30 g；或炖肉服。外用适量，捣敷。

小果蔷薇茎：内服煎汤，30 ~ 60 g；或炖肉服。

小果蔷薇叶：内服煎汤，15 ~ 30 g。外用适量，鲜品捣敷。

小果蔷薇果：内服煎汤，60 ~ 90 g。

小果蔷薇花：内服煎汤，3 ~ 9 g。

蔷薇科 Rosaceae 蔷薇属 *Rosa*

软条七蔷薇 *Rosa henryi* Bouleng.

| 药 材 名 | 饭罗泡（药用部位：根。别名：歪耳根、野刺）。

| 形态特征 | 灌木，高 3 ~ 5 m。有长匍匐枝，小枝有短扁、弯曲皮刺或无刺。小叶通常 5，近花序小叶片常为 3，连叶柄长 9 ~ 14 cm，小叶片长圆形、卵形、椭圆形或椭圆状卵形，长 3.5 ~ 9 cm，宽 1.5 ~ 5 cm，边缘有锐锯齿，两面均无毛，下面中脉凸起；小叶柄和叶轴无毛，有散生小皮刺；托叶大部贴生于叶柄，离生部分披针形，先端渐尖，全缘，无毛，或有稀疏腺毛。5 ~ 15 花组成伞房状花序；花直径 3 ~ 4 cm；花梗和萼筒无毛，有时具腺毛；萼片披针形，先端渐尖，全缘，有少数裂片，外面近无毛，有稀疏腺点，内面有长柔毛；花瓣白色，宽倒卵形，先端微凹，基部宽楔形；花柱结合成柱，被柔毛，

比雄蕊稍长。果实近球形，直径 8 ～ 10 mm，成熟后呈褐红色，有光泽；果柄有稀疏腺点；萼片脱落。

| 生境分布 | 生于海拔 1 700 ～ 2 000 m 的山谷、林边、田边或灌丛中。湖南各地均有分布。

| 资源情况 | 野生资源丰富。药材来源于野生。

| 采收加工 | 全年均可采挖，洗净，切片，晒干。

| 功能主治 | 甘，温。活血调经，化瘀止血。用于月经不调，妇女不孕症，外伤出血。

| 用法用量 | 内服煎汤，5 ～ 10 g。外用适量，研末调涂。

蔷薇科 Rosaceae 蔷薇属 *Rosa*

金樱子 *Rosa laevigata* Michx.

| 药 材 名 | 金樱子（药用部位：果实。别名：刺榆子、刺梨子、金罂子）、金樱子根（药用部位：根。别名：金樱蔃、脱骨丹）、金樱子叶（药用部位：叶。别名：塘莺蒁）、金樱子花（药用部位：花）。

| 形态特征 | 常绿攀缘灌木，高可达 5 m。小枝粗壮，散生扁弯皮刺，无毛，幼时被腺毛，老时腺毛逐渐脱落。小叶革质，通常 3，稀 5，连叶柄长 5 ~ 10 cm，小叶片椭圆状卵形、倒卵形或披针状卵形，长 2 ~ 6 cm，宽 1.2 ~ 3.5 cm，边缘有锐锯齿，上面亮绿色，无毛，下面黄绿色，幼时沿中肋有腺毛，老时逐渐脱落无毛。花单生于叶腋，直径 5 ~ 7 cm；花梗通常长 1.8 ~ 2.5 cm，偶有长 3 cm 者，花梗和萼筒密被腺毛，随果实成长变为针刺；萼片卵状披针形，先端呈叶

状，边缘羽状浅裂或全缘，常有刺毛和腺毛，内面密被柔毛，比花瓣稍短；花瓣白色，宽倒卵形，先端微凹；雄蕊多数；心皮多数，花柱离生，有毛，比雄蕊短很多。果实梨形、倒卵形，稀近球形，紫褐色，外面密被刺毛；果柄长约 3 cm；萼片宿存。花期 4 ~ 6 月，果期 7 ~ 11 月。

| **生境分布** | 生于海拔 200 ~ 1 600 m 的向阳山野、田边、溪畔灌丛中。湖南各地均有分布。

| **资源情况** | 野生资源丰富。药材来源于野生。

| **采收加工** | **金樱子**：10 ~ 11 月果实成熟时采摘，晾晒后放入桶内搅拌，擦去毛刺，再晒至全干。

金樱子根：全年均可采挖，除去幼根，洗净，趁新鲜斜切成厚片或短段，晒干。

金樱子叶：全年均可采收，多鲜用。

金樱子花：4 ~ 6 月采收将开放的花蕾，干燥即得。

| 药材性状 | **金樱子**：本品为花托发育而成的假果，呈倒卵形，长 2 ~ 3 cm，直径 1 ~ 2 cm。表面黄红色至棕红色，略具光泽，有多数由刺状刚毛脱落后的残基形成的棕色小突起，先端宿存花萼呈盘状，其中央稍隆起，有黄色花柱基，基部渐细，有残留果柄。质坚硬，纵切后可见花萼筒壁厚 1 ~ 2 mm，内壁密生淡黄色、有光泽的绒毛。瘦果数十粒，扁纺锤形，长约 7 mm，淡黄棕色，木质，外被淡黄色绒毛。气微，味甘、微涩。以个大、色红黄、有光泽、去净毛刺者为佳。

金樱子根：本品厚约 1 cm，为斜片或长 3 ~ 4 cm 的段，直径 1 ~ 3.5 cm。表面暗棕红色至红褐色，有细纵条纹，木栓层略浮离，呈片状剥落。切断面棕色，具明显的放射状纹理。质坚实，难折断。气无，味涩、微甘。以片块大小、厚薄均匀，棕红色，质坚体重者为佳。

金樱子花： 本品呈球形或卵形。花托倒卵形，与花萼基部相连，表面绿色，具直刺。萼片 5，卵状披针形，黄绿色，伸展。花瓣 5，白色，倒卵形。雄蕊多数，雌蕊多数。气微香，味微苦、涩。

| 功能主治 |

金樱子： 酸、甘、涩，平。归肾、膀胱、大肠经。固精缩尿，固崩止带，涩肠止泻。用于遗精，滑精，遗尿，尿频，崩漏，带下，久泻，久痢。

金樱子根： 酸、涩，平。活血，止泻。用于跌扑损伤，腰膝酸痛，久泻。

金樱子叶： 苦，平。归肺、心经。清热解毒，活血止血，止带。用于痈肿疔疮，烫伤，痢疾，闭经，崩漏，带下，创伤出血。

金樱子花： 酸、涩，平。归肺、肾、大肠经。涩肠，固精，缩尿，止带，杀虫。用于久泻，久痢，遗精，尿频，带下，绦虫病，蛔虫病，蛲虫病，须发早白。

| 用法用量 |

金樱子： 内服煎汤，9 ～ 15 g；或入丸、散剂；或熬膏。

金樱子根： 内服煎汤，15 ～ 60 g。外用适量，捣敷；或煎汤洗。

金樱子叶： 内服煎汤，9 g。外用适量，捣敷；或研末撒。

金樱子花： 内服煎汤，3 ～ 9 g。

蔷薇科 Rosaceae 蔷薇属 *Rosa*

野蔷薇 *Rosa multiflora* Thunb.

| 药 材 名 | 蔷薇花（药用部位：花。别名：刺花、白残花、柴米米花）、蔷薇露（药材来源：花的蒸馏液。别名：阿刺吉、蔷薇花露）、蔷薇叶（药用部位：叶）、蔷薇枝（药用部位：枝）、蔷薇根（药用部位：根）、营实（药用部位：果实。别名：蔷薇子、野蔷薇子、石珊瑚）。

| 形态特征 | 攀缘灌木。小枝圆柱形，通常无毛，有短粗且稍弯曲皮束。小叶 5 ~ 9，近花序的小叶 3，连叶柄长 5 ~ 10 cm，小叶片倒卵形、长圆形或卵形，长 1.5 ~ 5 cm，宽 8 ~ 28 mm，先端急尖或圆钝，基部近圆形或楔形，边缘有尖锐单锯齿，稀有重锯齿，上面无毛，下面有柔毛；小叶柄和叶轴有柔毛或无毛，有散生腺毛；托叶篦齿状，大部贴生于叶柄，边缘有或无腺毛。花多朵，排成圆锥状花序；花

梗长 1.5 ~ 2.5 cm，无毛或有腺毛，有时基部有篦齿状小苞片；花直径 1.5 ~ 2 cm；萼片披针形，有时中部具线形裂片 2，外面无毛，内面有柔毛；花瓣白色，宽倒卵形，先端微凹，基部楔形；花柱结合成束，无毛，比雄蕊稍长。果实近球形，直径 6 ~ 8 mm，红褐色或紫褐色，有光泽，无毛，萼片脱落。

| 生境分布 | 生于海拔 2 000 m 以下的路旁、田边或丘陵地灌丛中。湖南各地均有分布。

| 资源情况 | 野生资源丰富。药材来源于野生。

| 采收加工 | **蔷薇花：**5 ~ 6 月花盛开时择晴天采摘，晒干。

蔷薇露：取蔷薇花瓣，除去杂质，用蒸馏法提取蒸馏液，收集备用。

蔷薇叶：夏、秋季采摘，晒干或鲜用。

蔷薇枝：全年均可采收，切段，晒干。

蔷薇根：秋季采挖，洗净，切片，晒干或鲜用。

营实：秋季采收，在果实半青半红时采摘为佳，鲜用或晒干。

| 功能主治 | **蔷薇花：**苦、涩，凉。归胃、大肠经。清暑，和胃，活血止血，解毒。用于暑热烦渴，胃脘胀闷，吐血，衄血，口疮，痈疖，月经不调。

蔷薇露：甘，平。归心、脾经。温中行气。用于胃脘不舒，胸膈郁气，口疮，消渴。

蔷薇叶：甘，凉。解毒消肿。用于疮痈肿毒。

蔷薇枝： 甘，凉。清热消肿，生发。用于疮疖，脱发。

蔷薇根： 苦、涩，凉。归脾、胃、肾经。清热解毒，祛风除湿，活血调经，固精缩尿，消骨鲠。用于疮痈肿毒，烫伤，口疮，痔血，鼻衄，关节疼痛，月经不调，痛经，久痢不愈，遗尿，尿频，白带过多，子宫脱垂，骨鲠。

营实： 酸，凉。归肝、肾、胃经。清热解毒，祛风活血，利水消肿。用于疮痈肿毒，风湿痹痛，关节不利，月经不调，水肿，小便不利。

| 用法用量 | **蔷薇花：** 内服煎汤，3 ~ 6 g。

蔷薇露： 内服炖温，30 ~ 60 g。

蔷薇叶： 外用适量，研末调敷；或鲜品捣敷。

蔷薇枝： 内服煎汤，10 ~ 15 g。外用适量，煎汤洗。

蔷薇根： 内服煎汤，10 ~ 15 g；或研末，1.5 ~ 3 g；或鲜品捣绞汁。外用适量，研末敷；煎汤含漱或洗。

营实： 内服煎汤，15 ~ 30 g，鲜品加倍。外用适量，捣敷。

蔷薇科 Rosaceae 蔷薇属 *Rosa*

七姊妹 *Rosa multiflora* Thunb. var. *carnea* Thory.

| 药 材 名 | 十姊妹（药用部位：根、叶）。

| 形态特征 | 落叶小灌木，高约 2 m。茎、枝多尖刺。奇数羽状复叶互生；小叶通常 9，椭圆形，先端钝或尖，基部钝圆形，边缘具齿，两面无毛；托叶极明显。花多数簇生，为圆锥形伞房花序；花粉红色，芳香；花梗上有少数腺毛；萼片 5；花瓣 5，重瓣；雄蕊多数；花柱无毛。瘦果，生在环状或壶状花托里面。花期 5 ~ 6 月，果期 8 ~ 9 月。

| 生境分布 | 生于海拔 2 000 m 以下的地区。湖南各地广泛分布。分布于湘中、湘东、湘北、湘西南、湘南等。

| 资源情况 | 野生资源一般。药材来源于野生。

| **采收加工** | 根，全年均可采挖，洗净，切片，晒干。叶，夏、秋季采收，鲜用或晒干。

| **功能主治** | 苦、微涩，平。归肝、胆经。清热化湿，疏肝利胆。用于黄疸，痞积，妇女白带过多。

| **用法用量** | 内服煎汤，15 ～ 30 g。

蔷薇科 Rosaceae 蔷薇属 *Rosa*

粉团蔷薇 *Rosa multiflora* Thunb. var. *cathayensis* Rehd. et Wils.

|药材名|

红刺玫花（药用部位：花。别名：白残花）、红刺玫根（药用部位：根）。

|形态特征|

落叶小灌木，高约 2 m。茎、枝多尖刺。奇数羽状复叶互生，叶通常 9，椭圆形，先端钝或尖，基部钝圆形，边缘具齿，两面无毛；托叶大部贴生于叶柄。花多数簇生，为圆锥状伞房花序；花粉红色，芳香；花梗有少数腺毛；萼片 5；花瓣 5，单瓣；雄蕊多数；花柱无毛。瘦果，生在环状或壶状花托里面。花期 5 ~ 6 月，果期 8 ~ 9 月。

|生境分布|

生于海拔约 1 300 m 的山坡、灌丛或河边等。湖南有广泛分布。

|资源情况|

野生资源丰富。药材来源于野生。

|采收加工|

红刺玫花：春、夏季花将开放时采摘，除去杂质，晒干。

红刺玫根：全年均可采挖，洗净，切片，晒干。

| 功能主治 |

红刺玫花：苦、涩，寒。清暑化湿，顺气和胃。用于暑热胸闷，口渴，呕吐，食欲不振，口疮，口糜，烫伤。

红刺玫根：苦、涩，寒。活血通络。用于关节炎，颜面神经麻痹。

| 用法用量 |

红刺玫花：内服煎汤，3 ～ 9 g。外用适量，研末调敷。

红刺玫根：内服煎汤，9 ～ 15 g。外用适量，研末撒；或调敷。

蔷薇科 Rosaceae 蔷薇属 *Rosa*

缫丝花 *Rosa roxburghii* Tratt.

| 药材名 |

刺梨（药用部位：果实）、刺梨叶（药用部位：叶）、刺梨根（药用部位：根）。

| 形态特征 |

灌木。高 1 ~ 2.5 m。树皮灰褐色，呈片状剥落；小枝圆柱形，斜向上升，有基部稍扁的成对皮刺。小叶 9 ~ 15，小叶片椭圆形或长圆形，稀倒卵形，先端急尖或圆钝，基部宽楔形，边缘有细锐锯齿，两面无毛，下面叶脉凸起，网脉明显；叶轴和叶柄有散生小皮刺；托叶大部贴生于叶柄，离生部分呈钻形，边缘有腺毛。花单生或 2 ~ 3 生于短枝先端；花梗短；小苞片 2 ~ 3，卵形，边缘有腺毛；萼片通常宽卵形，有羽状裂片；花瓣重瓣至半重瓣，淡红色或粉红色，倒卵形，外轮花瓣大，内轮花瓣较小。果实扁球形，直径 3 ~ 4 cm，绿红色，外面密生针刺，萼片宿存，直立。花期 5 ~ 7 月，果期 8 ~ 10 月。

| 生境分布 |

生于海拔 400 m 以下的岗地或山坡路旁灌丛中。分布于湖南常德（临澧）、邵阳（洞口）、郴州（嘉禾）、怀化（麻阳、新晃、芷江、

沅陵）、湘西州（花垣、古丈、永顺、凤凰、保靖）。

| 资源情况 | 野生资源丰富。药材来源于野生。

| 采收加工 | **刺梨：**秋、冬季采收，晒干。

刺梨叶：夏、秋季采收，鲜用或晒干。

刺梨根：全年均可采收，洗净，切片，晒干。

| 功能主治 | **刺梨：**甘、酸、涩，平。归脾、胃经。健胃消食，止泻。用于食积腹胀，肠炎腹泻。

刺梨叶：酸、涩，微寒。清热解暑，解毒疗疮，止血。用于痈肿，痔疮，暑热倦怠，外伤出血。

刺梨根：甘、苦、涩，平。健胃消食，止痛，收涩，止血。用于胃脘胀满疼痛，牙痛，喉痛，久咳，泻痢，遗精，带下，崩漏，痔疮。

| 用法用量 | **刺梨：**内服煎汤，9 ~ 15 g；或生食。

刺梨叶：内服煎汤，3 ~ 9 g。外用适量，研末麻油调敷；或鲜品捣敷。

刺梨根：内服煎汤，9 ~ 15 g；或研末，每次 0.15 g。

蔷薇科 Rosaceae 蔷薇属 *Rosa*

单瓣缫丝花 *Rosa roxburghii* Tratt. f. *normalis* Rehd. et Wils.

| 药 材 名 | 刺梨（药用部位：果实）、刺梨叶（药用部位：叶）、刺梨根（药用部位：根）。

| 形态特征 | 灌木。高 1 ~ 2.5 m。树皮灰褐色，呈片状剥落；小枝圆柱形，斜向上升，有基部稍扁的成对皮刺。小叶 9 ~ 15，连叶柄长 5 ~ 11 cm，小叶片椭圆形或长圆形，稀倒卵形，长 1 ~ 2 cm，宽 6 ~ 12 mm，先端急尖或圆钝，基部宽楔形，边缘有细锐锯齿，两面无毛，下面叶脉凸起，网脉明显；叶轴和叶柄有散生小皮刺；托叶大部贴生于叶柄，离生部分呈钻形，边缘有腺毛。花单生或 2 ~ 3 生于短枝先端，直径 5 ~ 6 cm；花梗短；小苞片 2 ~ 3，卵形，边缘有腺毛；萼片通常宽卵形，先端渐尖，有羽状裂片，内面密被绒毛，外面密被针

刺；花瓣单瓣，粉红色，微香，倒卵形，外轮花瓣大，内轮花瓣较小；雄蕊多数着生在杯状萼筒边缘；心皮多数，着生在花托底部，花柱离生，被毛，不外伸，短于雄蕊。果实扁球形，直径 3 ~ 4 cm，绿红色，外面密生针刺，萼片宿存，直立。花期 5 ~ 7 月，果期 8 ~ 10 月。

| 生境分布 | 生于海拔 500 ~ 2 000 m 的向阳山坡、沟谷、路旁及灌丛中。分布于湖南湘西州（凤凰）等。

| 资源情况 | 野生资源稀少。药材来源于野生。

| 采收加工 | 同“缫丝花”。

| 功能主治 | 同“缫丝花”。

| 用法用量 | 同“缫丝花”。

蔷薇科 Rosaceae 蔷薇属 *Rosa*

悬钩子蔷薇 *Rosa rubus* Lévl. et Vant.

| 药材名 | 悬钩子蔷薇（药用部位：根、果实、内皮、叶、花）。

| 形态特征 | 匍匐灌木，高可达 5 ~ 6 m。小枝圆柱形，通常被柔毛，幼时毛较密，老时毛脱落，皮刺短粗、弯曲。小叶通常 5，近花序偶有 3 小叶，连叶柄长 8 ~ 15 cm，小叶片卵状椭圆形、倒卵形或圆形，长 3 ~ 6（~ 9）cm，宽 2 ~ 4.5 cm，上面深绿色，通常无毛或偶有柔毛，下面密被柔毛或有稀疏柔毛，边缘有尖锐锯齿，向基部锯齿浅而稀；小叶柄和叶轴有柔毛和散生的小沟状皮刺。10 ~ 25 花排成圆锥状伞房花序；花梗长 1.5 ~ 2 cm，总花梗和花梗均被柔毛和稀疏腺毛；花直径 2.5 ~ 3 cm；萼筒球形至倒卵状球形，外被柔毛和腺毛；萼片披针形，先端长渐尖，两面均密被柔毛；花瓣白色，倒卵形，先

端微凹，基部宽楔形；花柱结合成柱。果实近球形，直径 8 ～ 10 mm，猩红色至紫褐色，有光泽，花后萼片反折，以后脱落。花期 4 ～ 6 月，果期 7 ～ 9 月。

| 生境分布 | 生于海拔 500 ～ 1 300 m 的山坡、路旁、草地或灌丛中。分布于湖南郴州（汝城）、永州（新田）、怀化（麻阳）等。

| 资源情况 | 野生资源稀少。药材来源于野生。

| 功能主治 | 根，清热利湿，收敛，固涩。用于泻痢。果实，清肝热，解毒。用于肝炎，食物中毒。内皮，敛毒，除湿。用于风湿痹痛，痒疹，脉管诸病。叶，止血化瘀。用于吐血，外伤出血。花，用于胃病。

蔷薇科 Rosaceae 蔷薇属 *Rosa*

玫瑰 *Rosa rugosa* Thunb.

| 药 材 名 | 玫瑰花（药用部位：花蕾）。

| 形态特征 | 直立灌木。高可达 2 m。茎粗壮，丛生；小枝密被绒毛，并有针刺和腺毛，有直立或弯曲、淡黄色的皮刺，皮刺外被绒毛。小叶 5 ~ 9，连叶柄长 5 ~ 13 cm，小叶片椭圆形或椭圆状倒卵形，长 1.5 ~ 4.5 cm，宽 1 ~ 2.5 cm，先端急尖或圆钝，基部圆形或宽楔形，边缘有尖锐锯齿；叶柄和叶轴密被绒毛和腺毛；托叶大部贴生于叶柄，离生部分卵形，边缘有带腺锯齿，被绒毛。花单生于叶腋，或数朵簇生；苞片卵形，边缘有腺毛，外被绒毛；花直径 4 ~ 5.5 cm；花瓣倒卵形，重瓣至半重瓣，芳香，紫红色至白色；花柱离生，被毛，稍伸出萼筒口外，比雄蕊短很多。果实扁球形，直径 2 ~ 2.5 cm，砖红色，肉质，

平滑，萼片宿存。花期 5 ~ 6 月，果期 8 ~ 9 月。

| 生境分布 | 栽培于光照充足、通风较好、干燥平整的地块。分布于湖南长沙（开福、长沙）、株洲（醴陵）、湘潭（湘潭）、衡阳（石鼓、衡山）、邵阳（邵东）、岳阳（君山、岳阳、临湘）、益阳（南县）、郴州（北湖）、娄底（娄星、涟源）、益阳（安化）、怀化（溆浦）等。

| 资源情况 | 栽培资源稀少。药材来源于栽培。

| 采收加工 | 春末夏初花将开放时分批采摘，低温干燥。

| 功能主治 | 甘、微苦，温。归肝、脾经。行气解郁，和血，止痛。用于肝胃气痛，食少呕恶，月经不调，跌扑伤痛。

| 用法用量 | 内服煎汤，3 ~ 6 g。

蔷薇科 Rosaceae 蔷薇属 *Rosa*

大红蔷薇 *Rosa saturata* Baker

| 药材名 | 大红蔷薇根（药用部位：根皮。别名：山刺莓花）。

| 形态特征 | 灌木，高 1 ~ 2 m。小枝圆柱形，直立或开展，无毛，常无刺或有稀疏小皮刺。小叶通常 7，在靠花序下方常为 5，连叶柄长 7 ~ 16 cm；小叶片卵形或卵状披针形，长 2.5 ~ 6.5 cm，宽 1.5 ~ 4 cm，先端急尖或短渐尖，基部近圆形或宽楔形，边缘有尖锐单锯齿，上面深绿色，无毛，下面灰绿色，沿脉有柔毛或近无毛，中脉和侧脉均凸起；叶轴上有柔毛和稀疏小皮刺；托叶宽大，约 2/3 部分贴生于叶柄，离生部分耳状，卵形，先端急尖，全缘，近无毛。花单生，稀 2，苞片宽大，1 ~ 2，卵状披针形，长 1.5 ~ 3 cm，先端尾状；花梗长 1.5 ~ 2.5 cm，无毛或有稀疏腺毛；花直径 3.5 ~ 5 cm；萼片卵状披针形，先端明显伸展成叶状，比花瓣长 1/3 或 1/2，全缘或

有时先端有稀疏锯齿，外面近无毛，内面密被柔毛，边缘较密；花瓣红色，倒卵形；花柱离生，密被柔毛，比雄蕊短很多。果卵球形，直径 1.5 ~ 2 cm，砖红色。花期 6 月，果期 7 ~ 10 月。

| 生境分布 | 生于海拔 1 800 ~ 2 000 m 的山坡、灌丛中或水沟旁等处。分布于湖南湘西州（古丈、永顺）、常德（石门）等。

| 资源情况 | 野生资源稀少。药材来源于野生。

| 功能主治 | 活血祛瘀，调经止痛。

蔷薇科 Rosaceae 蔷薇属 *Rosa*

钝叶蔷薇 *Rosa sertata* Rolfe

| 药 材 名 | 钝叶蔷薇根（药用部位：根。别名：小酒壶芦、金樱子）、钝叶蔷薇果（药用部位：果实）。

| 形态特征 | 灌木，高 1 ~ 2 m，小枝圆柱形，细弱，无毛，散生直立皮刺或无刺。小叶 7 ~ 11，连叶柄长 5 ~ 8 cm，小叶片广椭圆形至卵状椭圆形，长 1 ~ 2.5 cm，宽 7 ~ 15 mm，先端急尖或圆钝，基部近圆形，边缘有尖锐单锯齿，近基部全缘，两面无毛，或下面沿中脉有稀疏柔毛，中脉和侧脉均凸起；小叶柄和叶轴有稀疏柔毛、腺毛和小皮刺；托叶大部贴生于叶柄，离生部分耳状，卵形，无毛，边缘有腺毛。花单生或 3 ~ 5，排成伞房状；小苞片 1 ~ 3，苞片卵形，先端短渐尖，边缘有腺毛，无毛；花梗长 1.5 ~ 3 cm，花梗和萼筒无毛，或有稀疏腺毛；花直径 2 ~ 3.5 cm；萼片卵状披针形，先端延长成

叶状，全缘，外面无毛，内面密被黄白色柔毛，边缘较密；花瓣粉红色或玫瑰色，宽倒卵形，先端微凹，基部宽楔形，比萼片短；花柱离生，被柔毛，比雄蕊短。果卵球形，先端有短颈，长 1.2 ~ 2 cm，直径约 1 cm，深红色。花期 6 月，果期 8 ~ 10 月。

| 生境分布 | 生于海拔 1 390 ~ 2 000 m 的山坡、路旁、沟边或疏林。分布于湖南常德（石门）等。

| 资源情况 | 野生资源稀少。药材来源于野生。

| 采收加工 | **钝叶蔷薇根**：全年均可采挖，洗净，切片，晒干。

| 功能主治 | **钝叶蔷薇根**：辛，温。归心、肝经。活血止痛，清热解毒。用于月经不调，痛风，无名肿毒，风湿痹痛，疮疡肿痛。

钝叶蔷薇果：辛，温。归心、肝经。用于遗精。

| 用法用量 | **钝叶蔷薇根**：内服煎汤，30 ~ 60 g。外用适量，鲜根磨成糊状，涂患处。

蔷薇科 Rosaceae 悬钩子属 *Rubus*

腺毛莓 *Rubus adenophorus* Rolfe

| 药 材 名 | 红牛毛刺根（药用部位：根。别名：雀不站、红毛草）、红牛毛刺叶（药用部位：叶）。

| 形态特征 | 攀缘灌木。高 0.5 ~ 2 m。小枝浅褐色至褐红色，具紫红色腺毛、柔毛和宽扁的稀疏皮刺。小叶 3，宽卵形或卵形，长 4 ~ 11 cm，宽 2 ~ 8 cm，先端渐尖，基部圆形至近心形，上下两面均具稀疏柔毛，下面沿叶脉有稀疏腺毛，边缘具粗锐重锯齿；叶柄长 5 ~ 8 cm，顶生小叶柄长 2.5 ~ 4 cm，均具腺毛、柔毛和稀疏皮刺；托叶线状披针形，具柔毛和稀疏腺毛。总状花序顶生或腋生，花梗、苞片和花萼均密被带黄色长柔毛和紫红色腺毛；花梗长 0.6 ~ 1.2 cm；苞片披针形；花较小，直径 6 ~ 8 mm；萼片披针形或卵状披针形，先端

渐尖，花后常直立；花瓣倒卵形或近圆形，基部具爪，紫红色；花丝线形；花柱无毛，子房微具柔毛。果实球形，直径约 1 cm，红色，无毛或微具柔毛；核具明显皱纹。花期 4 ~ 6 月，果期 6 ~ 7 月。

| 生境分布 | 生于山地、山谷、疏林润湿处或林缘。湖南有广泛分布。

| 资源情况 | 野生资源丰富。药材来源于野生。

| 功能主治 | **红牛毛刺根：**甘、涩，温。和血理气，止痛，止痢。用于痨伤疼痛，吐血，痢疾，疝气。

红牛毛刺叶：甘、涩，温。收湿敛疮。用于黄水疮。

蔷薇科 Rosaceae 悬钩子属 *Rubus*

粗叶悬钩子 *Rubus alceaefolius* Poir. var. *diversilobatus* (Merr. et Chun) Yu et Lu

| 药 材 名 | 大叶蛇泡簕（药用部位：根、叶。别名：狗头泡、老虎泡、八月泡）。

| 形态特征 | 攀缘灌木。高达 5 m。枝被黄灰色至锈色绒毛状长柔毛，疏生皮刺。单叶，叶片近圆形或宽卵形，长 6 ~ 16 cm，叶边掌状深裂，顶生裂片宽椭圆形，比侧生者大得多，上面疏生长柔毛，有泡状突起，下面密被黄灰色至锈色绒毛，沿叶脉具长柔毛；叶柄长 3 ~ 4.5 cm，被黄灰色至锈色绒毛状长柔毛，疏生小皮刺；托叶长 1 ~ 1.5 cm，羽状深裂或不规则撕裂。顶生窄圆锥花序或近总状花序，腋生头状花序，稀单生；花序轴、花梗和花萼被浅黄色至锈色绒毛状长柔毛；花梗长不及 1 cm；苞片羽状至掌状或梳齿状深裂；花直径 1 ~ 1.6 cm；萼片宽卵形，有浅黄色至锈色绒毛和长柔毛，外萼片先端

及边缘掌状至羽状条裂，稀不裂，内萼片常全缘而具短尖头；花瓣宽倒卵形或近圆形，白色；花丝宽扁，花药稍有长柔毛；雌蕊多数，子房无毛。果实近球形，直径达 1.8 cm，肉质，成熟时红色；核有皱纹。

| 生境分布 | 生于海拔 500 ～ 2 000 m 的向阳坡、山谷杂木林中、沼泽灌丛中及路旁岩石间。分布于湖南张家界（桑植）、郴州（宜章、桂东、资兴）、永州（东安）、邵阳（洞口、新宁、城步、武冈、绥宁）、怀化（会同、芷江、洪江）等。

| 资源情况 | 野生资源丰富。药材来源于野生。

| 功能主治 | 甘、淡，平。清热利湿，凉血止血，消肿止痛。用于黄疸，痢疾，尿路感染，淋巴结结核，带下，风湿关节痛，咯血，吐血，便血，衄血；外用于跌打损伤，骨折，毒蛇咬伤，疔疮肿毒。

蔷薇科 Rosaceae 悬钩子属 *Rubus*

周毛悬钩子 *Rubus amphidasys* Focke ex Diels

| 药 材 名 | 周毛悬钩子（药用部位：全株）、周毛悬钩子果（药用部位：果实）。

| 形态特征 | 蔓性小灌木。高 0.3 ~ 1 m。枝红褐色，密被红褐色长腺毛、软刺毛和淡黄色长柔毛，常无皮刺。单叶，叶片宽长卵形，先端短渐尖或急尖，基部心形，两面均被长柔毛，边缘 3 ~ 5 浅裂，有不整齐尖锐锯齿；叶柄长 2 ~ 5.5 cm，被红褐色长腺毛、软刺毛和淡黄色长柔毛；托叶离生，羽状深条裂。花常 5 ~ 12 成近总状花序，顶生或腋生，稀 3 ~ 5 簇生；总花梗、花梗和花萼均密被红褐色长腺毛、软刺毛和淡黄色长柔毛；萼片狭披针形，长 1 ~ 1.7 cm，先端尾尖，外萼片常 2 ~ 3 条裂，在果期直立开展；花瓣宽卵形至长圆形，白色，基部几无爪，比萼片短得多。果实扁球形，直径约 1 cm，暗红色，无毛，包藏在

宿萼内。花期 5 ～ 6 月，果期 7 ～ 8 月。

| 生境分布 | 生于海拔 400 ～ 1 600 m 的丘陵、岗地、低山、山坡灌丛及红黄壤山地阔叶林下。分布于湖南衡阳（南岳）、邵阳（洞口、绥宁、新宁、武冈）、岳阳（平江）、张家界（慈利、桑植）、郴州（宜章）、永州（江永）、怀化（洪江）、湘西州（花垣、保靖、古丈、永顺）等。

| 资源情况 | 野生资源一般。药材来源于野生。

| 采收加工 | **周毛悬钩子：**全年均可采收，洗净，切段，晒干。

周毛悬钩子果：7 ～ 8 月果实成熟时采收，晒干。

| 功能主治 | **周毛悬钩子：**苦，平。归肝经。活血调经，祛风除湿。用于月经不调，带下，风湿痹痛，外伤出血。

周毛悬钩子果：酸，平。醒酒止渴。用于醉酒，口渴。

蔷薇科 Rosaceae 悬钩子属 *Rubus*

竹叶鸡爪茶 *Rubus bambusarum* Focke

| 药 材 名 | 竹叶鸡爪茶（药用部位：叶）。

| 形态特征 | 常绿攀缘灌木。枝具微弯小皮刺，幼时被绒毛状柔毛，老时无毛。掌状复叶具 3 或 5 小叶，革质；小叶片狭披针形或狭椭圆形，长 7 ~ 13 cm，宽 1 ~ 3 cm，先端渐尖，基部宽楔形，上面无毛，下面密被灰白色或黄灰色绒毛，中脉凸起而呈棕色，边缘有不明显的稀疏小锯齿；叶柄长 2.5 ~ 5.5 cm，幼时具绒毛，后毛逐渐脱落至无毛，小叶几无柄；托叶早落。花成顶生和腋生总状花序；总花梗和花梗具灰白色或黄灰色长柔毛，并有稀疏小皮刺，有时混生腺毛，花梗长达 1 cm；苞片卵状披针形，膜质，有柔毛；花萼密被绢状长柔毛，萼片卵状披针形，先端渐尖，全缘，在果期常反折；花直径

1 ~ 2 cm，花瓣紫红色至粉红色，倒卵形或宽椭圆形，基部微具柔毛；雄蕊有疏柔毛；雌蕊 25 ~ 40，花柱有长柔毛。果实近球形，红色至红黑色，宿存花柱具长柔毛。花期 5 ~ 6 月，果期 7 ~ 8 月。

| 生境分布 | 生于海拔 1 000 ~ 2 000 m 的山地空旷处或林中。分布于湖南常德（石门）、湘西州（龙山、永顺、花垣）、张家界（永定、武陵源）等。

| 资源情况 | 野生资源稀少。药材来源于野生。

| 功能主治 | 用于肺痨。

蔷薇科 Rosaceae 悬钩子属 *Rubus*

寒莓 *Rubus buergeri* Miq.

| 药 材 名 | 寒莓叶（药用部位：叶）、寒莓根（药用部位：根）。

| 形态特征 | 直立或匍匐小灌木。匍匐枝长达 2 m，与花枝均密被绒毛状长柔毛，无刺或具稀疏小皮刺。单叶，叶片卵形至近圆形，直径 5 ~ 11 cm，先端圆钝或急尖，基部心形，上面微具柔毛或仅沿叶脉具柔毛，下面密被绒毛，沿叶脉具柔毛，在同一枝上，往往嫩叶密被绒毛，老叶则下面仅具柔毛，边缘 5 ~ 7 浅裂，裂片圆钝，有不整齐锐锯齿，基部具掌状 5 出脉，侧脉 2 ~ 3 对；叶柄长 4 ~ 9 cm，密被绒毛状长柔毛，无刺或疏生针刺。花组成短总状花序，顶生或腋生，或数花簇生于叶腋；总花梗和花梗密被绒毛状长柔毛，无刺或疏生针刺；花瓣倒卵形，白色，与萼片近等长。果实近球形，直径 6 ~ 10 mm，

紫黑色，无毛；核具粗皱纹。花期 7 ～ 8 月，果期 9 ～ 10 月。

| 生境分布 | 生于中低海拔地区的阔叶林下或山地疏密杂木林中。分布于湖南长沙（长沙）、衡阳（南岳）、邵阳（邵东、新宁、城步、武冈）、岳阳（平江）、常德（桃源）、张家界（永定、慈利、桑植）、益阳（南县、桃江、安化）、郴州（宜章）、永州（道县、江永）、怀化（沅陵、会同、芷江、洪江）、湘西州（吉首、泸溪、保靖、永顺）等。

| 资源情况 | 野生资源较丰富。药材来源于野生。

| 采收加工 | **寒莓叶：** 夏、秋季采收，鲜用或晒干。

寒莓根： 全年均可采收，洗净，切片，晒干或鲜用。

| 功能主治 | **寒莓叶：** 酸，平。补阴益精。用于肺结核咯血；外用于创伤出血，黄水疮。

寒莓根： 苦、酸，寒。归肝、肾经。清热解毒，活血止痛。用于湿热黄疸，产后发热，小儿高热，月经不调，白带过多，痔疮肿痛，肛瘘。

蔷薇科 Rosaceae 悬钩子属 *Rubus*

掌叶覆盆子 *Rubus chingii* Hu

| 药 材 名 | 覆盆子（药用部位：果实、茎叶）。

| 形态特征 | 藤状灌木，高 1.5 ~ 3 m。枝细，具皮刺，无毛。单叶，近圆形，直径 4 ~ 9 cm，两面仅沿叶脉有柔毛或几无毛，基部心形，边缘掌状，深裂，稀 3 裂或 7 裂，裂片椭圆形或菱状卵形，先端渐尖，基部狭缩，顶生裂片与侧生裂片近等长或较侧生裂片稍长，具重锯齿，有掌状脉 5；叶柄长 2 ~ 4 cm，微具柔毛或无毛，疏生小皮刺；托叶线状披针形。单花腋生，直径 2.5 ~ 4 cm；花梗长 2 ~ 3.5（~ 4）cm，无毛；萼筒毛较稀或近无毛；萼片卵形或卵状长圆形，先端具凸尖头，外面密被短柔毛；花瓣椭圆形或卵状长圆形，白色，先端圆钝，长 1 ~ 1.5 cm，宽 0.7 ~ 1.2 cm；雄蕊多数，花丝宽扁；雌蕊多数，

具柔毛。果实近球形，红色，直径 1.5 ～ 2 cm，密被灰白色柔毛，核有皱纹。花期 3 ～ 4 月，果期 5 ～ 6 月。

| 生境分布 | 生于海拔 2 000 m 以下的山坡、路边灌丛。分布于湘中、湘东、湘西北、湘西南、湘南等。

| 资源情况 | 野生资源丰富。药材来源于野生。

| 功能主治 | 果实：益肾，固精，缩尿。用于肾虚遗尿，小便频数，阳痿，早泄，遗精，滑精，不孕。茎叶：清肝明目，清热除湿。用于目赤肿痛，羞明多泪，臁疮，牙痛。

蔷薇科 Rosaceae 悬钩子属 *Rubus*

毛萼莓 *Rubus chroosepalus* Focke

|药材名|

毛萼莓（药用部位：根）。

|形态特征|

半常绿攀缘灌木。枝细，幼时有柔毛，老时无毛，疏生微弯皮刺。叶单，近圆形或宽卵形，直径 5 ~ 10.5 cm，上面无毛，下面密被灰白色或黄白色绒毛，沿叶脉有稀疏柔毛，下面叶脉凸起，侧脉 5 ~ 6 对，基部有掌状脉 5，边缘呈不明显的波状并有不整齐的尖锐锯齿；叶柄长 4 ~ 7 cm，无毛，疏生微弯小皮刺；托叶离生，披针形，不分裂或先端浅裂，早落。圆锥花序顶生，连总花梗长可达 27 cm，下部的花序枝开展；花直径 1 ~ 1.5 cm；花萼外密被灰白色或黄白色绢状长柔毛，萼筒浅杯状；萼片卵形或卵状披针形，先端渐尖，全缘，里面呈紫色而无毛，仅边缘有绒毛状短毛；无花瓣；雄蕊多数，花丝钻形，短于萼片；雌蕊比雄蕊长，通常无毛。果实球形，直径约 1 cm，紫黑色或黑色，无毛，核具皱纹。花期 5 ~ 6 月，果期 7 ~ 8 月。

|生境分布|

生于海拔 300 ~ 2 000 m 的山坡灌丛或林

缘。分布于湘中、湘东、湘西北、湘西南、湘南等。

| 资源情况 | 野生资源较少。药材来源于野生。

| 功能主治 | 清热解毒，活血祛瘀，止泻。用于跌打损伤。

蔷薇科 Rosaceae 悬钩子属 *Rubus*

小柱悬钩子 *Rubus columellaris* Tutcher

| 药 材 名 | 小柱悬钩子（药用部位：根）。

| 形态特征 | 攀缘灌木，高 1 ~ 2.5 m。枝褐色或红褐色，无毛，疏生钩状皮刺。小叶 3，生于枝先端花序下部的叶有时为单叶，近革质，椭圆形或长卵状披针形，长 3 ~ 10（~ 16）cm，宽 1.5 ~ 5（~ 6）cm；顶生小叶长达 16 cm，比侧生者长得多，两面无毛或上面疏生平贴柔毛，边缘有不规则粗锯齿，顶生小叶柄长 1 ~ 2 cm；侧生小叶具极短柄或近无柄，均无毛，或幼时稍有柔毛，疏生小皮刺；托叶披针形，无毛，稀微有柔毛。3 ~ 7 花组成伞房状花序，着生于侧枝先端或腋生，在花序基部叶腋间常着生单花，花后常反折；花瓣匙状长圆形或长倒卵形，比萼长很多，白色，基部具爪；花柱和子房

均无毛；花托中央突起部分呈头状。果实近球形或稍呈长圆形，直径达 1.5 cm，长达 1.7 cm，橘红色或褐黄色，无毛，核较小，具浅皱纹。花期 4 ~ 5 月，果期 6 月。

| 生境分布 | 生于海拔 2 000 m 以下的山坡、山谷疏密杂木林内较阴湿处。湖南有广泛分布。

| 资源情况 | 野生资源一般。药材来源于野生。

| 功能主治 | 用于跌打损伤。

蔷薇科 Rosaceae 悬钩子属 *Rubus*

山莓 *Rubus corchorifolius* L. f.

| 药 材 名 | 山莓（药用部位：果实。别名：覆盆子）、山莓根（药用部位：根。别名：悬钩根）、山莓叶（药用部位：茎叶）。

| 形态特征 | 落叶灌木。高 1 ～ 3 m。小枝红褐色，幼时有柔毛及少数腺毛，并有皮刺。单叶；叶柄长 5 ～ 20 mm；托叶条形，贴生于叶柄上；叶片卵形或卵状披针形，长 3 ～ 12 cm，宽 2 ～ 5 cm，不裂或 3 浅裂，有不整齐重锯齿，上面脉上稍有柔毛，下面及叶柄有灰色绒毛，脉上散生钩状皮刺。花单生或数朵聚生于短枝上；花白色，直径约 3 cm；花萼裂片卵状披针形，密生灰白色柔毛。聚合果球形，直径 10 ～ 12 mm，红色。花期 2 ～ 5 月，果期 4 ～ 6 月。

| 生境分布 | 生于海拔 1 200 m 以下的山坡灌丛及路旁。湖南各地均有分布。

| 资源情况 | 野生资源丰富。药材来源于野生。

| 采收加工 | **山莓**：7 ~ 8 月果实饱满、外表呈绿色时摘收，用酒蒸后晒干，或用开水浸 1 ~ 2 min 后晒干。

山莓根：9 ~ 10 月采挖，切片，晒干。

山莓叶：5 ~ 10 月采收，鲜用或晒干。

| 药材性状 | **山莓**：本品为聚合果，由多数小核果聚生在隆起的花托上而呈长圆锥形或半球形。表面黄绿色或淡棕色，密被灰白色绒毛；先端钝圆，基部扁平或中心微凹入；宿萼黄绿色或棕褐色，5 裂，裂片先端反折；基部着生极多棕色花丝；果柄细长或留有残痕。小坚果易剥落，半月形，背面隆起，密被灰白色柔毛，两侧有明显的网纹，腹部有凸起的棱线。体轻，质稍硬。气微，味酸、微涩。

| 功能主治 | **山莓**：酸、微甘，平。醒酒止渴，化痰解毒，收涩。用于醉酒，痛风，丹毒，烫火伤，遗精，遗尿。

山莓根：苦、涩，平。归肝、脾经。止血，调经，清热利湿。用于咯血，崩漏，热淋，血淋，痔疮出血，痢疾，泄泻，丝虫病所致下肢淋巴管炎，经闭，痛经，腰痛，疟疾，跌打损伤，毒蛇咬伤，疮疡肿毒，湿疹。

山莓叶：苦、涩，平。清热利咽，解毒敛疮。用于咽喉肿痛，疮痈疖肿，乳腺炎，湿疹，黄水疮。

蔷薇科 Rosaceae 悬钩子属 *Rubus*

插田泡 *Rubus coreanus* Miq.

| 药 材 名 | 插田泡果（药用部位：果实）、插田泡叶（药用部位：叶）、倒生根（药用部位：根）。

| 形态特征 | 灌木。高 1 ~ 3 m。茎直立或弯曲成拱形，红褐色，有钩状的扁平皮刺。奇数羽状复叶；叶柄长 2 ~ 4 cm，和叶轴均散生小皮刺；托叶条形；小叶 5 ~ 7；顶生小叶柄长 1 ~ 2 cm，侧生小叶近无柄；叶片卵形、椭圆形或菱状卵形，长 3 ~ 6 cm，宽 1.5 ~ 4 cm，先端急尖，基部宽楔形或近圆形，边缘有不整齐锥状锐锯齿或缺刻状粗锯齿，下面灰绿色，沿叶脉有柔毛或绒毛。伞房花序顶生或腋生；总花梗和花梗有柔毛；花粉红色，直径 8 ~ 10 mm；花萼裂片卵状披针形，外面有毛。聚合果卵形，直径约 5 mm，红色。花期 4 ~ 6 月，果

期 6 ～ 8 月。

| 生境分布 | 生于海拔 100 ～ 1 700 m 的山坡灌丛、山谷、河边或路旁。湖南各地均有分布。

| 资源情况 | 野生资源丰富。药材来源于野生。

| 采收加工 | **插田泡果：**6 ～ 8 月果实成熟时采收，鲜用或晒干。

插田泡叶：5 ～ 7 月采收，鲜用或晒干。

倒生根：9 ～ 10 月采挖，洗净，切片，晒干。

| 药材性状 | **插田泡果：**本品聚合果单个或数个成束，单个聚合果近球形，直径约 4 mm，基部较平坦。表面淡绿色、灰棕色或红棕色至紫红色，周围有许多小核果密布，近无毛。宿萼棕褐色，5 裂。气微，味酸甜。

| 功能主治 | **插田泡果：**甘、酸，温。归肝、肾经。补肾固精，平肝明目。用于阳痿，遗精，遗尿，带下，不孕症，胎动不安，风眼流泪，目生翳障。

插田泡叶：苦、涩，凉。祛风明目，除湿解毒。用于风眼流泪，风湿痹痛，犬咬伤。

倒生根：苦、涩，凉。活血止血，祛风除湿。用于跌打损伤，骨折，月经不调，吐血，衄血，风湿痹痛，水肿，小便不利，瘰疬。

蔷薇科 Rosaceae 悬钩子属 *Rubus*

大红泡 *Rubus eustephanus* Focke ex Diels

| 药材名 |

大红泡（药用部位：根、叶）。

| 形态特征 |

灌木，高 0.5 ~ 2 m。小枝常有棱角，无毛，疏生钩状皮刺。小叶 3 ~ 5（~ 7），卵形或椭圆形，稀卵状披针形，长 2 ~ 5（~ 7）cm，先端渐尖至长渐尖，基部圆，幼时两面疏生柔毛，老时仅下面沿叶脉有柔毛，沿中脉有小皮刺，具缺刻状尖锐重锯齿，叶柄长 1.5 ~ 2（~ 4）cm，顶生小叶柄长 1 ~ 1.5 cm，与叶轴均无毛或幼时疏生柔毛，有小皮刺；托叶披针形，无毛或边缘稍有柔毛。花常单生，稀 2 ~ 3 朵簇生；花梗长 2.5 ~ 5 cm，无毛，疏生小皮刺，常无腺毛；苞片和托叶相似；花直径 3 ~ 4 cm；花萼无毛，萼片长圆状披针形，钻状长渐尖，花后开展，果时常反折；花瓣椭圆形或宽卵形，白色；雄蕊多数，花丝线形；雌蕊多数，子房和花柱无毛。果实近球形，直径达 1 cm，成熟时呈红色，无毛，核较平滑或微皱。

| 生境分布 |

生于海拔 2 000 m 以下的岗地、丘陵岗地、

低山、中山。湖南有广泛分布。

| 资源情况 | 野生资源一般。药材来源于野生。

| 功能主治 | 消肿，止痛，收敛。用于百日咳。

蔷薇科 Rosaceae 悬钩子属 *Rubus*

华南悬钩子 *Rubus hanceanus* Ktze.

| 药材名 | 华南悬钩子（药用部位：根、叶）。

| 形态特征 | 藤状或攀缘小灌木，高约 1 m。枝密被灰白色绒毛，老时毛逐渐脱落，具稀疏钩状小皮刺或腺毛。单叶，非革质，心状宽卵形，长 6 ~ 11 cm，宽 4 ~ 8 cm，先端渐尖，基部深心形，上面深褐色，仅叶脉具柔毛，下面密被灰白色或浅黄灰色绒毛，叶脉 5 ~ 7 对，边缘浅裂，有不整齐锐锯齿；叶柄长 1 ~ 2 cm，幼时具灰白色绒毛，后毛逐渐脱落，有稀疏小皮刺。顶生总状花序较大，有少数花，总花梗、花梗和花萼均密被长 2 ~ 4 mm 的腺毛和绒毛状长柔毛，并疏生针刺；花梗长 1.5 ~ 2.5 cm；苞片膜质，早落；花直径 1 ~ 1.5 cm；花瓣宽椭圆形，未开时呈红色，短于萼片，具柔毛，基部有短爪。

果实近球形，直径 1 ~ 1.5 cm，黑色，无毛，小核果半圆形或近肾形，核稍具皱纹。花期 3 ~ 5 月，果期 6 ~ 7 月。

| 生境分布 | 生于低海拔的山谷疏林、竹林下或岩石阴处。分布于湖南衡阳（祁东）、永州（祁阳、东安、零陵）、邵阳（新宁）、郴州（嘉禾）、益阳（资阳）、怀化（新晃）等。

| 资源情况 | 野生资源稀少。药材来源于野生。

| 功能主治 | 用于跌打肿痛，刀伤出血，月经不调，产后恶露不尽。

蔷薇科 Rosaceae 悬钩子属 *Rubus*

戟叶悬钩子 *Rubus hastifolius* Lévl. et Vant.

| 药材名 | 红绵藤（药用部位：叶、枝）。

| 形态特征 | 常绿攀缘灌木，长达 12 m，主干直径 4 ~ 6 cm。枝圆柱形，灰褐色，长鞭状，枝先端落地常生不定根，小枝密被灰白色绒毛，老时毛常脱落，疏生短小皮刺。单叶，近革质，长圆状披针形或卵状披针形，长 6 ~ 12 cm，宽 2.5 ~ 4 cm，先端急尖至短渐尖，基部深心形，上面无毛，深绿色，下面密被红棕色绒毛，边缘不分裂或近基部有 2 浅裂片，裂片圆钝或急尖，有细小锯齿，侧脉 5 ~ 8 对；叶柄长 2 ~ 5 cm，密被绒毛，无刺或偶有小刺；托叶离生，长圆状，长 6 ~ 9 mm，掌状分裂几达基部，裂片线状披针形，被柔毛，早落。花 3 ~ 8，伞房状花序，顶生或腋生；总花梗和花梗密被红棕色绢状长柔毛；花梗长 0.8 ~ 1.5 cm；苞片与托叶相似，但花序上部的

苞片较短小，常分裂成 2 ~ 3 线状裂片，早落；花直径 1.5 cm；花萼外密被红棕色绢状长柔毛，内面紫红色；萼片卵状披针形，先端短渐尖或急尖，不分裂或外萼片先端浅条裂，花后反折；花瓣倒卵形，长约 5 mm，白色，无毛，具短爪，与萼片近等长；雄蕊多数，排成 2 ~ 3 列，花丝宽扁，无毛，花药淡黄色，背部稍具绢状长柔毛；雌蕊多数，子房无毛，花柱疏生绢状长柔毛，几与雄蕊等长。果实近球形，稍压扁，直径 1 ~ 1.2 cm，肉质，红色，果实成熟时变紫黑色，无毛；核具浅皱纹。花期 3 ~ 5 月，果期 4 ~ 6 月。

| 生境分布 | 生于海拔 600 ~ 1 500 m 的山坡阴湿处及沟谷土质较疏松肥沃的黄壤疏林内或溪涧两旁的灌丛。分布于湖南邵阳（城步、新宁）、岳阳（平江）、长沙（浏阳）等。

| 资源情况 | 野生资源稀少。药材来源于野生。

| 采收加工 | 春、夏季采收，鲜用或晒干。

| 功能主治 | 涩，平。归胃、膀胱、肺经。收敛止血。用于吐血，咯血，尿血，崩漏，外伤出血，手术出血。

| 用法用量 | 内服煎汤，6 ~ 15 g；或制成糖浆。外用适量，捣敷；或制成药液湿敷。

蔷薇科 Rosaceae 悬钩子属 *Rubus*

鸡爪茶 *Rubus henryi* Hemsl. et Ktze.

|药材名|

亨利莓（药用部位：根）。

|形态特征|

常绿攀缘灌木，高达 6 m。枝疏生微弯小皮刺，幼时被绒毛，老时近无毛，褐色或红褐色。单叶，革质，长 8 ~ 15 cm，基部较狭窄，宽楔形至近圆形，稀近心形，3 深裂，稀 5 裂，分裂至叶片的 2/3 处或超过之，顶生裂片与侧生裂片常呈锐角，裂片披针形或狭长圆形，长 7 ~ 11 cm，宽 1.5 ~ 2.5 cm，先端渐尖，边缘有稀疏细锐锯齿，上面亮绿色，无毛，下面密被灰白色或黄白色绒毛，叶脉凸起，有时疏生小皮刺。9 ~ 20 花组成顶生和腋生总状花序，总花梗、花梗和花萼密被灰白色或黄白色绒毛和长柔毛，混生少数小皮刺；花梗短，长 1 cm；花瓣狭卵圆形，粉红色，两面疏生柔毛，基部具短爪。果实近球形，黑色，直径 1.3 ~ 1.5 cm，宿存花柱红色并有长柔毛，核略具网纹。花期 5 ~ 6 月，果期 7 ~ 8 月。

|生境分布|

生于海拔 2 000 m 以下的坡地或山林中。分布于湖南张家界（武陵源、永定）、湘西州（龙山）等。

| **资源情况** | 野生资源稀少。药材来源于野生。

| **功能主治** | 除风湿，舒筋络。用于风湿痹痛，跌打损伤。

蔷薇科 Rosaceae 悬钩子属 *Rubus*

蓬藟 *Rubus hirsutus* Thunb.

|药 材 名|

三月泡（药用部位：根、叶。别名：企晃刺、野杜利、竖藤火梅刺）。

|形态特征|

灌木，高 1 ~ 2 m。枝红褐色或褐色，被柔毛和腺毛，疏生皮刺。小叶 3 ~ 5，卵形或宽卵形，长 3 ~ 7 cm，宽 2 ~ 3.5 cm，先端急尖，顶生小叶先端常渐尖，基部宽楔形至圆形，两面疏生柔毛，边缘具不整齐尖锐重锯齿，叶柄长 2 ~ 3 cm，顶生小叶柄长约 1 cm，稀较长，均具柔毛和腺毛，并疏生皮刺；托叶披针形或卵状披针形，两面具柔毛。花常单生于侧枝先端，也有腋生者；花梗长（2 ~ ）3 ~ 6 cm，具柔毛和腺毛，或具极少小皮刺；苞片小，线形，具柔毛；花大，直径 3 ~ 4 cm；花萼外密被柔毛和腺毛，萼片卵状披针形或三角状披针形，先端长尾尖，外面边缘被灰白色绒毛，花后反折；花瓣倒卵形或近圆形，白色，基部具爪；花丝较宽；花柱和子房均无毛。果实近球形，直径 1 ~ 2 cm，无毛。花期 4 月，果期 5 ~ 6 月。

| 生境分布 | 生于海拔 1 500 m 以下的山坡、路旁阴湿处或灌丛中。湖南有广泛分布。

| 资源情况 | 野生资源一般。药材来源于野生。

| 采收加工 | 根，夏、秋季采挖，洗净，晒干。叶，夏、秋季采收，鲜用或晒干。

| 功能主治 | 根，祛风活络，清热镇惊。用于小儿惊风，风湿痹痛。叶，甘、微苦，平。消炎，接骨。用于骨折。

| 用法用量 | 根，内服煎汤，25 ~ 50 g。叶，外用适量，鲜品捣敷，或干品研末撒；或捣汁涂搽、滴眼。

蔷薇科 Rosaceae 悬钩子属 *Rubus*

宜昌悬钩子 *Rubus ichangensis* Hemsl. et Ktze.

| 药 材 名 |

牛尾泡（药用部位：根、叶）。

| 形态特征 |

落叶或半常绿攀缘灌木，高达 3 m。枝圆形，浅绿色，无毛或近无毛，幼时具腺毛，后毛逐渐脱落，疏生短小、微弯皮刺。单叶，近革质，卵状披针形，长 8 ~ 15 cm，宽 3 ~ 6 cm，两面均无毛，下面沿中脉疏生小皮刺，边缘浅波状或近基部有小裂片，有具短尖头稀疏小锯齿；叶柄长 2 ~ 4 cm，无毛，常疏生腺毛和短小皮刺；托叶钻形或线状披针形，全缘，脱落。顶生圆锥花序狭窄，长达 25 cm，腋生花序有时形似总状花序；花梗长 3 ~ 6 mm；苞片与托叶相似，有腺毛；花直径 6 ~ 8 mm；萼片卵形，先端急尖或短渐尖，外面疏生柔毛和腺毛，边缘有时被灰白色短柔毛，故呈白色，里面密被白色短柔毛；花瓣直立，椭圆形，白色，短于萼片或与萼片几等长。果实近球形，红色，无毛，直径 6 ~ 8 mm，核有细皱纹。花期 7 ~ 8 月，果期 10 月。

| 生境分布 |

生于海拔 2 000 m 以下的山坡、山谷疏密林

中或灌丛。湖南有广泛分布。

| 资源情况 | 野生资源较少。药材来源于野生。

| 采收加工 | 根，秋、冬季采挖，洗净，晒干。叶，夏季采收，晒干。

| 功能主治 | 酸、涩，凉。收敛止血，通经利尿，解毒敛疮。用于吐血，衄血，痔血，尿血，血崩，痛经，小便短涩，湿热疮毒。

| 用法用量 | 内服煎汤，6 ~ 15 g。外用适量，研末撒；或调敷。

蔷薇科 Rosaceae 悬钩子属 *Rubus*

白叶莓 *Rubus innominatus* S. Moore

| 药 材 名 |

旱谷蔗（药用部位：根、叶）。

| 形态特征 |

灌木，高 1 ~ 3 m。枝拱曲，褐色或红褐色，小枝密被绒毛状柔毛，疏生钩状皮刺。小叶常 3，稀不孕枝上具 5 小叶，长 4 ~ 10 cm，宽 2.5 ~ 5（~ 7）cm，先端急尖至短渐尖，顶生小叶卵形或近圆形，稀卵状披针形，基部圆形至浅心形，边缘常 3 裂或缺刻状浅裂，侧生小叶斜卵状披针形或斜椭圆形，基部楔形至圆形，上面疏生平贴柔毛或几无毛，下面密被灰白色绒毛，沿叶脉混生柔毛，边缘有不整齐粗锯齿或缺刻状粗重锯齿。花直径 6 ~ 10 mm；萼片卵形，长 5 ~ 8 mm，先端急尖，内萼片边缘具灰白色绒毛，花、果时均直立；花瓣倒卵形或近圆形，紫红色，边缘啮蚀状，基部具爪，稍长于萼片。果实近球形，直径约 1 cm，橘红色，初期被疏柔毛，成熟时无毛，核具细皱纹。花期 5 ~ 6 月，果期 7 ~ 8 月。

| 生境分布 |

生于海拔 400 ~ 2 000 m 的山坡疏林、灌丛中或山谷河旁。湖南有广泛分布。

| 资源情况 | 野生资源较丰富。药材来源于野生。

| 功能主治 | 根，清热解毒，止咳平喘，止血，止痛。用于小儿咳喘，哮喘，崩漏。叶，祛湿，愈疮。

蔷薇科 Rosaceae 悬钩子属 *Rubus*

无腺白叶莓 *Rubus innominatus* var. *kuntzeanus* (Hemsl.) Bailey

| 药 材 名 | 白叶莓（药用部位：根）。

| 形态特征 | 本变种枝、叶柄、叶片下面、总花梗、花梗和花萼外面均无腺毛，其余特征同白叶莓。

| 生境分布 | 生于海拔 800 ~ 2 000 m 的山坡、路旁或灌丛中。分布于湘北、湘中、湘东、湘南、湘西南等。

| 资源情况 | 野生资源稀少。药材来源于野生。

| 采收加工 | 秋、冬季采挖，洗净，鲜用，或切片，晒干。

| 功能主治 | 辛，温。归肺经。祛风散寒，止咳平喘。用于风寒咳喘。

| **用法用量** | 内服煎汤，6 ~ 12 g，鲜品 15 ~ 30 g。

蔷薇科 Rosaceae 悬钩子属 *Rubus*

红花悬钩子 *Rubus inopertus* (Diels) Focke

| 药 材 名 | 红花悬钩子（药用部位：根、果实）。

| 形态特征 | 攀缘灌木，高 1 ~ 2 m。小枝紫褐色，无毛，疏生钩状皮刺。小叶 7 ~ 11，稀 5，卵状披针形或卵形，长（2 ~ ）3 ~ 7 cm，宽 1 ~ 3 cm，先端渐尖，基部圆形或近截形，上面疏生柔毛，下面沿叶脉具柔毛，边缘具粗锐重锯齿，叶柄长 3.5 ~ 6 cm，紫褐色，顶生小叶柄长 0.6 ~ 2 cm，侧生小叶几无柄，与叶轴均具稀疏小钩刺，无毛或微具柔毛。花数朵簇生或成顶生伞房状花序，总花梗和花梗均无毛；花直径达 1.2 cm；花萼外面无毛或仅萼片边缘具绒毛，萼片卵形或三角状卵形，先端急尖至渐尖，在果期常反折；花瓣倒卵形，粉红色至紫红色，基部具短爪或微具柔毛；花丝线形或基部增宽；花柱

基部和子房有柔毛。果实球形，直径 6 ~ 8 mm，成熟时呈紫黑色，外面被柔毛，核有细皱纹。花期 5 ~ 6 月，果期 7 ~ 8 月。

| 生境分布 | 生于海拔 800 ~ 2 000 m 的山地密林边、沟谷旁及山脚岩石上。分布于湘西州（保靖）等。

| 资源情况 | 野生资源稀少。药材来源于野生。

| 功能主治 | 根，活血化瘀。果实，生津止渴。

蔷薇科 Rosaceae 悬钩子属 *Rubus*

灰毛泡 *Rubus irenaeus* Focke

| 药 材 名 | 地五泡藤根（药用部位：根。别名：路路泡、白叶子泡）、地五泡藤叶（药用部位：叶。别名：家正牛叶）。

| 形态特征 | 常绿矮小灌木，高 0.5 ~ 2 m。枝灰褐色至棕褐色，密被灰色绒毛状柔毛，花枝自根茎上长出，疏生细小皮刺或无刺。单叶，近革质，近圆形，直径 8 ~ 14 cm，上面无毛，下面密被灰色或黄灰色绒毛，具五出掌状脉，下面叶脉凸出，黄棕色，沿叶脉具长柔毛，边缘呈波状或具不明显浅裂，裂片圆钝或急尖，有不整齐粗锐锯齿；叶柄长 5 ~ 10 cm，密被绒毛状柔毛，无刺或具极稀疏小皮刺；托叶大，叶状，棕褐色，长圆形，长 2 ~ 3 cm，宽 1 ~ 2 cm，被绒毛状柔毛，近先端较宽，缺刻状条裂，裂片披针形。花数朵成顶生伞房状或近

总状花序，也常单朵或数朵生于叶腋，总花梗和花梗密被绒毛状柔毛；花直径 1.5 ~ 2 cm；花瓣近圆形，白色，具爪，稍长于萼片。果实球形，直径 1 ~ 1.5 cm，红色，无毛，核具网纹。花期 5 ~ 6 月，果期 8 ~ 9 月。

| **生境分布** | 生于海拔 500 ~ 1 300 m 的山坡疏密杂木林下或树下腐殖质较多的地方。湖南有广泛分布。

| **资源情况** | 野生资源较丰富。药材来源于野生。

| **采收加工** | **地五泡藤根：** 秋、冬季采挖，洗净，晒干。
地五泡藤叶： 夏、秋季采收，晒干。

| **功能主治** | **地五泡藤根：** 咸，温。理气止痛。用于气滞腹痛。
地五泡藤叶： 咸，平。解毒敛疮。用于口疮。

| **用法用量** | **地五泡藤根：** 内服煎汤，15 ~ 30 g；或浸酒。
地五泡藤叶： 外用适量，研末调敷。

蔷薇科 Rosaceae 悬钩子属 *Rubus*

广西悬钩子 *Rubus kwangsiensis* Li

| 药 材 名 | 广西悬钩子（药用部位：根、叶。别名：鸡心勒、出山虎、鸡仔力）。

| 形态特征 | 攀缘灌木，小枝无毛，具钩状皮刺。单叶，长圆状卵形，长 7 ～ 12 cm，宽 4 ～ 6 cm，先端渐尖，基部近心形，上面除沿叶脉稍具柔毛外均无毛，下面无毛，边缘具不整齐粗锐锯齿或重锯齿，侧脉 7 ～ 8 对；叶柄长 1.5 ～ 3 cm，无毛，有稀疏钩状皮刺；托叶基部与叶柄合生，披针形，长 6 ～ 8 mm。花单生，生于侧枝先端或叶腋，直径约 2 cm；花梗长约 1 cm，无毛；萼筒外无毛；萼片三角状披针形，长 10 ～ 15 mm，先端渐尖至尾尖，外面无毛或仅边缘稍有绒毛；花瓣倒卵形，红色，长约 8 mm；雄蕊多数，花丝线形；雌蕊较多，子房先端和花柱基部稍具柔毛。果实未见。花期 4 ～ 5 月。

| 生境分布 | 生于海拔 600 ～ 1 500 m 的山顶林下。分布于湖南邵阳（绥宁、城步）等。

| 资源情况 | 野生资源稀少。药材来源于野生。

| 功能主治 | 用于牙痛，哮喘，疮肿，跌打肿痛，骨折，筋骨痛。

蔷薇科 Rosaceae 悬钩子属 *Rubus*

高粱泡 *Rubus lambertianus* Ser.

| 药 材 名 | 高粱泡（药用部位：根）、高粱泡叶（药用部位：叶）。

| 形态特征 | 半落叶藤状灌木，高达 3 m。枝幼时有细柔毛或近无毛，有微弯小皮刺。单叶宽卵形，稀长圆状卵形，长 5 ~ 10（~ 12）cm，宽 4 ~ 8 cm，上面疏生柔毛或沿叶脉有柔毛，下面被疏柔毛，沿叶脉毛较密，中脉上常疏生小皮刺，边缘明显 3 ~ 5 裂或呈波状，有细锯齿；叶柄长 2 ~ 4（~ 5）cm，具细柔毛或近无毛，有稀疏小皮刺；托叶离生，线状深裂，有细柔毛或近无毛，常脱落。圆锥花序顶生，生于枝上部叶腋内的花序常近总状，有时仅数朵花簇生于叶腋；花直径约 8 mm；萼片卵状披针形，外面边缘和内面均被白色短柔毛，仅在内萼片边缘具灰白色绒毛；花瓣倒卵形，白色，无毛，稍短于

萼片。果实小，近球形，直径 6 ～ 8 mm，由多数小核果组成，无毛，成熟时呈红色，核较小，长约 2 mm，有明显皱纹。花期 7 ～ 8 月，果期 9 ～ 11 月。

| 生境分布 | 生于低海拔的山坡、山谷、路旁灌丛中阴湿处或林缘及草坪。湖南有广泛分布。

| 资源情况 | 野生资源一般。药材来源于野生。

| 采收加工 | **高粱泡：**全年均可采挖，除去大茎叶，洗净，切碎，鲜用或晒干。

高粱泡叶：夏、秋季采收，晒干或鲜用。

| 功能主治 | **高粱泡：**苦、涩，平。祛风清热，凉血止血，活血祛瘀。用于风热感冒，风湿痹痛，半身不遂，咯血，衄血，便血，崩漏，经闭，痛经，产后腹痛，疮疡。

高粱泡叶：甘、苦，平。清热凉血，解毒疗疮。用于感冒发热，咯血，便血，崩漏，创伤出血，瘰疬溃烂，皮肤糜烂，黄水疮。

| 用法用量 | **高粱泡：**内服煎汤，15 ～ 30 g。外用适量，鲜品捣敷。

高粱泡叶：内服煎汤，9 ～ 15 g。外用适量，鲜品捣敷；或研末，撒搽。

蔷薇科 Rosaceae 悬钩子属 *Rubus*

光滑高粱泡 *Rubus lambertianus* var. *glaber* Hemsl.

| 药 材 名 | 黄水藨叶（药用部位：叶。别名：黄水泡叶、药黄泡叶）、黄水藨根（药用部位：根）。

| 形态特征 | 此变种小枝和叶片两面均光滑无毛，或仅叶片上面沿叶脉稍具柔毛，花序和花萼无毛或近无毛，果实黄色或橙黄色，其余特征同高粱泡。

| 生境分布 | 生于低海拔的山坡、山谷、路旁灌丛中阴湿处或林缘及草坪。分布于湖南怀化（芷江）、张家界（桑植）等。

| 资源情况 | 野生资源稀少。药材来源于野生。

| 采收加工 | **黄水蕉叶：**夏、秋季采摘，鲜用或晒干。
黄水蕉根：夏、秋季采挖，除去茎叶，洗净，切碎，晒干。

| 功能主治 | **黄水蕉叶：**苦，凉。祛风清热，解毒敛疮。用于风热感冒，烫火伤，湿热疮疡。
黄水蕉根：苦、涩，凉。清热利湿，止血敛疮，活血散瘀。用于湿热黄疸，痢疾，带下，吐血，便血，崩漏，血滞经闭，痛经，跌打损伤，风湿关节痛，黄水疮，烫火伤。

| 用法用量 | **黄水蕉叶：**内服煎汤，10 ～ 30 g。外用适量，研末撒；或鲜品捣敷。
黄水蕉根：内服煎汤，15 ～ 60 g。

蔷薇科 Rosaceae 悬钩子属 *Rubus*

腺毛高粱泡 *Rubus lambertianus* var. *glandulosus* Card.

| **药材名** | 腺毛高粱泡（药用部位：根、叶）。

| **形态特征** | 本变种枝、叶片两面均无毛或仅叶片上面沿叶脉稍具柔毛，花序无毛或近无毛，与光滑高粱泡 *Rubus lambertianus* var. *glaber* Hemsl. 的区别在于本变种花序各部分具疏密不等的小腺毛。

| **生境分布** | 生于海拔 2 000 m 以下的山谷疏林或灌丛中潮湿地。分布于湖南娄底（新化）、怀化（洪江、沅陵）、常德（临澧）等。

| **资源情况** | 野生资源稀少。药材来源于野生。

| **功能主治** | 根，疏风清热，凉血祛瘀，除湿解毒。用于感冒，高血压，咳嗽，便血，产后腹痛。叶，用于外伤出血，黄水疮。

蔷薇科 Rosaceae 悬钩子属 *Rubus*

毛叶高粱泡

Rubus lambertianus Ser. var. *paykouangensis* (Lévl.) Hand.-Mazz.

| 药 材 名 | 毛叶高粱泡（药用部位：叶）。

| 形态特征 | 小枝、叶柄、叶片下面脉、花序和花萼均密被腺毛和柔毛，或混生刺毛。果实黄色或橙黄色。

| 生境分布 | 生于海拔 300 ~ 2 000 m 的山坡灌丛中。分布于湖南常德（安乡、汉寿）、张家界（武陵源）、郴州（汝城）、永州（零陵）、怀化（芷江）等。

| 资源情况 | 野生资源稀少。药材来源于野生。

| 功能主治 | 清热解毒，祛湿。用于黄水疮。

蔷薇科 Rosaceae 悬钩子属 *Rubus*

白花悬钩子 *Rubus leucanthus* Hance

| 药 材 名 | 白花悬钩子（药用部位：根、叶）。

| 形态特征 | 攀缘灌木，高 1 ~ 3 m。枝紫褐色，无毛，疏生钩状皮刺。小叶 3，生于枝上部或花序基部的有时为单叶，革质，卵形或椭圆形，顶生小叶比侧生者稍大或与侧生者几相等，长 4 ~ 8 cm，宽 2 ~ 4 cm，先端渐尖或尾尖，基部圆形，两面无毛，侧脉 5 ~ 8 对，或上面稍具柔毛，边缘有粗单锯齿，叶柄长 2 ~ 6 cm，顶生小叶柄长 1.5 ~ 2 cm，侧生小叶具短柄，均无毛，具钩状小皮刺；托叶钻形，无毛。3 ~ 8 花组成的伞房状花序生于侧枝先端，稀单花腋生；花瓣长卵形或近圆形，白色，基部微具柔毛，具爪，与萼片等长或比萼片稍长；花托中央凸起部分近球形，基部无柄或几无柄。果实近

球形，直径 1 ~ 1.5 cm，红色，无毛；萼片包于果实，核较小，具洼穴。花期 4 ~ 5 月，果期 6 ~ 7 月。

| 生境分布 | 生于低海拔至中海拔的疏林中或旷野。分布于湘中、湘东、湘南、湘西南等。

| 资源情况 | 野生资源较少。药材来源于野生。

| 功能主治 | 根，用于泄泻，血痢。叶，用于外伤出血，黄水疮。

蔷薇科 Rosaceae 悬钩子属 *Rubus*

棠叶悬钩子 *Rubus malifolius* Focke

| 药材名 |

菰帽悬钩子（药用部位：根、叶、茎）。

| 形态特征 |

攀缘灌木，高 1.5 ~ 3.5 m，具微弯的稀疏小皮刺。一年生枝、不育枝和结果枝（或花枝）幼时均具柔毛，老时毛渐脱落。单叶，椭圆形或长圆状椭圆形，长 5 ~ 12 cm，宽 2.5 ~ 5 cm，先端渐尖，稀急尖，基部近圆形，上面无毛，下面具灰白色平贴绒毛，不育枝和老枝上叶片下面的绒毛不脱落，结果枝上叶片下面的绒毛脱落，叶脉 8 ~ 10 对，边缘具不明显浅齿或粗锯齿；叶柄短，长 1 ~ 1.5 cm，幼时有绒毛状毛，后毛脱落，有时具少数小针刺。顶生总状花序，长 5 ~ 10 cm，总花梗和花梗初被较密绒毛状长柔毛，后毛逐渐脱落；花直径可达 2.5 cm；花瓣宽，倒卵形至近圆形，基部具短爪，白色或白色带粉红色斑，两面微具细柔毛。果实扁球形，无毛，由多数小核果组成，无毛，成熟时呈紫黑色，小核果半圆形，核稍有皱纹或较平滑。花期 5 ~ 6 月，果期 6 ~ 8 月。

| 生境分布 | 生于海拔 400 ~ 2 000 m 的山坡、山沟杂木林内或灌丛中。分布于湘西南、湘中、湘南等。

| 资源情况 | 野生资源较少。药材来源于野生。

| 功能主治 | 消肿止痛，收敛。用于小儿疳积。外用于疮疡肿毒。

蔷薇科 Rosaceae 悬钩子属 *Rubus*

喜阴悬钩子 *Rubus mesogaeus* Focke

| 药 材 名 | 喜阴悬钩子根（药用部位：根。别名：莓子、过江龙、刺泡儿）、喜阴悬钩子果（药用部位：果实）。

| 形态特征 | 攀缘灌木，高 1 ~ 4 m，老枝有稀疏基部宽大的皮刺，小枝红褐色或紫褐色，具稀疏针状皮刺或近无刺，幼时被柔毛。小叶常 3，稀 5，顶生小叶宽菱状卵形或椭圆状卵形，先端渐尖，常羽状分裂，基部圆形至浅心形，侧生小叶斜椭圆形或斜卵形，先端急尖，基部楔形至圆形，长 4 ~ 9 cm，宽 3 ~ 7 cm，上面疏生平贴柔毛，下面密被灰白色绒毛，边缘有不整齐粗锯齿并常浅裂；叶柄长 3 ~ 7 cm，顶生小叶柄长 1.5 ~ 4 cm，侧生小叶有短柄或几无柄，与叶轴均有柔毛和稀疏钩状小皮刺；托叶线形，被柔毛，长达 1 cm。伞房花序生

于侧生小枝先端或腋生，具数花至 20 余花，通常短于叶柄；总花梗具柔毛，有稀疏针刺；花梗长 6 ~ 12 mm，密被柔毛；苞片线形，有柔毛；花直径约 1 cm 或稍大；花萼外密被柔毛；萼片披针形，先端急尖至短渐尖，长 5 ~ 8 mm，内萼片边缘具绒毛，花后常反折；花瓣倒卵形、近圆形或椭圆形，基部稍有柔毛，白色或浅粉红色；花丝线形，几与花柱等长；花柱无毛，子房有疏柔毛。果实扁球形，直径 6 ~ 8 mm，紫黑色，无毛；核三角状卵球形，有皱纹。花期 4 ~ 5 月，果期 7 ~ 8 月。

| **生境分布** | 生于海拔 900 ~ 1 800 m 的山坡、山谷林下潮湿处或沟边冲积台地。分布于湖南湘西州（保靖）、张家界（桑植）、常德（石门）等。

| **资源情况** | 野生资源稀少。药材来源于野生。

| **功能主治** | **喜阴悬钩子根**：祛风胜湿，通经络。
喜阴悬钩子果：固肾涩精。

蔷薇科 Rosaceae 悬钩子属 *Rubus*

大乌泡 *Rubus multibracteatus* Lévl. et Vant.

| 药材名 | 大乌泡（药用部位：全株或根。别名：老牛黄泡、乌泡、六月泡）。

| 形态特征 | 灌木，高达 3 m。茎粗，有黄色绒毛状柔毛和钩状稀疏小皮刺。单叶，直径 7 ~ 16 cm，先端圆钝或急尖，基部心形，上面有柔毛和密集小突起，下面密被黄灰色或黄色绒毛，沿叶脉有柔毛，边缘 7 ~ 9 掌状浅裂，顶生裂片不明显 3 裂，有不整齐粗锯齿；叶柄长 3 ~ 6 cm，密被黄色绒毛状柔毛和稀疏小皮刺；托叶较宽，先端梳齿状深裂。顶生花序为狭圆锥花序或总状花序，腋生花序为总状或花团集；苞片宽大，形似托叶，掌状条裂；花直径 1.5 ~ 2.5 cm；萼片宽卵形，边缘有时稍具绒毛，通常外萼片较宽大，先端掌状至羽状分裂，稀不分裂，内萼片较狭长，不分裂或分裂，在果期直立；花

瓣倒卵形或匙形，白色，有爪。果实球形，直径可达 2 cm，红色，核有明显皱纹。花期 4 ~ 6 月，果期 8 ~ 9 月。

| 生境分布 | 生于海拔 0 ~ 2 000 m 的山坡、沟谷灌木林内或林缘、路边。分布于湖南怀化（通道）、湘西州（吉首、保靖、龙山）、怀化（沅陵）等。

| 资源情况 | 野生资源稀少。药材来源于野生。

| 采收加工 | 全株，全年均可采收，洗净，切碎，晒干。根，秋、冬季采挖，洗净，切片，晒干。

| 功能主治 | 苦、涩，凉。清热，止血，祛风湿。用于感冒发热，咳嗽，咯血，鼻衄，月经不调，外伤出血，痢疾，腹泻，脱肛，风湿痹痛。

| 用法用量 | 内服煎汤，10 ~ 30 g。外用适量，研末或捣末敷。

| 附　　注 | 本种的拉丁学名在 FOC 中被修订为 *Rubus pluribracteatus* L. T. Lu et Boufford。

蔷薇科 Rosaceae 悬钩子属 *Rubus*

太平莓 *Rubus pacificus* Hance

| 药 材 名 | 太平莓（药用部位：全草）。

| 形态特征 | 常绿矮小灌木，高 40 ~ 100 cm。枝细，圆柱形，微拱曲，幼时具柔毛，老时毛脱落，疏生细小皮刺。单叶，革质，宽卵形至长卵形，长 8 ~ 16 cm，宽 5 ~ 13 cm，上面无毛，下面密被灰色绒毛，基部具掌状五出脉，侧脉 2 ~ 3 对，下面叶脉凸起，棕褐色，边缘不明显浅裂，有不整齐而具突尖头的锐锯齿；托叶大，棕色，叶状，长圆形，长达 2.5 cm，具柔毛，近先端较宽并缺刻状条裂，裂片披针形。3 ~ 6 花组成顶生短总状或伞房状花序，或单生于叶腋；花梗长 1 ~ 3 cm；苞片与托叶相似，惟稍小；花大，直径 1.5 ~ 2 cm；萼片卵形至卵状披针形，先端渐尖，外萼片先端常条裂，内萼片全

缘，在果期常反折，稀直立；花瓣白色，先端微缺刻状，基部具短爪，稍长于萼片。果实球形，直径 1.2 ~ 1.6 cm，红色，无毛，核具皱纹。花期 6 ~ 7 月，果期 8 ~ 9 月。

| 生境分布 | 生于海拔 300 ~ 1 000 m 的山地路旁或杂木林内。分布于湘西南、湘南、湘中、湘东、湘北等。

| 资源情况 | 野生资源较少。药材来源于野生。

| 采收加工 | 6 ~ 8 月采收，洗净，晒干。

| 功能主治 | 辛、苦、酸，平。清热，活血。用于发热，产后腹痛。

| 用法用量 | 内服煎汤，30 ~ 60 g。

蔷薇科 Rosaceae 悬钩子属 *Rubus*

乌泡子 *Rubus parkeri* Hance

| 药 材 名 | 小乌泡根（药用部位：根。别名：乌泡根）、小乌泡叶（药用部位：叶）。

| 形态特征 | 攀缘灌木。枝密被灰色长柔毛，疏生紫红色腺毛和微弯皮刺。单叶，卵状披针形或卵状长圆形，长 7 ~ 16 cm，宽 3.5 ~ 6 cm，下面伏生长柔毛，沿叶脉柔毛较多，下面密被灰色绒毛，侧脉 5 ~ 6 对，在下面凸起，沿中脉疏生小皮刺，边缘有细锯齿和浅裂片；叶柄密被长柔毛，疏生腺毛和小皮刺；托叶脱落，长达 1 cm，常掌状条裂，裂片线形，被长柔毛。大型圆锥花序顶生，稀腋生，总花梗、花梗和花萼密被长柔毛和长短不等的紫红色腺毛，具稀疏小皮刺；花梗长约 1 cm；苞片与托叶相似，有长柔毛和腺毛；花直径约 8 mm；

花萼紫红色，萼片卵状披针形，长 5 ~ 10 mm，先端短渐尖，全缘，里面有灰白色绒毛；花瓣白色，但常无花瓣。果实球形，直径 4 ~ 6 mm，紫黑色，无毛。花期 5 ~ 6 月，果期 7 ~ 8 月。

| 生境分布 | 生于海拔 1 000 m 以下的山地疏密林中阴湿处或溪旁及山谷岩石上。分布于湖南岳阳（岳阳）、常德（澧县）、怀化（麻阳、沅陵）、株洲（渌口）、张家界（慈利）等。

| 资源情况 | 野生资源稀少。药材来源于野生。

| 采收加工 | **小乌泡根**：9 ~ 10 月采挖，洗净，晒干或鲜用。

小乌泡叶：5 ~ 6 月采收，鲜用或晒干。

| 功能主治 | **小乌泡根**：咸、酸，平。调经，止血，祛痰止咳。用于月经不调，经闭，癥瘕，血崩，衄血，便血，咳嗽痰多，疮疡不敛。

小乌泡叶：咸，凉。清热泻火，止痛，杀虫。用于牙痛，眼多泪多眵，疥癞。

| 用法用量 | **小乌泡根**：内服煎汤，15 ~ 30 g。外用适量，鲜品捣敷。

小乌泡叶：外用适量，鲜品捣汁，点眼或涂搽。

蔷薇科 Rosaceae 悬钩子属 *Rubus*

茅莓 *Rubus parvifolius* L.

|药材名|

薅田藨（药用部位：地上部分。别名：三月泡、过江龙、红梅消）、薅田藨根（药用部位：根。别名：茅莓根、托盘根、米花托盘根）。

|形态特征|

灌木，高 1 ~ 2 m。枝弓形弯曲，被柔毛和钩状稀疏皮刺。小叶 3，新枝上偶有 5 小叶，菱状圆形或倒卵形，长 2.5 ~ 6 cm，宽 2 ~ 6 cm，上面伏生疏柔毛，下面密被灰白色绒毛，边缘有不整齐粗锯齿或缺刻状粗重锯齿，常具浅裂片，叶柄长 2.5 ~ 5 cm，顶生小叶柄长 1 ~ 2 cm，均被柔毛和稀疏小皮刺；托叶线形，长 5 ~ 7 mm，具柔毛。伞房花序顶生或腋生，稀顶生花序为短总状，具数花至多花，被柔毛和细刺；花梗长 0.5 ~ 1.5 cm，具柔毛和稀疏小皮刺；苞片线形，有柔毛；花直径约 1 cm；花萼外面密被柔毛和疏密不等的针刺，萼片卵状披针形或披针形，先端渐尖，有时条裂，在花、果期均直立开展；花瓣卵圆形或长圆形，粉红色至紫红色，基部具爪。果实卵球形，直径 1 ~ 1.5 cm，红色，无毛或具稀疏柔毛，核有浅

皱纹。花期 5 ~ 6 月，果期 7 ~ 8 月。

| **生境分布** | 生于海拔 400 ~ 2 000 m 的山坡杂木林下、向阳山谷、路旁或荒野。湖南各地均有分布。

| **资源情况** | 野生资源丰富。药材来源于野生。

| **采收加工** | **薅田藨：**7 ~ 8 月采收，捆成小把，晒干。

薅田藨根：秋、冬季采挖，洗净，鲜用，或切片，晒干。

| **药材性状** | **薅田藨：**本品长短不一。枝和叶柄具小钩刺，枝表面红棕色或枯黄色，质坚，断面黄白色，中央有白色髓。叶多皱缩破碎，上面黄绿色，下面灰白色，被柔毛。枝上部往往附着枯萎的花序，花瓣多已掉落，萼片黄绿色，外卷，两面被长柔毛。气微弱，味微苦、涩。

薅田藨根：本品长短不等，多扭曲，直径 0.4 ~ 1.2 cm，上端较粗，呈不规则块状，残留茎基表面灰褐色，有纵皱纹，栓皮有时剥落，露出红棕色内皮。质坚硬，断面淡黄色，有放射状纹理。气微，味微涩。

| **功能主治** | **薅田藨：**苦、涩，凉。清热解毒，散瘀止血，杀虫疗疮。用于感冒发热，咳嗽，咯血，痢疾，跌打损伤，产后腹痛，疥疮，外伤出血。

薅田镳根：甘、苦，凉。清热解毒，祛风利湿，活血凉血。用于感冒发热，咽喉肿痛，风湿痹痛，肝炎，肠炎，痢疾，肾炎性水肿，尿路感染，结石症，跌打损伤，咯血，吐血，崩漏，疔疮肿毒，腮腺炎。

| 用法用量 |

薅田镳：内服煎汤，10 ~ 15 g。外用适量，捣敷；或煎汤熏洗；或研末撒。

薅田镳根：内服煎汤，6 ~ 15 g；或浸酒。外用适量，捣敷；或煎汤洗；或研末调敷。

蔷薇科 Rosaceae 悬钩子属 *Rubus*

黄泡 *Rubus pectinellus* Maxim.

| **药 材 名** | 小黄泡（药用部位：根、叶）。

| **形态特征** | 草本或半灌木，高 8 ~ 20 cm。茎匍匐，节处生根，有长柔毛和微弯稀疏针刺。单叶，叶片心状，近圆形，长 2.5 ~ 4.5 cm，宽 3 ~ 5（~ 7）cm，边缘有时波状浅裂或 3 浅裂，有不整齐细钝锯齿或重锯齿，两面被稀疏长柔毛，下面沿叶脉有针刺；叶柄长 3 ~ 6 cm，有长柔毛和针刺；托叶离生，有长柔毛，长 0.6 ~ 0.9 cm，2 回羽状深裂，裂片线状披针形。花单生，稀有 2 ~ 3 花，直径达 2 cm；花梗长 2 ~ 4 cm，被长柔毛和针刺；苞片和托叶相似；花萼长 1.5 ~ 2 cm，外面密被针刺和长柔毛，萼片不等大，叶状，卵形至卵状披针形，外萼片宽大，梳齿状或缺刻状深裂，内萼片较狭，先端渐尖，

有少数锯齿或全缘；花瓣狭倒卵形，白色，有爪，稍短于萼片。果实红色，球形，直径 1 ~ 1.5 cm，具反折萼片，小核近光滑或微皱。花期 5 ~ 7 月，果实 7 ~ 8 月。

| 生境分布 | 生于海拔 1 000 ~ 2 000 m 的山地林中。分布于湖南永州（双牌、江华）、湘西州（永顺）、张家界（慈利）等。

| 资源情况 | 野生资源稀少。药材来源于野生。

| 采收加工 | 根，全年均可采挖，除去泥土，洗净，鲜用或晒干。叶，夏季采摘，鲜用或晒干。

| 功能主治 | 苦、微涩，凉。清热，利湿，解毒。用于黄疸，水泻，黄水疮。

| 用法用量 | 内服煎汤，鲜品 60 g。外用适量，研末撒敷。

蔷薇科 Rosaceae 悬钩子属 *Rubus*

盾叶莓 *Rubus peltatus* Maxim.

| 药材名 | 天青地白扭（药用部位：果实）。

| 形态特征 | 直立或攀缘灌木，高 1 ～ 2 m。枝红褐色或棕褐色，无毛，疏生皮刺，小枝常有白粉。叶片盾状，卵状圆形，长 7 ～ 17 cm，宽 6 ～ 15 cm，基部心形，两面均有贴生柔毛，下面毛较密并沿中脉有小皮刺，边缘 3 ～ 5 掌状分裂，裂片三角状卵形，先端急尖或短渐尖，有不整齐细锯齿；叶柄长 4 ～ 8 cm，无毛，有小皮刺；托叶大，膜质，卵状披针形，长 1 ～ 1.5 cm，无毛。单花顶生；花梗长 2.5 ～ 4.5 cm，无毛；苞片与托叶相似；萼筒常无毛，萼片卵状披针形，两面均有柔毛，边缘常有齿；花瓣近圆形，直径 1.8 ～ 2.5 cm，白色，长于萼片；雄蕊多数，花丝钻形或线形；雌蕊可多达 100，被柔毛。果

实圆柱形或圆筒形，长 3 ~ 4.5 cm，橘红色，密被柔毛，核具皱纹。花期 4 ~ 5 月，果期 6 ~ 7 月。

| 生境分布 | 生于海拔 300 ~ 1 500 m 的山坡、山脚、山沟林下、林缘或较阴湿处。分布于湖南常德（汉寿）、张家界（桑植）、湘西州（龙山）、长沙（浏阳）等。

| 资源情况 | 野生资源稀少。药材来源于野生。

| 采收加工 | 夏、秋季采摘成熟果实，直接晒干或用沸水浸后再晒至全干。

| 功能主治 | 苦、咸，温。强腰健肾，祛风止痛。用于四肢关节疼痛，腰脊酸痛。

| 用法用量 | 内服煎汤，15 ~ 30 g。

蔷薇科 Rosaceae 悬钩子属 *Rubus*

多腺悬钩子 *Rubus phoenicolasius* Maxim.

| 药材名 | 空筒泡（药用部位：根）、悬钩木（药用部位：茎）。

| 形态特征 | 灌木，高 1 ~ 3 m。枝初直立后蔓生，密生红褐色刺毛、腺毛和稀疏皮刺。小叶通常 3，稀 5，卵形、宽卵形或菱形，稀椭圆形，长 4 ~ 8（~ 10）cm，宽 2 ~ 5（~ 7）cm，上面或仅沿叶脉有伏柔毛，下面密被灰白色绒毛，沿叶脉有刺毛、腺毛和稀疏小针刺，边缘具不整齐粗锯齿，常有缺刻，顶生小叶常浅裂；叶柄被柔毛、红褐色刺毛、腺毛和稀疏皮刺；托叶线形，具柔毛和腺毛。花较少，形成短总状花序，顶生或部分腋生；苞片披针形，具柔毛和腺毛；花直径 6 ~ 10 mm；花萼外面密被柔毛、刺毛和腺毛，萼片披针形，先端尾尖，长 1 ~ 1.5 cm，在花、果期均直立开展；花瓣直立，倒卵

状匙形或近圆形，紫红色，基部具爪并有柔毛。果实半球形，直径约 1 cm，红色，无毛，核有明显皱纹与洼穴。花期 5 ~ 6 月，果期 7 ~ 8 月。

| 生境分布 | 生于低海拔至中海拔地区的林下、路旁或山沟谷底。分布于湖南益阳（桃江）等。

| 资源情况 | 野生资源稀少。药材来源于野生。

| 采收加工 | **空筒泡**：秋、冬季采挖，洗净，晒干。

悬钩木：秋季采收，晒干。

| 功能主治 | **空筒泡**：甘、辛，温。祛风活血，补肾壮阳。用于风湿痹痛，跌打损伤，月经不调，肾虚阳痿。

悬钩木：辛、苦，平。解表散寒，祛风除湿，活血止痛。用于风寒感冒，流行性感冒，发热，咳嗽，风湿痹痛，跌打损伤，月经不调。

| 用法用量 | **空筒泡**：内服煎汤，10 ~ 30 g。

悬钩木：内服煎汤，6 ~ 15 g；或入丸、散剂。

蔷薇科 Rosaceae 悬钩子属 *Rubus*

菰帽悬钩子 *Rubus pileatus* Focke

| 药 材 名 | 菰帽悬钩子（药用部位：果实、根）。

| 形态特征 | 攀缘灌木，高 1 ~ 3 m。小枝紫红色，无毛，被白粉，疏生皮刺。小叶 5 ~ 7，卵形、长圆状卵形或椭圆形，长 2.5 ~ 6（~ 8）cm，宽 1.5 ~ 4（~ 6）cm，先端急尖至渐尖，基部近圆形或宽楔形，两面沿叶脉有短柔毛，顶生小叶稍有浅裂片，边缘具粗重锯齿，叶柄长 3 ~ 10 cm，顶生小叶柄长 1 ~ 2 cm，侧生小叶近无柄，与叶轴均被疏柔毛和稀疏小皮刺；托叶线形或线状披针形。伞房花序顶生，具 3 ~ 5 花，稀单花腋生；花梗细，长 2 ~ 3.5 cm，无毛，疏生细小皮刺或无刺；苞片线形，无毛；花直径 1 ~ 2 cm；花瓣倒卵形，白色，基部具短爪并疏生短柔毛，比萼片稍短或与萼片几等长；

雄蕊长 5 ~ 7 mm，花丝线形；花柱下部和子房密被灰白色长绒毛，花柱在果期增长。果实卵球形，直径 0.8 ~ 1.2 cm，红色，具宿存花柱，密被灰白色绒毛，核具明显皱纹。花期 6 ~ 7 月，果期 8 ~ 9 月。

| 生境分布 | 生于海拔 1 400 ~ 2 000 m 的沟谷边、路旁疏林下或山谷阴处密林下。分布于湖南湘潭（湘乡）、永州（双牌）等。

| 资源情况 | 野生资源稀少。药材来源于野生。

| 功能主治 | 解热，生津，止渴，固精补肾，缩尿。

蔷薇科 Rosaceae 悬钩子属 *Rubus*

红毛悬钩子 *Rubus pinfaensis* Lévl. et Vant.

药材名

红毛悬钩子（药用部位：根、叶。别名：黄刺泡）。

形态特征

攀缘灌木，高 1 ~ 2 m。小枝粗壮，红褐色，有棱，密被红褐色刺毛，并具柔毛和稀疏皮刺。小叶 3，椭圆形或卵形，稀倒卵形，长（3 ~）4 ~ 9 cm，宽 2 ~ 7 cm，先端尾尖或急尖，稀圆钝，基部圆形或宽楔形，上面紫红色，无毛，叶脉下陷，下面仅沿叶脉处疏生柔毛、刺毛和皮刺，边缘有不整齐细锐锯齿，叶柄长 2 ~ 4.5 cm，顶生小叶柄长 1.5 ~ 3 cm，侧生小叶近无柄，与叶轴均被红褐色刺毛、柔毛和稀疏皮刺。数花在叶腋聚集成束，稀单生；花梗短，长 4 ~ 7 mm，密被短柔毛；苞片线形或线状披针形，有柔毛；花直径 1 ~ 1.3 cm；花萼外面密被绒毛状柔毛，萼片卵形，先端急尖，在果期直立；花瓣长倒卵形，白色，基部具爪，长于萼片。果实球形，直径 5 ~ 8 mm，成熟时呈金黄色或红黄色，无毛，核有深刻皱纹。花期 3 ~ 4 月，果期 5 ~ 6 月。

| 生境分布 | 生于海拔 500 ~ 2 000 m 的山坡灌丛、杂木林内或林缘，也见于山谷或山沟边。分布于湘西北、湘中、湘南、湘西南等。

| 资源情况 | 野生资源一般。药材来源于野生。

| 功能主治 | 酸、咸，平。祛风，除湿，散瘀，补肾。用于风湿关节痛，刀伤，吐血，月经不调，黄水疮，肾虚阳痿，尿血。

| 附　　注 | 本种的拉丁学名在 FOC 中被修订为 *Rubus wallichianus* Wight et Arnott。

蔷薇科 Rosaceae 悬钩子属 *Rubus*

梨叶悬钩子 *Rubus pirifolius* Smith

| 药 材 名 | 梨叶悬钩子（药用部位：果实。别名：红簕钩、红簕菜、蛇泡）、梨叶悬钩子根（药用部位：根）。

| 形态特征 | 攀缘灌木，枝具柔毛和扁平皮刺。单叶，近革质，卵形、卵状长圆形或椭圆状长圆形，长 6 ~ 11 cm，宽 3.5 ~ 5.5 cm，先端急尖至短渐尖，基部圆形，两面沿叶脉有柔毛，逐渐脱落至近无毛，侧脉 5 ~ 8 对，在下面凸起，边缘具不整齐的粗锯齿；叶柄长达 1 cm，生粗伏柔毛，有稀疏皮刺；托叶分离，早落、条裂，有柔毛。圆锥花序顶生或生于上部叶腋内；总花梗、花梗和花萼密被灰黄色短柔毛，无刺或有少数小皮刺；花梗长 4 ~ 12 mm；苞片条裂成 3 ~ 4 线状裂片，有柔毛，早落；花直径 1 ~ 1.5 cm；萼筒浅杯状；萼片卵状

披针形或三角状披针形，内外两面均密被短柔毛，先端 2 ~ 3 裂或全缘；花瓣小，白色，长 3 ~ 5 mm，长椭圆形或披针形，短于萼片；雄蕊多数，花丝线形；雌蕊 5 ~ 10，通常无毛。果实直径 1 ~ 1.5 cm，由数个小核果组成，带红色，无毛；小核果较大，长 5 ~ 6 mm，宽 3 ~ 5 mm，有皱纹。花期 4 ~ 7 月，果期 8 ~ 10 月。

| 生境分布 | 生于低海拔至中海拔的山地较背阴处。分布于湖南永州（江华、祁阳）等。

| 资源情况 | 野生资源稀少。药材来源于野生。

| 功能主治 | **梨叶悬钩子：**固肾涩精。

梨叶悬钩子根：清肺凉血，解郁。用于肺热咳血，胸闷咳嗽。

蔷薇科 Rosaceae 悬钩子属 *Rubus*

五叶鸡爪茶 *Rubus playfairianus* Hemsl. ex Focke

| 药 材 名 | 五叶鸡爪茶（药用部位：叶）。

| 形态特征 | 落叶或半常绿攀缘或蔓性灌木。枝暗色，幼时有绒毛，疏生钩状小皮刺。掌状复叶具 3 ~ 5 小叶；小叶片椭圆状披针形或长圆状披针形，长 5 ~ 12 cm，宽 1 ~ 3 cm，顶生小叶远较侧生小叶大，先端渐尖，基部楔形，上面无毛，下面密被平贴灰色或黄灰色绒毛；托叶和苞片全缘或仅先端有锯齿。花组成顶生或腋生总状花序；总花梗和花梗被灰色或灰黄色绒毛状长柔毛，混生少数小皮刺，花梗长 1 ~ 2 cm；苞片与托叶相似；花直径 1 ~ 1.5 cm；花萼外密被黄灰色至灰白色绒毛状长柔毛，无腺毛，萼片卵状披针形或三角状披针形，先端渐尖至尾尖，全缘；花瓣卵圆形，锐尖；雄蕊多数，幼时有柔毛，

老时毛脱落，花丝不膨大；雌蕊约60，具长柔毛；雄蕊柔毛老时不脱落。果实近球形，幼时红色，有长柔毛，老时转变为黑色，由多数小核果组成。花期4 ~ 5月，果期6 ~ 7月。

| 生境分布 | 生于海拔300 ~ 1 700 m的山坡路旁、溪边及灌丛中。分布于湖南邵阳（邵阳）、湘西州（泸溪、花垣、古丈、保靖）、常德（石门）等。

| 资源情况 | 野生资源稀少。药材来源于野生。

| 功能主治 | 祛风湿，舒筋络。用于风湿骨痛，跌打损伤。

蔷薇科 Rosaceae 悬钩子属 *Rubus*

香莓 *Rubus pungens* var. *oldhamii* (Miq.) Maxim.

| 药 材 名 | 香莓（药用部位：根。别名：九里香、落地角公、九头饭消扭）。

| 形态特征 | 枝上针刺较稀少，花萼上具疏密不等的针刺或近无刺；花枝、叶柄、花梗和花萼上无腺毛或仅于局部（如花萼或花梗）有稀疏短腺毛。

| 生境分布 | 生于海拔 600 ~ 2 000 m 的山谷潮湿地或山地疏密林中。分布于湖南湘西州（龙山）等。

| 资源情况 | 野生资源稀少。药材来源于野生。

| 采收加工 | 秋季采挖，除去泥土，洗净，鲜用或晒干。

| 功能主治 | 甘、辛，寒。清热定惊。用于小儿惊风。

| **用法用量** | 内服煎汤，15 ~ 30 g。

蔷薇科 Rosaceae 悬钩子属 *Rubus*

锈毛莓 *Rubus reflexus* Ker

| 药材名 | 锈毛莓（药用部位：根）、锈毛莓叶（药用部位：叶）。

| 形态特征 | 攀缘灌木，高达 2 m。枝被锈色绒毛状毛，有稀疏小皮刺。单叶；叶片心状长卵形，长 7 ～ 14 cm，宽 5 ～ 11 cm，上面无毛或沿叶脉疏生柔毛，有明显皱纹，下面密被锈色绒毛，沿叶脉有长柔毛，边缘 3 ～ 5 裂，有不整齐粗锯齿或重锯齿，基部心形，顶生裂片长大，披针形或卵状披针形，比侧生裂片长很多，裂片先端钝或近急尖；叶柄长 2.5 ～ 5 cm，被绒毛并有稀疏小皮刺；托叶宽倒卵形，长、宽均为 1 ～ 1.4 cm，被长柔毛，梳齿状或不规则掌状分裂，裂片披针形或线状披针形。数花集生于叶腋或成顶生短总状花序；总花梗和花梗均密被锈色长柔毛；花梗很短，长 3 ～ 6 mm；苞片与托

叶相似；花直径 1 ~ 1.5 cm；花萼密被锈色长柔毛和绒毛，萼片卵圆形，外萼片先端常掌状分裂，裂片披针形，内萼片常全缘；花瓣长圆形至近圆形，白色，与萼片近等长；雄蕊短，花丝宽且扁，花药无毛或先端有毛；雌蕊无毛。果实近球形，深红色；核有皱纹。花期 6 ~ 7 月，果期 8 ~ 9 月。

| 生境分布 | 生于海拔 300 ~ 1 000 m 的山坡、山谷灌丛或疏林中。湖南有广泛分布。

| 资源情况 | 野生资源稀少。药材来源于野生。

| 采收加工 | **锈毛莓：**秋天采挖，洗净，晒干。

锈毛莓叶：夏季采收，鲜用或晒干。

| 功能主治 | **锈毛莓：**苦，平。祛风除湿，活血消肿。用于风湿痹痛，跌打损伤，骨折。

锈毛莓叶：苦，微寒。活血止血。用于外伤出血，跌打瘀肿。

| 用法用量 | **锈毛莓：**内服煎汤，15 ~ 30 g；或浸酒。

锈毛莓叶：外用适量，鲜品捣敷；或研末撒。

蔷薇科 Rosaceae 悬钩子属 *Rubus*

深裂锈毛莓 *Rubus reflexus* Ker var. *lanceolobus* Metc.

药材名

红泡刺（药用部位：根）。

形态特征

灌木，高 2 ~ 3 m。小枝直立或倾斜，常有浅黄色腺点，具扁平皮刺，嫩枝密被白色茸毛。奇数羽状复叶互生；总叶柄长 4 ~ 12 cm；小托叶 2；小叶 5 ~ 7，长圆状披针形，长 3 ~ 5.5 cm，宽 1.2 ~ 2 cm，先端渐尖，基部圆形，边缘有重锯齿，两面疏生茸毛，具浅黄色腺点。花 1 ~ 2，顶生或腋生，直径 2 ~ 3 cm；萼 5 裂，外被短柔毛和腺点，萼片先端长尾尖；花瓣 5，白色，长于萼片。聚合果球形或卵形，长 1 ~ 1.5 cm，成熟后呈红色。花期 3 ~ 5 月，果期 6 ~ 7 月。

生境分布

生于低海拔的山谷或水沟边疏林中。分布于湖南永州（道县）、怀化（鹤城、中方）等。

资源情况

野生资源稀少。药材来源于野生。

| 采收加工 | 秋、冬季采挖，除去须根，洗净，切片，晒干。

| 功能主治 | 苦、酸，平。祛风湿，强筋骨。用于风湿痹痛，四肢麻木不遂。

| 用法用量 | 内服煎汤，15 ~ 30 g；或浸酒。

蔷薇科 Rosaceae 悬钩子属 *Rubus*

浅裂锈毛莓 *Rubus reflexus* Ker var. *hui* (Diels apud Hu) Metc.

| 药 材 名 | 浅裂锈毛莓（药用部位：根。别名：胡式悬钩子）、山佛手（药用部位：果实）。

| 形态特征 | 攀缘灌木，高达 2 m。小枝、叶上面脉和叶下面、叶柄、托叶、花序、花萼均密生锈色柔毛，散生少数皮刺。单叶互生；叶柄长 2 ~ 7 cm；托叶长圆形，齿裂；叶片心状宽卵形或近圆形，长 8 ~ 13 cm，宽 7 ~ 12 cm，掌状 3 ~ 5 裂，顶生裂片比侧生者稍长，裂片急尖，基部心形，边缘有锐尖锯齿。总状花序短，腋生；苞片与托叶相似；萼裂片宽卵形，边缘有锯齿。花白色，直径约 1 cm，花瓣长圆形，与萼片近等长。聚合果近球形，直径 1.5 ~ 2 cm，红紫色。花期 6 ~ 7 月，果期 8 ~ 9 月。

| 生境分布 | 生于海拔 300 ~ 1 500 m 的山坡灌丛、疏林湿润处或山谷溪流旁。分布于湖南怀化（洪江）、永州（零陵）等。

| 资源情况 | 野生资源稀少。药材来源于野生。

| 采收加工 | **浅裂锈毛莓：**夏、秋季采挖，洗净，切碎，晒干。
山佛手：8 ~ 9 月果实成熟时采摘，鲜用或晒干。

| 功能主治 | **浅裂锈毛莓：**微苦、涩，平。清热除湿，祛风通络。用于湿热痢疾，风湿痹痛。
山佛手：苦、辛，平。活血止血，补肾接骨。用于跌打损伤，外伤出血，陈旧性骨折。

| 用法用量 | **浅裂锈毛莓：**内服煎汤，15 ~ 30 g；或浸酒。
山佛手：内服煎汤，3 ~ 9 g。外用适量，捣敷。

| 附　　注 | 本种与长叶锈毛莓 *Rubus reflexus* var. *orogenes* Hand.-Mazz. 的区别在于本种叶片心状宽卵形或近圆形，长 8 ~ 13 cm，宽 7 ~ 12 cm，边缘浅裂，裂片急尖，顶生裂片比侧生者稍长。

蔷薇科 Rosaceae 悬钩子属 *Rubus*

空心泡 *Rubus rosifolius* Smith

|药材名|

空心泡（药用部位：根、嫩枝叶）。

|形态特征|

直立或攀缘灌木。高 2 ～ 3 m。小枝圆柱形，具柔毛或近无毛，常有浅黄色腺点，疏生近直立皮刺。小叶 5 ～ 7，卵状披针形或披针形，基部圆，两面疏生柔毛，有浅黄色发亮腺点；叶柄和叶轴均有柔毛和小皮刺，被浅黄色腺点；托叶卵状披针形或披针形，具柔毛。花常 1 ～ 2，顶生或腋生；花梗长 2 ～ 3.5 cm，有柔毛，疏生小皮刺，有时被腺点；花直径 2 ～ 3 cm；花萼外被柔毛和腺点，萼片披针形或卵状披针形，花后常反折；花瓣长圆形、长倒卵形或近圆形，白色，幼时有柔毛；雌蕊多数，花柱和子房无毛。果实卵球形或长圆状卵圆形，长 1 ～ 1.5 cm，成熟时红色，有光泽，无毛；核有深窝孔。花期 3 ～ 5 月，果期 6 ～ 7 月。

|生境分布|

生于山坡疏林边、沟谷岩石边及山区村落附近。湖南各地均有分布。

| 资源情况 | 野生资源较丰富。药材来源于野生。

| 采收加工 | 根，秋、冬季采挖，洗净，晒干。嫩枝叶，夏季采收，鲜用或晒干。

| 功能主治 | 苦、甘、涩，凉。清热，止咳，止血，祛风湿。用于肺热咳嗽，百日咳，咯血，盗汗，牙痛，筋骨痹痛，跌打损伤；外用于烫火伤。

| 用法用量 | 内服煎汤，15 ~ 30 g。外用适量嫩枝，捣敷。

蔷薇科 Rosaceae 悬钩子属 *Rubus*

川莓 *Rubus setchuenensis* Bureau et Franch.

| 药 材 名 | 川莓（药用部位：根）、川莓叶（药用部位：叶）。

| 形态特征 | 落叶灌木，高 2 ~ 3 m。小枝圆柱形，密被淡黄色绒毛状柔毛，老时毛脱落，无刺。单叶；叶片近圆形或宽卵形，直径 7 ~ 15 cm，先端圆钝或近截形，基部心形，上面粗糙，无毛或仅沿叶脉稍具柔毛，下面密被灰白色绒毛，有时绒毛逐渐脱落，叶脉凸起，基部具掌状五出脉，侧脉 2 ~ 3 对，边缘 5 ~ 7 浅裂；叶柄长 5 ~ 7 cm，具浅黄色绒毛状柔毛，常无刺；托叶离生，卵状披针形，先端条裂，早落。花成狭圆锥花序，顶生或腋生，或少数花簇生于叶腋；总花梗和花梗均密被浅黄色绒毛状柔毛；花梗长约 1 cm；苞片与托叶相似；花直径 1 ~ 1.5 cm；花萼密被浅黄色绒毛和柔毛；萼片卵状披针形，

先端尾尖，全缘或外萼片先端浅条裂，果期直立，稀反折；花瓣倒卵形或近圆形，紫红色，基部具爪，比萼片短很多；雄蕊较短，花丝线形；雌蕊无毛，花柱比雄蕊长。果实半球形，直径约 1 cm，黑色，无毛，常包藏在宿萼内；核较光滑。花期 7 ~ 8 月，果期 9 ~ 10 月。

| 生境分布 | 生于海拔 500 ~ 2 000 m 的山坡、路旁、林缘或灌丛中。湖南有广泛分布。

| 资源情况 | 野生资源一般。药材来源于野生。

| 采收加工 | **川莓：**秋、冬季采挖，洗净，晒干。

川莓叶：夏、秋季采收，洗净，晒干。

| 功能主治 | **川莓：**酸、咸，平。清热凉血，活血接骨。用于吐血，咯血，痢疾，月经不调，瘰疬，跌打损伤，骨折。

川莓叶：酸、咸，凉。清热祛湿，敛疮。用于黄水疮。

| 用法用量 | **川莓：**内服煎汤，15 ~ 30 g；或浸酒；或炖肉。

川莓叶：外用适量，研末撒；或煎汤洗。

蔷薇科 Rosaceae 悬钩子属 *Rubus*

红腺悬钩子 *Rubus sumatranus* Miq.

| 药 材 名 | 牛奶莓（药用部位：根）。

| 形态特征 | 直立或攀缘灌木。小枝、叶轴、叶柄、花梗和花序均被紫红色腺毛、柔毛和皮刺；腺毛长短不等，长者长 4 ~ 5 mm，短者长 1 ~ 2 mm。小叶 5 ~ 7，稀 3，卵状披针形至披针形，长 3 ~ 8 cm，宽 1.5 ~ 3 cm，先端渐尖，基部圆形，两面疏生柔毛，沿中脉毛较密，下面沿中脉有小皮刺，边缘具不整齐的尖锐锯齿；叶柄长 3 ~ 5 cm，顶生小叶柄长达 1 cm；托叶披针形或线状披针形，有柔毛和腺毛。花 3 或数朵组成伞房状花序，稀单生；花梗长 2 ~ 3 cm；苞片披针形；花直径 1 ~ 2 cm；花萼被长短不等的腺毛和柔毛，萼片披针形，长 0.7 ~ 1 cm，宽 0.2 ~ 0.4 cm，先端长尾尖，果期反折；

花瓣长倒卵形或匙状，白色，基部具爪；花丝线形；雌蕊数可达 400，花柱和子房均无毛。果实长圆形，长 1.2 ~ 1.8 cm，橘红色，无毛。花期 4 ~ 6 月，果期 7 ~ 8 月。

| 生境分布 | 生于海拔 500 ~ 1 800 m 的山地、山谷疏林或密林内、林缘、灌丛、竹林下及草丛中。湖南有广泛分布。

| 资源情况 | 野生资源一般。药材来源于野生。

| 采收加工 | 秋季采挖，洗净，晒干。

| 功能主治 | 苦，寒。清热解毒，开胃，利水。用于产后寒热，腹痛，食欲不振，水肿，中耳炎。

| 用法用量 | 内服煎汤，9 ~ 15 g。

蔷薇科 Rosaceae 悬钩子属 *Rubus*

木莓 *Rubus swinhoei* Hance

| **药材名** | 木莓（药用部位：根、叶）。

| **形态特征** | 落叶或半常绿灌木，高 1 ~ 4 m。茎细而圆，暗紫褐色，疏生微弯小皮刺。单叶，叶形变化较大，宽卵形至长圆状披针形，长 5 ~ 11 cm，宽 2.5 ~ 5 cm，先端渐尖，基部截形至浅心形，上面仅沿中脉有柔毛，下面密被灰色绒毛或近无毛，不育枝和老枝的叶片下面常密被灰色平贴绒毛，毛不脱落，而结果枝或花枝的叶片下面仅沿叶脉有少许绒毛或完全无毛，主脉上疏生钩状小皮刺，边缘有不整齐粗锐锯齿，稀缺刻状，叶脉 9 ~ 12 对；叶柄长 5 ~ 10（~ 15）mm，被灰白色绒毛，有时具钩状小皮刺。5 ~ 6 花组成总状花序；花直径 1 ~ 1.5 cm；花梗细，长 1 ~ 3 cm，被绒毛状柔毛；

花瓣白色，宽卵形或近圆形，有短细柔毛。果实球形，直径 1 ～ 1.5 cm，由多数小核果组成，无毛，成熟时由绿紫红色变为黑紫色；核具明显皱纹。花期 5 ～ 6 月，果期 7 ～ 8 月。

| 生境分布 | 生于海拔 300 ～ 1 500 m 的山坡疏林、灌丛、溪谷及杂木林下。湖南有广泛分布。

| 资源情况 | 野生资源丰富。栽培资源一般。药材来源于野生和栽培。

| 功能主治 | 凉血止血，活血调经，收敛解毒，消食积，止泻痢。用于牙痛，痔漏，疔疮，月经不调。

蔷薇科 Rosaceae 悬钩子属 *Rubus*

灰白毛莓 *Rubus tephrodes* Hance

| 药 材 名 | 乌龙摆尾（药用部位：根。别名：乌泡）、蓬蘽（药用部位：果实）、乌龙摆尾叶（药用部位：叶。别名：蓬蘽叶）。

| 形态特征 | 攀缘灌木，高 3 ~ 4 m。枝密被灰白色绒毛，疏生微弯皮刺，并具长短不等的刺毛和腺毛，老枝上刺毛较长。单叶；叶片近圆形，长、宽均为 5 ~ 8（~ 11）cm，先端急尖或圆钝，基部心形，上面有疏柔毛或疏腺毛，下面密被灰白色绒毛，侧脉 3 ~ 4 对，主脉上有时疏生刺毛和小皮刺，基部有掌状五出脉，边缘有 5 ~ 7 圆钝裂片和不整齐锯齿；叶柄长 1 ~ 3 cm，具绒毛，疏生小皮刺、刺毛及腺毛；托叶小，离生，脱落，深条裂或梳齿状深裂，有绒毛状柔毛。大型圆锥花序顶生；总花梗和花梗均密被绒毛或绒毛状柔毛，通常仅总

花梗的下部有稀疏刺毛或腺毛；花梗短，长仅 1 cm；苞片与托叶相似；花直径约 1 cm；花萼密被灰白色绒毛，通常无刺毛或腺毛；萼片卵形，先端急尖，全缘；花瓣小，白色，近圆形至长圆形，比萼片短；雄蕊多数，花丝基部稍膨大；雌蕊 30 ~ 50，无毛，长于雄蕊。果实由多数小核果组成，球形，较大，直径达 1.4 cm，紫黑色，无毛；核有皱纹。花期 6 ~ 8 月，果期 8 ~ 10 月。

| **生境分布** | 生于海拔 1 500 m 以下的山坡、路旁或灌丛中。湖南有广泛分布。

| **资源情况** | 野生资源一般。药材来源于野生。

| **采收加工** | **乌龙摆尾：**秋、冬季采挖，除去须根，洗净，切片，晒干。

蓬蘽：秋季果实成熟时采收，晒干。

乌龙摆尾叶：夏季采收，鲜用或晒干。

| **功能主治** | **乌龙摆尾：**酸、涩，温。活血散瘀，祛风通络。用于经闭，腰痛，腹痛，筋骨疼痛，跌打损伤，感冒，痢疾。

蓬蘽：补肾益精，缩尿。用于头目眩晕，多尿，阳痿，不育，须发早白，痈疽。

乌龙摆尾叶：酸、涩，平。活血，解毒。用于跌打损伤，瘰疬，龋齿疼痛。

| **用法用量** | **乌龙摆尾：**内服煎汤，10 ~ 20 g。

蓬蘽：内服煎汤，6 ~ 15 g。

乌龙摆尾叶：内服捣烂兑酒，10 ~ 20 g。外用适量，捣敷。

蔷薇科 Rosaceae 悬钩子属 *Rubus*

无腺灰白毛莓 *Rubus tephrodes* Hance var. *ampliflorus* (Lévl. et Vant.) Hand.-Mazz.

| 药 材 名 | 无腺灰白毛莓（药用部位：根）。

| 形态特征 | 本变种和原变种的区别在于本变种的枝、花序和花萼均无腺毛及刺毛，或仅枝和叶柄有稀疏刺毛及腺毛。

| 生境分布 | 分布于湖南常德（安乡、临澧）等。

| 资源情况 | 野生资源稀少。药材来源于野生。

| 功能主治 | 活血通络，祛风除湿，止血。用于闭经，产后感冒，腰腿痛。

蔷薇科 Rosaceae 悬钩子属 *Rubus*

三花悬钩子 *Rubus trianthus* Focke

| 药 材 名 | 三花悬钩子（药用部位：全草或根、叶）。

| 形态特征 | 藤状灌木，高 0.5 ~ 2 m。枝细瘦，暗紫色，无毛，疏生皮刺，有时具白粉。单叶；叶片卵状披针形或长圆状披针形，长 4 ~ 9 cm，宽 2 ~ 5 cm，先端渐尖，基部心形，稀近截形，两面无毛，上面色较浅，3 裂或不裂，通常不育枝上的叶较大而 3 裂，顶生裂片卵状披针形，边缘有不规则或缺刻状锯齿；叶柄长 1 ~ 3（~ 4）cm，无毛，疏生小皮刺，基部有 3 脉；托叶披针形或线形，无毛。花常为 3，有时超过 3 花而组成短总状花序，常顶生；花梗长 1 ~ 2.5 cm，无毛；苞片披针形或线形；花直径 1 ~ 1.7 cm；花萼外面无毛；萼片三角形，先端长尾尖；花瓣长圆形或椭圆形，白色，几与萼片

等长；雄蕊多数，花丝宽而扁；雌蕊 10 ~ 50，子房无毛。果实近球形，直径约 1 cm，红色，无毛；核具皱纹。花期 4 ~ 5 月，果期 5 ~ 6 月。

| 生境分布 | 生于海拔 500 ~ 1 500 m 的山坡杂木林或草丛中，也常生于路旁、溪边及山谷等。分布于湖南张家界（武陵源、桑植）、湘西州（永顺）、郴州（宜章）、怀化（洪江）、长沙（浏阳）等。

| 资源情况 | 野生资源一般。栽培资源一般。药材来源于野生和栽培。

| 功能主治 | 凉血止血，活血散瘀，调经，收敛，解毒。用于瘀血肿痛，吐血，痔血，赤白带下，崩漏，月经不调，遗精，痢疾，小儿风寒感冒，咳嗽气急，龋齿，肾亏劳伤，跌打损伤，毒蛇咬伤，疮疖痈肿。

蔷薇科 Rosaceae 悬钩子属 *Rubus*

黄脉莓 *Rubus xanthoneurus* Focke ex Diels

| 药材名 |

地莓子（药用部位：根、叶）。

| 形态特征 |

攀缘灌木，高达 3 m。小枝具灰白色或黄灰色绒毛，老时毛脱落，疏生微弯小皮刺。单叶，长卵形至卵状披针形，长 7 ~ 12 cm，宽 4 ~ 7 cm，先端渐尖，基部浅心形或截形，上面沿叶脉有长柔毛，下面密被灰白色或黄白色绒毛，侧脉 7 ~ 8 对，棕黄色，边缘常浅裂，有不整齐粗锐锯齿；叶柄长 2 ~ 3 cm，有绒毛，疏生小皮刺；托叶离生，长 7 ~ 9 mm，边缘或先端深条裂，裂片线形，有毛。圆锥花序顶生或腋生；总花梗和花梗被绒毛状短柔毛；花梗长达 1.2 cm；萼片卵形，外被灰白色绒毛，先端渐尖，外萼片浅条裂，边缘干膜质而绒毛不脱落，至老时常显现白色边缘；花瓣小，白色，倒卵圆形，长约 3 mm，比萼片短很多，有细柔毛。果实近球形，暗红色，无毛；核具细皱纹。花期 6 ~ 7 月，果期 8 ~ 9 月。

| 生境分布 |

生于海拔 2 000 m 以下的荒野、山坡疏林阴处或密林中，或生于路旁沟边。分布于湖南

邵阳（邵东）、郴州（宜章）等。

| 资源情况 | 野生资源丰富。栽培资源一般。药材来源于野生和栽培。

| 功能主治 | 凉血止血，活血调经，收敛，解毒，消食积，止泻痢。用于牙痛，痔漏，疔疮，月经不调。

蔷薇科 Rosaceae 地榆属 *Sanguisorba*

地榆 *Sanguisorba officinalis* L.

药材名

地榆（药用部位：根。别名：红地榆、血见草）、地榆叶（药用部位：叶）。

形态特征

多年生草本，高 30 ~ 120 cm。根粗壮，多呈纺锤形，稀呈圆柱形，表面棕褐色或紫褐色，有纵皱纹及横裂纹，横切面黄白色或紫红色。茎直立，有棱，无毛或基部有稀疏腺毛。基生叶为羽状复叶，有小叶 4 ~ 6 对，叶柄无毛或基部有稀疏腺毛，小叶片有短柄，卵形或长圆状卵形，长 1 ~ 7 cm，宽 0.5 ~ 3 cm，先端圆钝，稀急尖，基部心形至浅心形，边缘有多数粗大圆钝锯齿或急尖的锯齿，两面绿色，无毛；茎生叶较少，小叶片有短柄至几无柄，长圆形至长圆状披针形，狭长，基部微心形至圆形，先端急尖；基生叶托叶膜质，褐色，外面无毛或被稀疏腺毛；苞片膜质，披针形，先端渐尖至尾尖，比萼片短或与萼片近等长，背面及边缘有柔毛；萼片 4，紫红色，椭圆形至宽卵形；雄蕊 4，花丝丝状，不扩大，与萼片近等长或比萼片稍短；子房外面无毛或基部微被毛，边缘具流苏状乳头。果实包藏在宿存萼筒内，外面有 4 棱。花果期 7 ~ 10 月。

| 生境分布 | 生于海拔 30 ~ 300 m 的草原、草甸、山坡草地、灌丛中或疏林下。湖南有广泛分布。

| 资源情况 | 野生资源丰富。药材来源于野生。

| 采收加工 | **地榆：** 春、秋季采挖，洗净，晒干，或趁鲜切片，干燥。

地榆叶： 夏季采收，鲜用或晒干。

| 药材性状 | **地榆：** 本品圆柱形，略扭曲状弯曲，长 18 ~ 22 cm，直径 0.5 ~ 2 cm，有时可见侧生支根或支根痕。表面棕褐色，具明显纵皱纹，先端有圆柱状根茎或残基。质坚稍脆，折断面平整，略呈粉质，横断面形成层环明显，皮部淡黄色，木部棕黄色或带粉红色，呈放射状排列。气微，味微苦、涩。

| 功能主治 | **地榆：** 苦、酸，微寒。归肝、胃、大肠经。凉血止血，清热解毒，消肿敛疮。用于吐血，咯血，衄血，尿血，便血，痔血，血痢，崩漏，赤白带下，疮痈肿痛，湿疹，阴痒，烫火伤，蛇虫咬伤。

地榆叶： 苦，微寒。归胃经。清热解毒。用于热病发热，疮疡肿痛。

| 用法用量 | **地榆：** 内服煎汤，6 ~ 15 g，鲜品 30 ~ 120 g；或入丸、散剂；或绞汁。外用适量，煎汤或捣汁外涂；或研末外掺；或捣敷。

地榆叶： 内服煎汤或泡茶，3 ~ 9 g。外用适量，鲜品捣敷。

蔷薇科 Rosaceae 地榆属 *Sanguisorba*

长叶地榆 *Sanguisorba officinalis* var. *longifolia* (Bertol) Yü et Li

| 药 材 名 |

长叶地榆（药用部位：根。别名：红地榆、血见草）、长叶地榆叶（药用部位：叶）。

| 形态特征 |

基生叶小叶带状长圆形至带状披针形，基部微心形、圆形至宽楔形；茎生叶较多，形态与基生叶相似，但更长而狭窄。花穗长圆柱形，长 2 ~ 6 cm，直径 0.5 ~ 1 cm，雄蕊与萼片近等长。花果期 8 ~ 11 月。

| 生境分布 |

生于海拔 30 ~ 300 m 的草原、草甸、山坡草地、灌丛中或疏林下。湖南有广泛分布。

| 资源情况 |

野生资源一般。药材来源于野生。

| 采收加工 |

长叶地榆：春、秋季采挖，洗净，晒干，或趁鲜切片，干燥。

长叶地榆叶：夏季采收，鲜用或晒干。

| 药材性状 |

长叶地榆：本品圆柱形，常弯曲，长 15 ~

26 cm，直径 0.5 ~ 2 cm，有时支根较多。表面棕褐色。质较坚韧，不易折断，折断面细毛状，可见众多纤维；横断面形成层环不明显，皮部黄色，木部淡黄色，不呈放射状排列。气弱，味微苦、涩。

| 功能主治 | **长叶地榆：**苦、酸，微寒。归肝、胃、大肠经。凉血止血，清热解毒，消肿敛疮。用于吐血，咯血，衄血，尿血，便血，痔血，血痢，崩漏，赤白带下，疮痈肿痛，湿疹，阴痒，烫火伤，蛇虫咬伤。

长叶地榆叶：苦，微寒。归胃经。清热解毒。用于发热，疮疡肿痛。

| 用法用量 | **长叶地榆：**内服煎汤，6 ~ 15 g；或入丸、散剂；或绞汁。外用适量，煎汤或捣汁涂；或研末掺；或捣敷。

长叶地榆叶：内服煎汤或泡茶，3 ~ 9 g。外用适量，鲜品捣敷。

蔷薇科 Rosaceae 花楸属 *Sorbus*

水榆花楸 *Sorbus alnifolia* (Sieb. et Zucc.) K. Koch

|药 材 名|

水榆（药用部位：果实。别名：糯米珠）。

|形态特征|

乔木，高达 20 m。小枝圆柱形，具灰白色皮孔，幼时微具柔毛，二年生枝暗红褐色，老枝暗灰褐色，无毛；冬芽卵形，先端急尖，外具数枚暗红褐色无毛鳞片。叶片卵形至椭圆状卵形，长 5 ~ 10 cm，宽 3 ~ 6 cm，先端短渐尖，基部宽楔形至圆形，边缘有不整齐的尖锐重锯齿，有时微浅裂，上下两面无毛或下面的中脉和侧脉微具短柔毛，侧脉 6 ~ 10（~ 14）对，直达叶边齿尖；叶柄长 1.5 ~ 3 cm，无毛或具稀疏柔毛。复伞房花序较疏松，具花 6 ~ 25，总花梗和花梗具稀疏柔毛；花梗长 6 ~ 12 mm；花直径 10 ~ 14（~ 18）mm；萼筒钟状，外面无毛，内面近无毛；萼片三角形，先端急尖，外面无毛，内面密被白色绒毛；花瓣卵形或近圆形，长 5 ~ 7 mm，宽 3.5 ~ 6 mm，先端圆钝，白色；雄蕊 20，短于花瓣；花柱 2，基部或中部以下合生，光滑无毛，短于雄蕊。果实椭圆形或卵形，直径 7 ~ 10 mm，长 10 ~ 13 mm，红色或黄色，不具斑点或具极少数细小斑点，2 室，萼片脱落后果实

先端残留圆斑。花期 5 月，果期 8 ~ 9 月。

| 生境分布 | 生于海拔 500 ~ 2 000 m 的山坡、山沟、山顶混交林或灌丛中。分布于湖南衡阳（衡南）、益阳（桃江）、郴州（宜章）等。

| 资源情况 | 野生资源较少。药材来源于野生。

| 采收加工 | 秋季果实成熟时采摘，晒干。

| 功能主治 | 甘，平。归肝、脾经。养血补虚。用于血虚面色萎黄，劳倦乏力。

| 用法用量 | 内服煎汤，60 ~ 150 g。

蔷薇科 Rosaceae 花楸属 *Sorbus*

美脉花楸 *Sorbus caloneura* (Stapf) Rehd.

| 药 材 名 | 美脉花楸（药用部位：果实、根、枝叶）。

| 形态特征 | 乔木或灌木，高达 10 m。小枝圆柱形，具少数不明显皮孔，暗红褐色，幼时无毛；冬芽卵形，外被数枚褐色鳞片，无毛。叶片长椭圆形、长椭圆状卵形至长椭圆状倒卵形，长 7 ~ 12 cm，宽 3 ~ 5.5 cm，先端渐尖，基部宽楔形至圆形，边缘有圆钝锯齿，上面常无毛，下面叶脉有稀疏柔毛，侧脉 10 ~ 18 对，直达叶边齿尖；叶柄长 1 ~ 2 cm，无毛。复伞房花序多花，总花梗和花梗被稀疏黄色柔毛；花梗长 5 ~ 8 mm；花直径 6 ~ 10 mm；萼筒钟状，外面具稀疏柔毛，内面无毛；萼片三角状卵形，先端急尖，外面被稀疏柔毛，内面近无毛；花瓣宽卵形，长 3 ~ 4 mm，宽几与长相等，先端圆钝，白

色。果实球形，稀倒卵形，直径约 1 cm，长 1 ~ 1.4 cm，褐色，外被显著斑点，4 ~ 5 室，萼片脱落后残留圆斑。花期 4 月，果期 8 ~ 10 月。

| 生境分布 | 生于海拔 600 ~ 2 000 m 的杂木林内、河谷或山地。分布于湖南湘西州（永顺、龙山）、怀化（洪江）、邵阳（新邵）等。

| 资源情况 | 野生资源较少。栽培资源稀少。药材来源于野生和栽培。

| 功能主治 | 果实、根，消积健胃，收敛止泻。枝叶，消炎，止血。用于无名肿毒，乳腺炎，刀伤出血。

蔷薇科 Rosaceae 花楸属 *Sorbus*

石灰花楸 *Sorbus folgneri* (Schneid.) Rehd.

| 药 材 名 | 石灰树（药用部位：茎枝。别名：粉背叶）。

| 形态特征 | 乔木，高达 10 m。小枝圆柱形，具少数皮孔，黑褐色，幼时被白色绒毛；冬芽卵形，先端急尖，外具数枚褐色鳞片。叶片卵形至椭圆状卵形，长 5 ~ 8 cm，宽 2 ~ 3.5 cm，先端急尖或短渐尖，基部宽楔形或圆形，边缘有细锯齿，新枝上的叶片有重锯齿和浅裂片，上面深绿色，无毛，下面密被白色绒毛，中脉和侧脉也具绒毛，侧脉通常 8 ~ 15 对，直达叶边锯齿先端；叶柄长 5 ~ 15 mm，密被白色绒毛。复伞房花序具多花，总花梗和花梗均被白色绒毛；花梗长 5 ~ 8 mm；花直径 7 ~ 10 mm；萼筒钟状，外被白色绒毛，内面稍具绒毛；萼片三角状卵形，先端急尖，外面被绒毛，内面微有绒毛；

花瓣卵形，长 3 ~ 4 mm，宽 3 ~ 3.5 mm，先端圆钝，白色；雄蕊 18 ~ 20，几与花瓣等长或比花瓣稍长；花柱 2 ~ 3，近基部合生并有绒毛，短于雄蕊。果实椭圆形，直径 6 ~ 7 mm，长 9 ~ 13 mm，红色，近平滑或有极少数不明显的细小斑点，2 ~ 3 室，先端萼片脱落后留有圆穴。花期 4 ~ 5 月，果期 7 ~ 8 月。

| 生境分布 | 生于海拔 800 ~ 2 000 m 的山坡杂木林中。分布于湖南邵阳（绥宁、武冈）、永州（零陵）、怀化（洪江、靖州）等。

| 资源情况 | 野生资源较少。药材来源于野生。

| 采收加工 | 秋季采收，切段，晒干。

| 功能主治 | 祛风除湿，舒筋活络。用于风湿痹痛，周身麻木。

| 用法用量 | 外用适量，煎汤熏洗。

蔷薇科 Rosaceae 花楸属 *Sorbus*

大果花楸 *Sorbus megalocarpa* Rehd.

| 药 材 名 | 大果花楸（药用部位：枝叶、茎、根、果实）。

| 形态特征 | 灌木或小乔木，高 5 ~ 8 m，有时附生在其他乔木枝干上面。小枝粗壮，圆柱形，具明显皮孔，幼嫩时微被短柔毛，老时毛脱落，黑褐色。叶片椭圆状倒卵形或倒卵状长椭圆形，长 10 ~ 18 cm，宽 5 ~ 9 cm，先端渐尖，基部楔形或近圆形，边缘有浅裂片和圆钝细锯齿，上下两面均无毛，有时下面脉腋间有少数柔毛，侧脉 14 ~ 20 对，直达叶边锯齿尖端，在上面微下陷，在下面凸起；叶柄长 1 ~ 1.8 cm，无毛。复伞房花序多花，总花梗和花梗被短柔毛；花梗长 5 ~ 8 mm；花直径 5 ~ 8 mm；萼筒钟状，外面被短柔毛，内面近无毛；花瓣宽卵形至近圆形，长约 3 mm，宽几与长相等，先

端圆钝；雄蕊 20，约与花瓣等长。果实卵球形或扁圆形，直径 1 ~ 1.5 cm，有时达 2 cm，长 2 ~ 3.5 cm，暗褐色，密被锈色斑点，3 ~ 4 室，萼片残存在果实先端呈短筒状。花期 4 月，果期 7 ~ 8 月。

| 生境分布 | 生于海拔 1 300 ~ 2 000 m 的杂木林内、河谷地或山地。分布于湖南郴州（宜章、桂东）、永州（双牌）等。

| 资源情况 | 野生资源稀少。栽培资源稀少。药材来源于野生和栽培。

| 功能主治 | 枝叶，用于乳腺炎。茎，消炎，止血。用于肿毒，乳痈，刀伤出血。根、果实，健脾，镇咳，祛痰。

蔷薇科 Rosaceae 花楸属 *Sorbus*

华西花楸 *Sorbus wilsoniana* Schneid.

| 药 材 名 | 华西花楸（药用部位：果实）。

| 形态特征 | 乔木，高 5 ~ 10 m。小枝粗壮，圆柱形，暗灰色，有皮孔，无毛；冬芽长卵形，肥大，先端急尖，外被数枚红褐色鳞片，无毛或先端具柔毛。大型奇数羽状复叶，连叶柄长 20 ~ 25 cm；叶柄长 5 ~ 6 cm；小叶片 6 ~ 7 对，每对间隔 1.5 ~ 3 cm，先端和基部的小叶片常较中部的小叶片稍小，长圆状椭圆形或长圆状披针形，长 5 ~ 8.5 cm，宽 1.8 ~ 2.5 cm，边缘有细锯齿，基部近全缘，上下两面均无毛或仅下面沿中脉有短柔毛，侧脉 17 ~ 20 对，在边缘稍弯曲；托叶发达，草质，半圆形，有锐锯齿，有时开花后脱落。复伞房花序具多数密集的花，总花梗和花梗均被短柔毛；花直径 6 ~ 7 mm；

花瓣卵形，长与宽均为 3 ~ 3.5 mm，先端圆钝，稀微凹，白色，内面无毛或微有柔毛。果实卵形，直径 5 ~ 8 mm，橘红色，先端有宿存的闭合萼片。花期 5 月，果期 9 月。

| 生境分布 | 生于海拔 1 300 ~ 2 000 m 的山地杂木林中。分布于湖南怀化（洪江）等。

| 资源情况 | 野生资源稀少。药材来源于野生。

| 功能主治 | 利肺止咳，生津补脾。

| 附　　注 | 本种与湖北花楸 *Sorbus hupehensis* Schneid. 的区别在于本种托叶大型、草质，果实常呈橘红色而非白色。

蔷薇科 Rosaceae 绣线菊属 *Spiraea*

麻叶绣线菊 *Spiraea cantoniensis* Lour.

| 药 材 名 | 麻叶绣球（药用部位：根或根皮。别名：山茴香）、麻叶绣球果（药用部位：果实）。

| 形态特征 | 灌木，高达 1.5 m。小枝细瘦，圆柱形，呈拱形弯曲，幼时暗红褐色，无毛；冬芽小，卵形，先端尖，无毛，有数枚外露鳞片。叶片菱状披针形至菱状长圆形，长 3 ~ 5 cm，宽 1.5 ~ 2 cm，先端急尖，基部楔形，边缘自中部以上有缺刻状锯齿，上面深绿色，下面灰蓝色，两面无毛，有羽状叶脉；叶柄长 4 ~ 7 mm，无毛。伞形花序具多数花；花梗长 8 ~ 14 mm，无毛；苞片线形，无毛；花直径 5 ~ 7 mm；萼筒钟状，外面无毛，内面被短柔毛；萼片三角形或卵状三角形，先端急尖或短渐尖，内面微被短柔毛；花瓣近圆形或倒卵形，先端

微凹或圆钝，长与宽均为 2.5 ~ 4 mm，白色；雄蕊 20 ~ 28，稍短于花瓣或几与花瓣等长；花盘由大小不等的近圆形裂片组成，裂片先端有时微凹，排列成圆环形；子房近无毛，花柱短于雄蕊。蓇葖果直立开张，无毛，花柱顶生，常倾斜开展，具直立开张萼片。花期 4 ~ 5 月，果期 7 ~ 9 月。

| 生境分布 | 生于海拔 500 ~ 2 000 m 的向阳山坡、杂木林内或路旁。湖南有广泛分布。

| 资源情况 | 栽培资源丰富。药材来源于栽培。

| 采收加工 | **麻叶绣球：**全年均可采收，洗净，晒干。

麻叶绣球果：秋季果实成熟时采收，晒干。

| 功能主治 | **麻叶绣球：**辛，微温。归肝、脾经。活血止痛，解毒祛湿。用于跌打损伤，瘀滞疼痛，咽喉肿痛，带下，疮毒，湿疹。

麻叶绣球果：辛，微温。理气和中。用于脘腹胀痛。

| 用法用量 | **麻叶绣球：**内服煎汤，15 ~ 30 g；或浸酒。外用适量，研末，浸油搽。

麻叶绣球果：内服研末，3 g。

蔷薇科 Rosaceae 绣线菊属 *Spiraea*

中华绣线菊 *Spiraea chinensis* Maxim.

| 药 材 名 | 中华绣线菊（药用部位：根）。

| 形态特征 | 灌木，高 1.5 ~ 3 m。小枝拱形弯曲，红褐色，幼时被黄色绒毛，有时无毛；冬芽卵形，先端急尖，有数枚鳞片，外被柔毛。叶片菱状卵形至倒卵形，长 2.5 ~ 6 cm，宽 1.5 ~ 3 cm，先端急尖或圆钝，基部宽楔形或圆形，边缘有缺刻状粗锯齿，或具不明显 3 裂，上面暗绿色，被短柔毛，脉纹深陷，下面密被黄色绒毛，脉纹凸起；叶柄长 4 ~ 10 mm，被短绒毛。伞形花序具花 16 ~ 25；花梗长 5 ~ 10 mm，具短绒毛；苞片线形，被短柔毛；花直径 3 ~ 4 mm；花瓣近圆形，先端微凹或圆钝，长与宽均为 2 ~ 3 mm，白色；雄蕊 22 ~ 25，短于花瓣或与花瓣等长；花盘波状圆环形或具不整齐的裂

片；子房具短柔毛，花柱短于雄蕊。蓇葖果开张，全体被短柔毛，花柱顶生，直立或稍倾斜，具直立或反折萼片。花期 3 ~ 6 月，果期 6 ~ 10 月。

| 生境分布 | 生于海拔 500 ~ 2 000 m 的山坡灌丛中、山谷溪边、田野、路旁。湖南有广泛分布。

| 资源情况 | 野生资源丰富。栽培资源一般。药材来源于野生和栽培。

| 功能主治 | 清热解毒。

蔷薇科 Rosaceae 绣线菊属 *Spiraea*

翠蓝绣线菊 *Spiraea henryi* Hemsl.

| 药 材 名 | 翠蓝绣线菊（药用部位：花、叶）。

| 形态特征 | 灌木，高 1 ~ 3 m。枝条开展，小枝圆柱形，幼时被短柔毛，后毛脱落。叶片椭圆形、椭圆状长圆形或倒卵状长圆形，长 2 ~ 7 cm，宽 0.8 ~ 2.3 cm，先端急尖或稍圆钝，基部楔形，有时具少数粗锯齿，全缘，上面深绿色，无毛或疏生柔毛，下面密生细长柔毛，沿叶脉毛较多。复伞房花序密集在侧生短枝先端，直径 4 ~ 6 cm，多花，具长柔毛；花梗长 5 ~ 8 mm；苞片披针形，上面有稀疏柔毛，下面毛较密；花直径 5 ~ 6 mm；花瓣宽倒卵形至近圆形，先端常微凹，稀圆钝，长 2 ~ 2.5 mm，宽 2 ~ 3 mm，白色；雄蕊 20，几与花瓣等长；花盘有肥厚的圆球形裂片 10；子房具有细长柔毛，花柱短于

雄蕊。蓇葖果开张，具细长柔毛；花柱顶生，稍向外倾斜开展，具直立萼片。花期 4 ～ 5 月，果期 7 ～ 8 月。

| 生境分布 | 生于海拔 1 500 ～ 2 000 m 的岩石坡地、山麓或山顶丛林中。分布于湖南益阳（桃江）、怀化（中方、辰溪、麻阳）、湘西州（龙山）等。

| 资源情况 | 野生资源稀少。栽培资源稀少。药材来源于野生和栽培。

| 功能主治 | 清热解毒，散瘀。用于咽喉肿痛，跌打损伤。

蔷薇科 Rosaceae 绣线菊属 *Spiraea*

疏毛绣线菊 *Spiraea hirsuta* (Hemsl.) Schneid.

| 药 材 名 | 疏毛绣线菊（药用部位：花、叶）。

| 形态特征 | 灌木，高 1 ~ 1.5 m。枝条圆柱形，稍呈“之”字形弯曲，嫩时具短柔毛，棕褐色，老时灰褐色或暗红褐色；冬芽小，卵形，有数枚鳞片。叶片倒卵形或椭圆形，稀卵圆形，长 1.5 ~ 3.5 cm，宽 1 ~ 2 cm，先端圆钝，基部楔形，边缘自中部以上或先端有钝锯齿或稍锐锯齿，上面具稀疏柔毛，下面蓝绿色，具稀疏短柔毛，叶脉明显；叶柄长约 5 mm，具短柔毛。伞形花序直径 3.5 ~ 4.5 cm，被短柔毛，具 20 以上花；花梗密集，长 1.2 ~ 2.2 cm；苞片线形；花直径 6 ~ 8 mm；萼筒钟状，内外两面均被短柔毛；花瓣宽倒卵形，稀近圆形，长 2.5 ~ 3 mm，宽 3 ~ 4 mm，白色；花盘具肥厚的裂片 10，裂片先

端微凹；子房微具短柔毛，花柱短于雄蕊。蓇葖果稍开张，具稀疏短柔毛，花柱顶生于背部，倾斜开展，常具直立萼片。花期 5 月，果期 7 ～ 8 月。

| 生境分布 | 生于海拔 600 ～ 1 700 m 的山坡或岩石上。湖南有广泛分布。

| 资源情况 | 野生资源较少。栽培资源较少。药材来源于野生和栽培。

| 功能主治 | 活血散瘀，止痛。用于跌打损伤，腹胀痛。

| 附　　注 | 本种与中华绣线菊 *Spiraea chinensis* Maxim. 的形态相似，但中华绣线菊叶片下面密被黄色绒毛，叶边锯齿较密且尖锐。

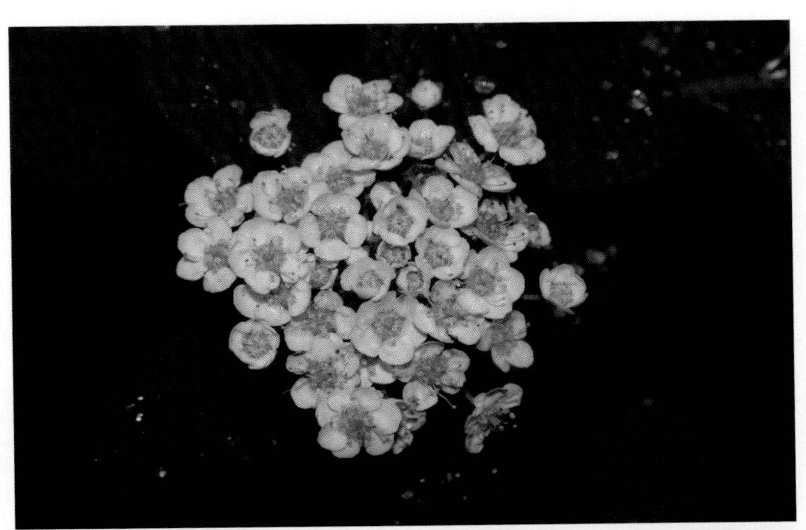

蔷薇科 Rosaceae 绣线菊属 *Spiraea*

粉花绣球菊 *Spiraea japonica* L. f.

| 药材名 | 绣线菊根（药用部位：根。别名：火烧尖）、绣线菊叶（药用部位：叶）。

| 形态特征 | 灌木，高达 1.5 m。枝条细长，开展，小枝近圆柱形，无毛或幼时被短柔毛。冬芽卵形，先端急尖，有数个鳞片。单叶互生；叶柄长 1 ~ 3 cm，具短柔毛；叶片卵形至卵状椭圆形长 2 ~ 8 cm，宽 1 ~ 3 cm，先端急尖至短渐尖，基部楔形，边缘有缺刻状重锯齿或单锯齿，上面暗绿色，无毛或沿叶脉微具短柔毛，下面色浅或有白霜，通常沿叶脉有短柔毛。复伞房花序生于当年生的直立新枝先端。花朵密集，密被柔毛：花梗长 4 ~ 6 mm；苞片披针形至线状披针形，下面微被柔毛；花直径 4 ~ 7 mm；花萼外面有稀疏短柔毛；萼筒钟状，

内面有短柔毛，萼片三角形，先端急尖；花瓣卵形至圆形，先端通常圆钝，长 2.5 ~ 3.5 mm，宽 2 ~ 3 mm，粉红色；雄蕊 25 ~ 30，远较花瓣长，花盘圆环形，约有不整齐的裂片 10，蓇葖果半开张。无毛或沿腹缝有稀疏柔毛，花柱顶生，萼片常直立。花期 6 ~ 7 月，果期 8 ~ 9 月。

| 生境分布 | 生于海拔 700 ~ 3 000 m 的山坡、田野杂木林下。分布于湖南邵阳（绥宁、武冈）、永州（零陵）、怀化（洪江、靖州）等。

| 资源情况 | 野生资源较少。药材来源于野生。

| 采收加工 | **绣线菊根：** 7 ~ 8 月挖取根，除去泥土，洗净，晒干。

绣线菊叶： 春、秋季采收，鲜用或晒干。

| 功能主治 | **绣线菊根：** 苦、微辛，凉。祛风清热，明目退翳。用于咳嗽，头痛，牙痛。目赤翳障。

绣线菊叶： 味淡，平，解毒消肿，去腐生肌。用于阴疽。

| 用法用量 | **绣线菊根：** 内服煎汤，9 ~ 15 g。外用适量，煎汤熏洗。

绣线菊叶： 外用适量，鲜品捣敷；或干品研末撒敷。

蔷薇科 Rosaceae 绣线菊属 *Spiraea*

无毛粉花绣线菊 *Spiraea japonica* var. *glabra* (Regel) Koidz.

| 药 材 名 | 无毛粉花绣线菊（药用部位：全株）。

| 形态特征 | 叶片卵形、卵状长圆形或长椭圆形，先端急尖或短渐尖，基部楔形至圆形，长 3.5 ~ 9 cm，边缘有尖锐重锯齿，两面无毛。复伞房花序无毛，直径可达 12 cm；花粉红色。

| 生境分布 | 生于海拔 1 600 ~ 1 900 m 的石砾地或林下、林缘。分布于湖南怀化（会同）等。

| 资源情况 | 野生资源稀少。栽培资源稀少。药材来源于野生和栽培。

| 功能主治 | 解毒生肌，活血通经，利尿通便。用于慢性骨髓炎，闭经，月经不调，便秘腹胀，小便不利；外用于外伤出血。

蔷薇科 Rosaceae 绣线菊属 *Spiraea*

渐尖绣线菊 *Spiraea japonica* var. *acuminata* Franch.

| 药 材 名 | 渐尖绣线菊（药用部位：全株）。

| 形态特征 | 叶片长卵形至披针形，先端渐尖，基部楔形，长 3.5 ～ 8 cm，边缘有尖锐重锯齿，下面沿叶脉有短柔毛。复伞房花序直径 10 ～ 14 cm，有时达 18 cm；花粉红色。

| 生境分布 | 生于海拔 950 ～ 2 000 m 的山坡旷地、疏密杂木林中、山谷或河沟旁。分布于湖南永州（双牌）、怀化（辰溪）、长沙（浏阳）等。

| 资源情况 | 野生资源稀少。药材来源于野生。

| 功能主治 | 解毒生肌，通经，通便，利尿。用于闭经，月经不调，便结腹胀，小便不利，淋证。

蔷薇科 Rosaceae 绣线菊属 *Spiraea*

李叶绣线菊 *Spiraea prunifolia* Sieb. et Zucc.

| 药 材 名 | 笑靥花（药用部位：根）。

| 形态特征 | 灌木，高达 3 m。小枝细长，稍有棱角，幼时被短柔毛，后毛逐渐脱落，老时近无毛；冬芽小，卵形，无毛，有数枚鳞片。单叶互生；叶柄长 2 ~ 4 mm，被短柔毛；叶片卵形至长圆披针形，长 1.5 ~ 3 cm，宽 0.7 ~ 1.4 cm，先端急尖，基部楔形，边缘有细锐单锯齿，上面幼时微被短柔毛，老时仅下面有短柔毛，具羽状脉。伞形花序无总梗，具花 3 ~ 6，基部着生数枚小型叶片；花梗长 6 ~ 10 mm，有短柔毛；花重瓣，直径达 1 cm，白色。花期 3 ~ 5 月。

| 生境分布 | 栽培种。分布于湖南长沙（岳麓）、湘潭（雨湖、湘乡）、邵阳（大祥）、常德（武陵、澧县）、衡阳（衡东）、岳阳（汨罗）、株洲（渌

口）等。

| 资源情况 | 栽培资源一般。药材来源于栽培。

| 采收加工 | 秋、冬季采挖，除去泥土和须根，晒干。

| 功能主治 | 利咽消肿，祛风止痛。用于咽喉肿痛，风湿痹痛。

| 用法用量 | 内服煎汤，15 ~ 30 g。外用适量，捣敷。

蔷薇科 Rosaceae 绣线菊属 *Spiraea*

单瓣李叶绣线菊 *Spiraea prunifolia* Sieb. et Zucc. var. *simpliciflora* Nakai

| 药 材 名 | 渐尖绣线菊（药用部位：根）。

| 形态特征 | 花单瓣，直径约 6 mm；萼筒钟状，内外两面均被短柔毛；萼片卵状三角形，先端急尖，外面微被短柔毛，内面毛较密；花瓣宽倒卵形，先端圆钝，长 2 ~ 4 mm，宽几与长相等，白色；雄蕊 20，长约为花瓣的 1/2 或 1/3；花盘圆环形，具 10 明显裂片；子房具短柔毛，花柱短于雄蕊。蓇葖果仅在腹缝上具短柔毛，开张，花柱顶生于背部，具直立萼片。花期 3 ~ 4 月，果期 4 ~ 7 月。

| 生境分布 | 生于海拔 550 ~ 1 000 m 的坡地或岩石上。分布于湖南株洲（芦淞）、湘潭（韶山）、郴州（桂阳）、娄底（冷水江）、长沙（望城）等。

| 资源情况 | 野生资源稀少。药材来源于野生。

| 功能主治 | 清热解毒。用于咽喉痛。

蔷薇科 Rosaceae 小米空木属 *Stephanandra*

华空木 *Stephanandra chinensis* Hance

| 药材名 | 野珠兰（药用部位：根。别名：鲤鱼红）。

| 形态特征 | 灌木，高达 1.5 m。小枝细弱，圆柱形，微具柔毛，红褐色，冬芽小，卵形，先端稍钝，红褐色，鳞片边缘微被柔毛。单叶互生；叶柄长 6 ~ 8 mm，近无毛；托叶线状披针形至椭圆状披针形，长 6 ~ 8 mm，先端渐尖，全缘或有锯齿，两面近无毛；叶片卵形至长椭圆形，长 5 ~ 7 cm，宽 2 ~ 3 cm，先端渐尖，稀尾尖，基部近心形或圆形，稀宽楔形，边缘常浅裂并有重锯齿，两面无毛，或下面沿叶脉处微被柔毛。顶生疏松的圆锥花序，长 5 ~ 8 cm，直径 2 ~ 3 cm，花梗长 3 ~ 6 mm，总花梗和花梗均无毛；苞片小，披针形至线状披针形；萼筒杯状，无毛；萼片三角状卵形，长约 2 mm，先端钝，有短尖，

全缘；花瓣倒卵形，稀长圆形，长约 2 mm，先端钝，白色；雄蕊 10，着生在萼筒边缘，较花瓣短约一半；心皮 1，子房外被柔毛，花柱顶生，直立。蓇葖果近球形，直径约 2 mm，被稀疏柔毛，具直立的宿存萼片；种子 1，卵球形。花期 5 月，果期 7 ～ 8 月。

| **生境分布** | 生于海拔 100 ～ 1 500 m 的阔叶林边或灌丛中。湖南有广泛分布。

| **资源情况** | 野生资源一般。药材来源于野生。

| **采收加工** | 秋、冬季采挖，除去泥土、须根，晒干。

| **功能主治** | 苦，微寒。解毒利咽，止血调经。用于咽喉肿痛，血崩，月经不调。

| **用法用量** | 内服煎汤，15 ～ 30 g。

蔷薇科 Rosaceae 红果树属 *Stranvaesia*

毛萼红果树 *Stranvaesia amphidoxa* Schneid.

| 药材名 | 毛萼红果树（药用部位：根）。

| 形态特征 | 灌木或小乔木，高 2 ~ 4 m。分枝较密；小枝粗壮，有棱条，幼时被黄褐色柔毛，后毛脱落，当年生枝紫褐色，老枝黑褐色，疏生浅褐色皮孔；冬芽卵形，先端急尖，红褐色，鳞片边缘具柔毛。叶片椭圆形、长圆形或长圆状倒卵形，长 4 ~ 10 cm，宽 2 ~ 4 cm，先端渐尖或尾状渐尖，基部楔形或宽楔形，稀近圆形，边缘有带短芒的细锐锯齿，上面深绿色，无毛或近无毛，中脉和 6 ~ 8 对侧脉均下陷，下面褐黄色，沿中脉具柔毛，中脉和侧脉均显著凸起；叶柄宽而短，长 2 ~ 4 mm，有柔毛。花直径约 8 mm；花瓣白色，近圆形，直径 5 ~ 7 mm，基部具短爪；花柱 5，大部分合生，外被黄

白色绒毛，柱头头状，比雄蕊稍短。果实卵形，红黄色，直径 1 ～ 1.4 cm，外面常微被柔毛，具浅色斑点；萼片宿存，直立或内弯，外被柔毛。花期 5 ～ 6 月，果期 9 ～ 10 月。

| 生境分布 | 生于海拔 500 ～ 1 500 m 的山坡、路旁、灌丛中。分布于湖南张家界（永定）、怀化（通道、洪江）等。

| 资源情况 | 野生资源较少。药材来源于野生。

| 功能主治 | 苦、酸，寒。清热解毒，凉血，止血。用于吐血，衄血，血痢，崩漏，湿疹，金疮，烧伤。

蔷薇科 Rosaceae 红果树属 *Stranvaesia*

红果树 *Stranvaesia davidiana* Dcne.

|药材名|

红果树（药用部位：果实）。

|形态特征|

灌木或小乔木，高 1 ~ 10 m。枝条密集，小枝粗壮，圆柱形，幼时密被长柔毛，后毛逐渐脱落，当年枝条紫褐色，老枝灰褐色，有不明显的稀疏皮孔；冬芽长卵形，先端短渐尖，红褐色，近无毛或鳞片边缘有短柔毛。叶片长圆形、长圆状披针形或倒披针形，长 5 ~ 12 cm，宽 2 ~ 4.5 cm，先端急尖或突尖，基部楔形至宽楔形，全缘，上面中脉下陷，沿中脉被灰褐色柔毛，下面中脉凸起，侧脉 8 ~ 16 对，不明显，沿中脉有稀疏柔毛。复伞房花序直径 5 ~ 9 cm，密具多花；总花梗和花梗均被柔毛；花梗短，长 2 ~ 4 mm；花直径 5 ~ 10 mm；花瓣近圆形，直径约 4 mm，基部有短爪，白色；雄蕊 20，花药紫红色；花柱 5，大部分连合，柱头头状，比雄蕊稍短，子房先端被绒毛。果实近球形，橘红色，直径 7 ~ 8 mm；种子长椭圆形。花期 5 ~ 6 月，果期 9 ~ 10 月。

|生境分布|

生于海拔 100 ~ 2 000 m 的山坡、山顶、

路旁及灌丛中。分布于湖南郴州（桂阳）、永州（冷水滩）、岳阳（平江）、长沙（浏阳）、怀化（洪江）、湘西州（龙山）、张家界（桑植）等。

| 资源情况 | 野生资源一般。栽培资源稀少。药材来源于野生和栽培。

| 功能主治 | 清热除湿，化瘀止痛。用于风湿痹痛，跌打损伤，消化不良，痢疾。

蔷薇科 Rosaceae 红果树属 *Stranvaesia*

波叶红果树

Stranvaesia davidiana Dcne. var. *undulata* (Dcne.) Rehd et Wils.

| 药 材 名 | 波叶红果树（药用部位：果实）。

| 形态特征 | 灌木或小乔木。叶片较小，椭圆状长圆形至长圆状披针形，边缘波皱起伏。复伞房花序密集多花，近无毛；萼片三角状卵形，长不及被丝托的 1/2；花瓣白色，近圆形，基部具短爪；雄蕊 20，花药紫红色；花柱 5，大部分合生。果实橘红色；种子长椭圆形。

| 生境分布 | 生于海拔 900 ~ 2 000 m 的山坡、灌丛、河谷、山沟潮湿处。分布于湖南张家界（武陵源）、郴州（苏仙、临武）、怀化（通道、洪江）等。

| 资源情况 | 野生资源较少。药材来源于野生。

| 功能主治 | 辛、苦，平。祛风湿，消积聚。用于风痹，积聚。

| 附　　注 | 本种与红果树 *Stranvaesia davidiana* Dcne. 的区别在于本种叶片较小，椭圆状长圆形至长圆状披针形，边缘波皱起伏，长 3 ~ 8 cm，宽 1.5 ~ 2.5 cm，花序近无毛，果实橘红色，直径 6 ~ 7 cm。

牛栓藤科 Connaraceae 红叶藤属 *Rourea*

小叶红叶藤 *Rourea microphylla* (Hook. et Arn.) Planch.

| 药 材 名 | 红叶藤（药用部位：茎、叶。别名：荔枝藤）、红叶藤根（药用部位：根。别名：荔枝藤根）。

| 形态特征 | 攀缘灌木，多分枝，无毛或幼枝被疏短柔毛，高 1 ～ 4 m。枝褐色。奇数羽状复叶，小叶通常 7 ～ 17，稀 27，叶轴长 5 ～ 12 cm，无毛，小叶片坚纸质至近革质，卵形、披针形或长圆状披针形，长 1.5 ～ 4 cm，宽 0.5 ～ 2 cm，先端渐尖而钝，基部楔形至圆形，常偏斜，全缘，两面均无毛，中脉在腹面凸起，侧脉细，4 ～ 7 对，开展，在未达边缘前会合；小叶柄极短，长约 2 mm，无毛。圆锥花序丛生于叶腋内，通常长 2.5 ～ 5 cm，总梗和花梗均纤细，苞片及小苞片不显著；花瓣白色、淡黄色或淡红色，椭圆形，长约 5 mm，

宽约 1.5 mm，先端急尖，无毛，有纵脉纹；雄蕊 10，花药纵裂，花丝长者长 6 mm，短者长 4 mm；雌蕊离生，长 3 ~ 5 mm，子房长圆形。蓇葖果椭圆形或斜卵形，长 1.2 ~ 1.5 cm，宽约 0.5 cm，成熟时呈红色，弯曲或直，先端急尖，有纵条纹，沿腹缝线开裂，基部有宿存萼片；种子椭圆形，长约 1 cm，橙黄色，为膜质假种皮所包裹。花期 3 ~ 9 月，果期 5 月至翌年 3 月。

| 生境分布 | 生于海拔 500 ~ 900 m 的山谷密林中，亦生于稀疏干燥林下。

| 资源情况 | 野生资源稀少。药材来源于野生。

| 采收加工 | **红叶藤：**全年均可采收，茎切段或切片后晒干，叶鲜用或晒干。

| 药材性状 | **红叶藤：**本品茎近圆柱形，长短不一，直径 1 ~ 4 cm。表面淡灰棕色，老茎具深或浅纵沟，常附灰白色地衣。质坚硬。横断面木部淡棕色，有众多小孔，皮部深棕红色，老茎具淡棕色与深红棕色相间排列、断续的同心环 2 ~ 3 层。气微，味淡。

| 功能主治 | **红叶藤：**苦、涩，凉。清热解毒，消肿止痛，止血。用于疮疖，跌打肿痛，外伤出血。

红叶藤根：甘、微辛，温。活血通经，消肿止痛，止血。用于闭经，跌打肿痛，外伤出血。

| 用法用量 | **红叶藤：**外用适量，煎汤洗；或鲜叶捣敷。

红叶藤根：内服煎汤，9 ~ 15 g。

豆科 Leguminosae 金合欢属 *Acacia*

黑荆 *Acacia mearnsii* De Wild.

| 药 材 名 | 黑荆（药用部位：树皮。别名：栲皮树、黑荆树、澳洲金合欢）。

| 形态特征 | 乔木，高 9 ~ 15 m。小枝有棱，被灰白色短绒毛。二回羽状复叶，嫩叶被金黄色短绒毛，成长叶被灰色短柔毛；羽片 8 ~ 20 对，长 2 ~ 7 cm，每对羽片着生处附近及叶轴的其他部位都具有腺体；小叶 30 ~ 40 对，排列紧密，线形，长 2 ~ 3 mm，宽 0.8 ~ 1 mm，通常边缘、下面被短柔毛，有时两面均被短柔毛。头状花序圆球形，直径 6 ~ 7 mm，在叶腋排成总状花序或在枝顶排成圆锥花序，总花梗长 7 ~ 10 mm，花序轴被稠密的黄色短绒毛；花淡黄色或白色。荚果长圆形，扁压，长 5 ~ 10 cm，宽 4 ~ 5 mm，于种子间略收窄，被短柔毛，老时呈黑色；种子卵圆形，黑色，有光泽。花期 6 月，果期 8 月。

| 生境分布 | 栽培于海拔 120 ～ 1 800 m 的阳坡山腰、山脚。分布于湖南衡阳（雁峰、石鼓、衡阳、祁东、耒阳）、张家界（武陵源）、长沙（浏阳）等。

| 资源情况 | 野生资源稀少。栽培资源一般。药材来源于栽培。

| 采收加工 | 秋季伐倒树干后，按 2 m 区分段锯断，剥下树皮。

| 功能主治 | 止血。用于外伤出血。

豆科 Leguminosae 金合欢属 *Acacia*

羽叶金合欢 *Acacia pennata* (L.) Willd.

|药材名| 蛇藤（药用部位：根、茎）。

|形态特征| 攀缘多刺藤本。小枝和叶轴均被锈色短柔毛。总叶柄基部及叶轴上部羽片着生处稍下均有凸起的腺体 1；羽片 8 ~ 22 对；小叶 30 ~ 54 对，线形，长 5 ~ 10 mm，宽 0.5 ~ 1.5 mm，彼此紧靠，先端稍钝，基部平截，具缘毛，中脉靠近上面边缘。头状花序圆球形，直径约 1 cm，具长 1 ~ 2 cm 的总花梗，单生或 2 ~ 3 花序聚生，排成腋生或顶生的圆锥花序，被暗褐色柔毛；花萼近钟状，长约 1.5 mm，具 5 齿裂；花冠长约 2 mm；子房被微柔毛。果实带状，长 9 ~ 20 cm，宽 2 ~ 3.5 cm，无毛或幼时有极细柔毛，边缘稍隆起，呈浅波状；种子 8 ~ 12，呈长椭圆形而扁。花期 3 ~ 10 月，果期 7 月至翌年 4 月。

| 生境分布 | 生于低海拔的疏林中，常攀附于灌木或小乔木的顶部。分布于湖南衡阳（耒阳）、郴州（宜章、临武）、永州（东安、江永）、怀化（沅陵）等。

| 资源情况 | 野生资源较少。药材来源于野生。

| 采收加工 | 9 ～ 12 月采收，晒干。

| 药材性状 | 本品根呈条状，有分枝，表皮黄褐色，具淡黄色横生皮孔，切面中心呈淡黄色。茎枝具 5 棱，棱上和叶轴散布钩刺及锈色短柔毛。

| 功能主治 | 苦、辛、微甘，温。祛风湿，强筋骨，活血止痛。用于脊椎骨损伤，腰肌劳损，跌打损伤，风湿痹痛，渗出性皮炎，阴囊湿疹，下肢溃疡。

| 用法用量 | 内服煎汤，15 ～ 30 g。

豆科 Leguminosae 金合欢属 *Acacia*

藤金合欢 *Acacia sinuata* (Lour.) Merr.

药材名

小叶南蛇簕（药用部位：叶。别名：南蛇公）。

形态特征

攀缘藤本。小枝、叶轴被灰色短茸毛，有散生、多而小的倒刺。托叶卵状心形，早落。二回羽状复叶，长 10 ~ 20 cm；羽片 6 ~ 10 对，长 8 ~ 12 cm；总叶柄近基部及顶部 1 ~ 2 对羽片之间有 1 腺体；小叶 15 ~ 25 对，线状长圆形，长 8 ~ 12 mm，宽 2 ~ 3 mm，上面淡绿色，下面粉白色，两面被粗毛或无毛，具缘毛，中脉偏于上缘。头状花序球形，直径 9 ~ 12 mm，再排成圆锥花序，花序分枝被茸毛；花白色或淡黄色，芳香；花萼漏斗状，长 2 mm；花冠稍突出。荚果带形，长 8 ~ 15 cm，宽 2 ~ 3 cm，边缘直或微波状，干时呈褐色，有种子 6 ~ 10。花期 4 ~ 6 月，果期 7 ~ 12 月。

生境分布

生于疏林或灌丛中。分布于湘东、湘北等。

资源情况

野生资源稀少。药材来源于野生。

| 采收加工 | 全年均可采收，多鲜用。

| 功能主治 | 甘、微苦，凉。清热解毒，活血止痛。用于痈肿疮毒，急性腹痛，牙龈肿痛，风湿骨痛。

| 用法用量 | 内服捣汁冲酒，鲜品 30 ~ 60 g。外用适量，鲜品捣搽；或取汁口含。

豆科 Leguminosae 合萌属 *Aeschynomene*

合萌 *Aeschynomene indica* L.

|药 材 名|

合萌（药用部位：地上部分。别名：水茸角、合明草、水藻角）、合萌根（药用部位：根）、合萌叶（药用部位：叶）。

|形态特征|

一年生草本或亚灌木。茎直立，高 0.3 ~ 1 m。多分枝，枝圆柱形，无毛，具小凸点而稍粗糙，小枝绿色。叶 20 ~ 30 对；托叶膜质，卵形至披针形，基部下延成耳状，有缺刻或呈啮蚀状；小叶近无柄，薄纸质，线状长圆形，上面密布腺点，下面稍带白粉，先端钝圆或微凹，具细刺尖头，基部歪斜，全缘；小托叶极小。总状花序比叶短，腋生；小苞片卵状披针形，宿存；花萼膜质，具纵脉纹，无毛；花冠淡黄色，具紫色纵脉纹，易脱落，旗瓣大，近圆形，基部具极短的瓣柄，翼瓣篦状，龙骨瓣比旗瓣稍短，比翼瓣稍长或与翼瓣等长；雄蕊二体；子房扁平，线形。荚果线状长圆形，腹缝直；荚节 4 ~ 10，平滑或中央有小疣突，不开裂，成熟时逐节脱落；种子黑棕色，肾形。花期 7 ~ 8 月，果期 8 ~ 10 月。

| 生境分布 | 生于潮湿地或水边。湖南各地均有分布。

| 资源情况 | 野生资源较丰富。栽培资源一般。药材来源于野生和栽培。

| 采收加工 | **合萌：** 9 ~ 10 月采收，鲜用或晒干。

合萌根： 秋季采挖，鲜用或晒干。

合萌叶： 夏、秋季采集，鲜用或晒干。

| 药材性状 | **合萌根：** 本品呈圆柱形，上端渐细，直径 1 ~ 2 cm；表面乳白色，平滑，具细密的纵纹理及残留的分枝痕，基部有时连有多数须根。质轻而松软，易折断，折断面白色，不平坦，中央有小孔洞。气微，味淡。

| 功能主治 | **合萌：** 甘、苦、辛，微温。清热利湿，祛风明目，通乳。用于热淋，血淋，水肿，泄泻，痢疾，疖肿，疥疮，目赤肿痛，眼生云翳，夜盲症，关节疼痛，产妇乳少。

合萌根： 甘、苦，寒。清热利湿，消积，解毒。用于血淋，泄泻，痢疾，疳积，目昏，牙痛，疮疖。

合萌叶： 甘，微寒。解毒，消肿，止血。用于痈肿疮疡，创伤出血，毒蛇咬伤。

| 用法用量 | **合萌：** 内服煎汤，15 ~ 30 g。外用适量，煎汤熏洗；或捣敷。

合萌根： 内服煎汤，9 ~ 15 g，鲜品 30 ~ 60 g。外用适量，捣敷。

合萌叶： 内服捣汁，60 ~ 90 g。外用适量，研末调涂；或捣敷。

豆科 Leguminosae 合欢属 *Albizia*

楹树 *Albizia chinensis* (Osbeck) Merr.

药材名 楹树（药用部位：树皮）。

形态特征 落叶乔木，高达 30 m。小枝被黄色柔毛。托叶大，膜质，心形，先端有小尖头，早落。二回羽状复叶，羽片 6 ~ 12 对；总叶柄基部和叶轴上有腺体；小叶 20 ~ 35（~ 40）对，无柄，长椭圆形，长 6 ~ 10 mm，宽 2 ~ 3 mm，先端渐尖，基部近平截，具缘毛，下面被长柔毛，中脉紧靠上面边缘。头状花序有花 10 ~ 20，生于长短不同、密被柔毛的总花梗上，再排成顶生的圆锥花序；花绿白色或淡黄色，密被黄褐色茸毛；花萼漏斗状，长约 3 mm，有 5 短齿；花冠长约为花萼的 2 倍，裂片卵状三角形；雄蕊长约 25 mm；子房被黄褐色柔毛。荚果扁平，长 10 ~ 15 cm，宽约 2 cm，幼时稍被柔毛，成熟时无毛。花期 3 ~ 5 月，果期 6 ~ 12 月。

| 生境分布 | 生于林中、旷野、谷地、河边等。分布于湖南长沙（天心、雨花）、邵阳（双清）、岳阳（湘阴）、常德（鼎城）、郴州（嘉禾）、永州（冷水滩、蓝山）、怀化（新晃）等。

| 资源情况 | 野生资源一般。药材来源于野生和栽培。

| 采收加工 | 全年均可采收，切片，鲜用或晒干。

| 功能主治 | 淡、涩，平。固涩止泻，收敛生肌。用于肠炎，腹泻，痢疾。

| 用法用量 | 内服煎汤，15 ~ 30 g。外用适量，研末撒；或煎汤洗。

豆科 Leguminosae 合欢属 *Albizia*

合欢 *Albizia julibrissin* Durazz.

| 药 材 名 | 合欢皮（药用部位：树皮。别名：合昏皮、夜台皮、合欢木皮）、合欢花（药用部位：花。别名：夜合花、乌绒）。

| 形态特征 | 落叶乔木，高可达 16 m，树冠开展。小枝有棱角，嫩枝、花序和叶轴被绒毛或短柔毛。托叶线状披针形，较小叶小，早落。二回羽状复叶，总叶柄近基部及最顶部 1 对羽片着生处各有 1 腺体；羽片 4 ~ 12 对，栽培者有时达 20 对；小叶 10 ~ 30 对，线形至长圆形，长 6 ~ 12 mm，宽 1 ~ 4 mm，向上偏斜，先端有小尖头，有缘毛，有时下面或仅中脉上有短柔毛，中脉紧靠上面边缘。头状花序于枝顶排成圆锥花序；花粉红色；花萼管状，长 3 mm；花冠长 8 mm，裂片三角形，长 1.5 mm，花萼、花冠外均被短柔毛；花丝长 2.5 cm。荚果带状，长 9 ~ 15 cm，宽 1.5 ~ 2.5 cm，嫩荚有柔毛，老荚无毛。花期 6 ~ 7 月，

果期 8 ～ 10 月。

| **生境分布** | 生于山坡。湖南各地均有分布。

| **资源情况** | 野生资源一般。栽培资源丰富。药材来源于野生和栽培。

| **采收加工** | **合欢皮**：夏、秋季采收，晒干。

合欢花：夏季花开放时择晴天采收，及时晒干。

| **药材性状** | **合欢皮**：本品呈卷曲筒状或半筒状，长 40 ～ 80 mm，厚 0.1 ～ 0.3 cm。外表面灰棕色至灰褐色，稍有纵皱纹，有的具浅裂纹，密生明显的椭圆形横向皮孔，棕色或棕红色，偶有凸起的横棱或较大的圆形枝痕，常附有地衣斑；内表面淡黄棕色或黄白色，平滑，有细密纵纹。质硬而脆，易折断，断面呈纤维性片状，淡黄棕色或黄白色。气微香，味淡、微涩，稍有刺舌感，而后喉头有不适感。

合欢花：本品为头状花序，皱缩成团。花细长而弯曲，长 0.7 ～ 1 cm，淡黄棕色至淡黄褐色，具短梗。花萼筒状，先端有 5 小齿；花冠筒长约为萼筒的 2 倍，先端 5 裂，裂片披针形；雄蕊多数，花丝细长，黄棕色至黄褐色，下部合生，上部分离，伸出花冠筒外。气微香，味淡。

| **功能主治** | **合欢皮**：甘、苦，平。归心、肝、肺经。安神解郁，活血消痈。用于心神不安，忧郁失眠，肺痈，痈肿，跌打损伤。

合欢花：甘、苦，平。归心、肝经。解郁，安神，理气，明目，活络。用于忧郁失眠，心神不安，健忘，胸闷纳呆，风火眼疾，视物不清，腰痛，跌打损伤。

| **用法用量** | **合欢皮**：内服煎汤，10 ～ 15 g。外用适量，研末调敷。

合欢花：内服煎汤，3 ～ 9 g；或入丸、散剂。

豆科 Leguminosae 合欢属 *Albizia*

山槐 *Albizia kalkora* (Roxb.) Prain

| 药 材 名 | 山合欢皮（药用部位：树皮）。

| 形态特征 | 落叶小乔木或灌木，通常高 3 ~ 8 m。枝条暗褐色，被短柔毛，有显著皮孔。二回羽状复叶；羽片 2 ~ 4 对；小叶 5 ~ 14 对，长圆形或长圆状卵形，长 1.8 ~ 4.5 cm，宽 7 ~ 20 mm，先端圆钝而有细尖头，基部不等侧，两面均被短柔毛，中脉稍偏于上侧。2 ~ 7 头状花序生于叶腋，或于枝顶排成圆锥花序；花初为白色，后变为黄色，具明显的小花梗；花萼管状，长 2 ~ 3 mm，5 齿裂；花冠长 6 ~ 8 mm，中部以下连合成管状，裂片披针形，花萼、花冠均密被长柔毛；雄蕊长 2.5 ~ 3.5 cm，基部连合成管状。荚果带状，长 7 ~ 17 cm，宽 1.5 ~ 3 cm，深棕色，嫩荚密被短柔毛，老时无毛；种子 4 ~ 12，倒卵形。花期 5 ~ 6 月，果期 8 ~ 10 月。

| 生境分布 | 生于山坡灌丛、疏林中。湖南各地均有分布。

| 资源情况 | 野生资源一般。药材来源于野生。

| 采收加工 | 夏、秋季采收，晒干。

| 药材性状 | 本品呈丝状或块状，厚 1 ~ 7 mm，丝长短不等，宽 7 ~ 13 mm。外表面淡灰褐色、棕褐色或灰黑色相间，较薄的块皮上可见棕色或棕黑色纵棱线，较厚的块皮有明显的栓皮；内表面黄白色，有细密纵纹。质硬而脆，易折断，断面呈纤维状，淡黄色或黄白色。气微，味淡、微涩，稍有刺舌感。

| 功能主治 | 甘，平。归心、肝、肺经。宁心安神，活血消肿。用于失眠，肺痈，疮肿，跌扑伤痛。

| 用法用量 | 内服煎汤，6 ~ 12 g。外用适量，煎汤熏洗；或研末敷；或浸酒搽。

豆科 Leguminosae 紫穗槐属 *Amorpha*

紫穗槐 *Amorpha fruticosa* L.

| 药材名 | 紫穗槐（药用部位：叶）。

| 形态特征 | 落叶灌木，丛生，高 1 ～ 4 m。小枝灰褐色，初被疏毛，后变无毛，嫩枝密被短柔毛。叶互生，奇数羽状复叶，长 10 ～ 15 cm，有小叶 11 ～ 25，基部有线形托叶；叶柄长 1 ～ 2 cm；小叶卵形或椭圆形，长 1 ～ 4 cm，宽 0.6 ～ 2 cm，先端圆形，锐尖或微凹，有一短而弯曲的尖刺，基部宽楔形或圆形，上面无毛或被疏毛，下面有白色短柔毛，具黑色腺点。穗状花序常 1 至数个顶生和枝端腋生，长 7 ～ 15 cm，密被短柔毛；花有短梗；苞片长 3 ～ 4 mm；花萼长 2 ～ 3 mm，被疏毛或几无毛，萼齿三角形，较萼筒短；旗瓣心形，紫色，无翼瓣和龙骨瓣；雄蕊 10，下部合生成鞘，上部分裂，包于旗瓣之中，伸出花冠外。荚果下垂，长 6 ～ 10 mm，宽 2 ～ 3 mm，

微弯曲，先端具小尖，棕褐色，表面有凸起的疣状腺点。花果期 5 ~ 10 月。

| 生境分布 | 生于荒山坡、路旁、河岸、盐碱地等。分布于湘东、湘北等。

| 资源情况 | 野生资源一般。药材来源于野生。

| 采收加工 | 春、夏季采收，鲜用或晒干。

| 功能主治 | 微苦，凉。清热解毒，祛湿消肿。用于痈疮，烫火伤，湿疹。

| 用法用量 | 外用适量，捣敷；或煎汤洗。

豆科 Leguminosae 两型豆属 *Amphicarpaea*

两型豆 *Amphicarpaea edgeworthii* Benth.

| 药材名 | 两型豆（药用部位：全草）。

| 形态特征 | 一年生缠绕草本。茎纤细，长 0.3 ~ 1.3 m，被淡褐色柔毛。叶具羽状小叶 3；托叶小，披针形或卵状披针形，具线纹；小叶薄纸质，顶生小叶菱状卵形或扁卵形，先端钝或短尖，基部圆形、宽楔形或近平截，两面常被贴伏的柔毛，基出脉 3，纤细；小叶柄短；小托叶极小，早落，侧生小叶稍小，常偏斜。花二型：生在茎上部的为正常花，排成腋生的短总状花序，有花 2 ~ 7，各部被淡褐色长柔毛；苞片近膜质，卵形至椭圆形，具线纹，腋内具 1 花，花梗纤细，长 1 ~ 2 mm，花萼管状，5 裂，裂片不等，花冠淡紫色或白色，长 1 ~ 1.7 cm，各瓣近等长，旗瓣倒卵形，具瓣柄，两侧具内弯的耳，翼瓣长圆形，亦具瓣柄和耳，龙骨瓣与翼瓣近似，先端钝，具长

瓣柄，雄蕊二体，子房被毛；生于茎下部的为闭锁花，无花瓣，柱头弯至与花药接触，子房伸入地下结实。荚果二型：生于茎上部的完全花结的荚果呈长圆形或倒卵状长圆形，长 2 ~ 3.5 cm，宽约 6 mm，扁平，微弯，被淡褐色柔毛，以背、腹缝线上的毛较密，种子 2 ~ 3，肾状圆形，黑褐色，种脐小；闭锁花伸入地下结的荚果呈椭圆形或近球形，不开裂，内含 1 种子。花果期 8 ~ 11 月。

| 生境分布 | 生于海拔 300 ~ 1 800 m 的山坡路旁及旷野草地上。分布于湘东、湘北等。

| 资源情况 | 野生资源一般。药材来源于野生。

| 采收加工 | 夏、秋季采收，晒干。

| 功能主治 | 苦，凉。归心经。消肿止痛，清热利湿。用于痈肿疮毒，头痛，骨痛，咽喉肿痛，外伤疼痛，关节红肿疼痛，脘腹疼痛，妇人湿热带下等。

| 用法用量 | 内服煎汤，6 ~ 12 g。外用适量，煎汤洗。

豆科 Leguminosae 土圞儿属 *Apios*

肉色土圞儿 *Apios carnea* (Wall.) Benth. ex Baker

| 药 材 名 | 肉色土圞儿（药用部位：根）。

| 形态特征 | 缠绕藤本，长 3 ~ 4 m。茎细长，有条纹，幼时被毛，老时毛脱落而近无毛。奇数羽状复叶；叶柄长 5 ~ 8（~ 12）cm；小叶通常 5，长椭圆形，长 6 ~ 12 cm，宽 4 ~ 5 cm，先端渐尖，呈短尾状，基部楔形或近圆形，上面绿色，下面灰绿色。总状花序腋生，长 15 ~ 24 cm；苞片和小苞片小，线形，脱落；花萼钟状，二唇形，绿色，萼齿三角形，短于萼筒；花冠淡红色、淡紫红色或橙红色，长为萼的 2 倍；旗瓣最长，翼瓣最短，龙骨瓣带状，弯曲成半圆形；花柱弯曲成圆形或半圆形，柱头顶生。荚果线形，直，长 16 ~ 19 cm，宽约 7 mm；种子 12 ~ 21，肾形，黑褐色，光亮。花期 7 ~ 9 月，果期 8 ~ 11 月。

| 生境分布 | 生于海拔 800 ~ 2 100 m 的沟边杂木林中或溪边路旁。分布于湖南益阳（桃江）、永州（双牌、蓝山）、湘西州（泸溪、永顺、凤凰）等。

| 资源情况 | 野生资源稀少。药材来源于野生。

| 采收加工 | 全年均可采挖，洗净，鲜用或切片晒干。

| 功能主治 | 微苦，平。清热解毒，利气散结。用于咽喉肿痛，腰痛。

| 用法用量 | 内服煎汤，9 ~ 15 g，鲜品 30 ~ 60 g。

豆科 Leguminosae 土圞儿属 *Apios*

土圞儿 *Apios fortunei* Maxim.

| 药 材 名 | 土圞儿（药用部位：块根。别名：地栗子、土子、土蛋）。

| 形态特征 | 缠绕草本。有球状或卵状块根。茎细长，被白色稀疏短硬毛。奇数羽状复叶；小叶 3 ~ 7，卵形或菱状卵形，长 3 ~ 7.5 cm，宽 1.5 ~ 4 cm，先端急尖，有短尖头，基部宽楔形或圆形，上面被极稀疏短柔毛，下面近无毛，脉上有疏毛；小叶柄有时有毛。总状花序腋生，长 6 ~ 26 cm；苞片和小苞片线形，被短毛；花黄绿色或淡绿色，长约 11 mm；花萼稍呈二唇形；旗瓣圆形，较短，长约 10 mm，翼瓣长圆形，长约 7 mm，龙骨瓣最长，卷成半圆形；子房有疏短毛，花柱卷曲。荚果长约 8 cm，宽约 6 mm。花期 6 ~ 8 月，果期 9 ~ 10 月。

| 生境分布 | 生于海拔 300 ~ 1 000 m 的山坡、路旁及灌丛中。分布于湖南湘潭（湘潭）、邵阳（邵东、洞口、隆回）、岳阳（湘阴、平江）、常德（津市、临澧）、永州（双牌、蓝山）、怀化（鹤城、辰溪、麻阳、新晃、溆浦）、娄底（冷水江）、湘西州（吉首、花垣）、益阳（安化）、郴州（安仁）等。

| 资源情况 | 野生资源较少。药材来源于野生。

| 采收加工 | 冬季倒苗前采收，晒干或炕干，撞去泥土，亦可鲜用。

| 药材性状 | 本品呈扁长卵形，长约 2.2 cm，直径约 1.2 cm，根头部有数个茎基或茎痕，基部稍偏斜，并有支根或支根痕。表面棕色，不规则皱缩，具须根痕。质轻而较柔韧，易折断，断面粗糙。微有豆腥气，味微苦、涩。

| 功能主治 | 甘、微苦，平。归脾、肺经。清热解毒，止咳祛痰。用于感冒咳嗽，咽喉肿痛，百日咳，乳痈，瘰疬，无名肿痛，毒蛇咬伤，带状疱疹。

| 用法用量 | 内服煎汤，9 ~ 15 g，鲜品 30 ~ 60 g。外用适量，鲜品捣敷；或酒、醋磨汁涂。

豆科 Leguminosae 落花生属 *Arachis*

落花生 *Arachis hypogaea* L.

| 药 材 名 | 落花生（药用部位：种子。别名：花生米、长生果）、花生衣（药用部位：种皮。别名：花生皮）、花生壳（药用部位：果皮）、落花生枝叶（药用部位：枝叶）、落花生根（药用部位：根）。

| 形态特征 | 一年生草本。根部有丰富的根瘤。茎直立或匍匐，长 30 ~ 80 cm，茎和分枝均有棱，被黄色长柔毛。叶通常具 2 对小叶；托叶长 2 ~ 4 cm，具纵脉纹，被毛；叶柄基部抱茎，长 5 ~ 10 cm，被毛；小叶纸质，卵状长圆形至倒卵形，先端钝圆形，有时微凹，具小刺尖头，基部近圆形，全缘，两面被毛，边缘具睫毛，每边具侧脉约 10，叶脉边缘互相联结成网状；小叶柄被黄棕色长毛。花长约 8 mm；苞片 2，披针形，小苞片披针形，长约 5 mm，具纵脉纹，被柔毛；萼管细，长 4 ~ 6 cm；花冠黄色或金黄色，旗瓣直径 1.7 cm，开展，先端凹

入，翼瓣与龙骨瓣分离，翼瓣长圆形或斜卵形，细长，龙骨瓣长卵圆形，内弯，先端渐狭，呈喙状，较翼瓣短；花柱延伸于萼管咽部之外，柱头顶生，小，疏被柔毛。荚果长 2 ~ 5 cm，宽 1 ~ 1.3 cm，膨胀，荚厚；种子直径 0.5 ~ 1 cm。花果期 6 ~ 8 月。

| 生境分布 | 生于气候温暖、雨量适中的砂质土地区。湖南各地均有分布。

| 资源情况 | 野生资源较少。栽培资源丰富。药材来源于栽培。

| 采收加工 | **落花生**：秋末挖取果实，剥去果皮，取种子，晒干。

花生衣：在花生仁榨油作坊或其他花生加工厂，收集洁净种皮，晒干。

花生壳：剥取花生时收集果皮，晒干。

落花生枝叶：夏、秋季采收，洗净，鲜用或切碎晒干。

落花生根：9 ~ 10 月采收，鲜用或晒干。

| 药材性状 | **落花生**：本品呈短圆柱形或一端较平截，长 0.5 ~ 1.5 cm，直径 0.5 ~ 0.8 cm。种皮棕色或淡棕红色，不易剥离，子叶 2，类白色，油润，中间有胚芽。气微，味淡，嚼之有豆腥味。

| 功能主治 | **落花生**：甘，平。归脾、肺经。健脾养胃，润肺化痰。用于脾虚不运，反胃不舒，乳妇奶少，脚气病，肺燥咳嗽，大便燥结。

花生衣：甘、微苦、涩，平。凉血止血，散瘀消肿。用于血友病，类血友病，原发性及继发性血小板减少性紫癜，肝病出血症，术后出血，恶性肿瘤出血，胃、肠、肺、子宫等出血。

花生壳：淡、涩，平。化痰止咳，降血压。用于咳嗽气喘，痰中带血，高胆固醇血症，高血压。

落花生枝叶：甘、淡，平。归肝经。清热解毒，宁神降压。用于跌打损伤，痈肿疮毒，失眠，高血压。

落花生根：苦，寒。清热解毒，利湿。用于痈疮肿毒，目赤，咽痛，痢疾，淋证，毒蛇咬伤。

| 用法用量 |

落花生：内服煎汤，30 ～ 100 g；或生研冲汤，10 ～ 15 g；或炒熟、煮熟食，30 ～ 60 g。

花生衣：内服煎汤，10 ～ 30 g。

花生壳：内服煎汤，10 ～ 30 g；或碾成粉末食用；或泡水。

落花生枝叶：内服煎汤，30 ～ 60 g。外用适量，鲜品捣敷。

落花生根：内服煎汤，鲜品 30 ～ 60 g。外用适量，捣绞汁涂。

豆科 Leguminosae 黄耆属 *Astragalus*

紫云英 *Astragalus sinicus* L.

| 药 材 名 | 红花菜（药用部位：全草。别名：米布袋、碎米荠、翘摇）。

| 形态特征 | 二年生草本，多分枝，匍匐，高 10 ~ 30 cm，被白色疏柔毛。奇数羽状复叶具 7 ~ 13 小叶，长 5 ~ 15 cm；叶柄较叶轴短；托叶离生，卵形，先端尖，基部合生，具缘毛；小叶倒卵形或椭圆形，先端钝圆或微凹，基部宽楔形，上面近无毛，下面散生白色柔毛，具短柄。总状花序生 5 ~ 10 花，呈伞形，总花梗腋生，较叶长；苞片三角状卵形；花梗短；花萼钟状，被白色柔毛，萼齿披针形，长约为萼筒的 1/2；花冠紫红色或橙黄色，旗瓣倒卵形，先端微凹，基部渐狭成瓣柄，翼瓣较旗瓣短，瓣片长圆形，基部具短耳，瓣柄长约为瓣片的 1/2，龙骨瓣与旗瓣近等长，瓣片半圆形，瓣柄长约为瓣片的 1/3；子房无毛或疏被白色短柔毛，具短柄。荚果线状长圆形，稍

弯曲，具短喙，黑色，具隆起的网纹；种子肾形，栗褐色。花期 2 ~ 6 月，果期 3 ~ 7 月。

| 生境分布 | 生于海拔 400 ~ 2 100 m 的山坡、溪边及潮湿处。湖南各地均有分布。

| 资源情况 | 野生资源一般。栽培资源较丰富。药材来源于野生和栽培。

| 采收加工 | 春、夏季采收，洗净，鲜用或晒干。

| 功能主治 | 甘、辛，平。归心、肝、肺经。清热解毒，祛风明目，凉血止血。用于咽喉痛，风痰咳嗽，目赤肿痛，疔疮，带状疱疹，疥癣，痔疮，齿衄，外伤出血，月经不调，带下，血小板减少性紫癜。

| 用法用量 | 内服煎汤，15 ~ 30 g；或捣汁。外用适量，鲜品捣敷；或研末调敷。

豆科 Leguminosae 羊蹄甲属 *Bauhinia*

龙须藤 *Bauhinia championii* (Benth.) Benth.

| 药材名 | 龙须藤（药用部位：藤茎。别名：羊蹄藤、乌郎藤、过岗圆龙）、九龙藤叶（药用部位：叶。别名：燕子尾、猪蹄叉、羊蹄叉）、过江龙子（药用部位：种子）。

| 形态特征 | 藤本，有卷须。嫩枝和花序薄被紧贴的小柔毛。叶纸质，卵形或心形，长 3 ~ 10 cm，宽 2.5 ~ 9 cm，先端锐渐尖、圆钝、微凹或 2 裂，裂片长度不一，基部截形、微凹或心形，上面无毛，下面初被紧贴短柔毛，后渐变无毛或近无毛，干时呈粉白褐色，基出脉 5 ~ 7；叶柄长 1 ~ 2.5 cm，纤细，略被毛。总状花序狭长，腋生，有时与叶对生，或聚生于枝顶成复总状花序，被灰褐色小柔毛；苞片与小苞片小，锥尖；花蕾椭圆形，具凸头，与花萼及花梗同被灰褐色短柔毛；花直径约 8 mm；花梗纤细，长 10 ~ 15 mm；花托漏斗形；

萼片披针形；花瓣白色，具瓣柄，瓣片匙形，外面疏被丝毛；能育雄蕊 3，花丝无毛，退化雄蕊 2；子房具短柄，仅沿 2 缝线被毛，花柱短，柱头小。荚果倒卵状长圆形或带状，扁平，无毛，果瓣革质；种子 2 ~ 5，圆形，扁平。花期 6 ~ 10 月，果期 7 ~ 12 月。

| 生境分布 | 生于低海拔至中海拔的丘陵灌丛或山地疏林、密林中。分布于湖南邵阳（邵阳、隆回、洞口）、株洲（茶陵、醴陵）、常德（桃源）、衡阳（祁东、衡东、常宁）、张家界（慈利）、益阳（赫山）、郴州（桂阳、永兴、临武、汝城、嘉禾、安仁）、永州（零陵、冷水滩、祁阳、东安、双牌、道县、江永、新田、江华）、怀化（辰溪、会同、沅陵）、湘西州（吉首、泸溪）、湘潭（湘乡）、娄底（涟源）等。

| 资源情况 | 野生资源较丰富。栽培资源一般。药材来源于野生和栽培。

| 采收加工 | **龙须藤：**全年均可采收，趁鲜切片，晒干。

九龙藤叶：全年均可采收，鲜用或晒干。

过江龙子：秋季采收成熟果实，晒干，打出种子。

| 药材性状 | **龙须藤：**本品为圆形或椭圆形横切片，或不规则斜切片，直径 3 ~ 8 cm，粗者直径可超过 10 cm，厚 0.3 ~ 1 cm，栓皮灰棕色，具粗纵棱和多数横向的皮孔。质坚硬，难折断。切面淡棕色，皮部薄，深棕色，木部宽广，呈多个扇形的块状排列，具放射状纹理，形如梅花，导管孔密集。气微，味淡、微涩。

| 功能主治 | **龙须藤：**苦、涩，平。归肝、大肠经。祛风除湿，活血止痛，健脾理气。用于风湿性关节炎，腰腿痛，跌打损伤，胃痛，疳积。

九龙藤叶：甘、苦，温。利尿，化瘀，理气止痛。用于小便不利，腰痛，跌打损伤，目翳。

过江龙子：苦、辛，温。行气止痛，活血化瘀。用于胁肋胀痛，胃痛，跌打损伤。

| 用法用量 | **龙须藤：**内服煎汤，6 ~ 15 g。

九龙藤叶：内服煎汤，10 ~ 30 g。外用适量，捣敷。

过江龙子：内服煎汤，6 ~ 15 g。

豆科 Leguminosae 羊蹄甲属 *Bauhinia*

粉叶羊蹄甲 *Bauhinia glauca* (Wall. ex Benth.) Benth.

|药 材 名|

粉叶羊蹄甲（药用部位：根。别名：蝴蝶草）。

|形态特征|

木质藤本。除花序稍被锈色短柔毛外其余部位无毛。卷须略扁，旋卷。叶纸质，近圆形，长 5 ~ 7（~ 9）cm，2 裂达中部或更深裂，罅口狭窄，裂片卵形，内侧近平行，先端圆钝，基部阔，心形至截平，上面无毛，下面疏被柔毛，脉上毛较密，基出脉 9 ~ 11；叶柄纤细，长 2 ~ 4 cm。伞房花序式的总状花序顶生或与叶对生，具密集的花；总花梗长 2.5 ~ 6 cm，被疏柔毛，后渐无毛；苞片与小苞片线形，锥尖，长 4 ~ 5 mm；花序下部的花梗长可达 2 cm；花蕾卵形，被锈色短毛；花托长 12 ~ 15 mm（花盛开时长达 20 mm），被疏毛；萼片卵形，急尖，长约 6 mm，外被锈色茸毛；花瓣白色，倒卵形，各瓣近相等，具长柄，边缘皱波状，长 10 ~ 12 mm，瓣柄长约 8 mm；能育雄蕊 3，花丝无毛，远较花瓣长，退化雄蕊 5 ~ 7；子房无毛，具柄，花柱长约 4 mm，柱头盘状。荚果带状，薄，无毛，不开裂，长 15 ~ 20 cm，宽 4 ~ 6 cm，荚缝稍厚，果颈长 6 ~ 10 mm；种子 10 ~ 20，在荚果

中央排成一纵列，卵形，极扁平，长约 1 cm。花期 4 ~ 6 月，果期 7 ~ 9 月。

| 生境分布 | 生于海拔 200 ~ 2 400 m 的山坡阳处疏林中、山谷阴处密林或灌丛中。分布于湖南衡阳（祁东）、邵阳（绥宁）、常德（澧县、石门）、张家界（永定、慈利）、永州（冷水滩、祁阳、东安、双牌、江永、蓝山、新田）、郴州（北湖、宜章、永兴、嘉禾、汝城）、怀化（新晃、溆浦、洪江、通道）、娄底（冷水江）、益阳（安化）、岳阳（平江）、长沙（浏阳）等。

| 资源情况 | 野生资源一般。药材来源于野生。

| 采收加工 | 夏、秋季采挖，晒干。

| 药材性状 | 本品多为斜片，厚约 2 mm，外表粗糙，黑褐色略带棕色。皮层浅棕色，心部木质，黄白色，有多数小孔。气微，味略苦、涩。

| 功能主治 | 涩，平。收敛止血。用于咳嗽，遗尿，咯血。

| 用法用量 | 内服煎汤，15 ~ 25 g，鲜品 50 ~ 100 g；或炖肉。外用适量，研末撒。

豆科 Leguminosae 羊蹄甲属 *Bauhinia*

鄂羊蹄甲

Bauhinia glauca (Wall. ex Benth.) Benth. subsp. *hupehana* (Craib) T. C. Chen

| 药 材 名 | 双肾藤根（药用部位：根。别名：夜关门、羊蹄甲、马蹄）、双肾藤茎（药用部位：藤茎）。

| 形态特征 | 木质藤本，被稀疏的红棕色柔毛。茎纤细，具 4 棱，卷须 1 或 2，对生。单叶互生；叶柄长 3.5 ~ 4.5 cm；叶片肾形或圆形，长 3 ~ 8 cm，宽 4 ~ 9 cm，先端分裂，裂片先端圆形，全缘，基部心形或截平，初时两面疏生红褐色绒毛，后上面无毛；叶脉 7 ~ 9，掌状。伞房花序顶生，花序轴、花梗密被红棕色柔毛；苞片和小苞片线状；花萼管状，有红棕色毛，筒部裂片 2，匙形，两面除边缘外均被红棕色长柔毛，边缘皱波状，基部楔形；能育雄蕊 3，花药瓣裂；雌蕊单一，子房长柱形，具长柄，无毛，柱头头状。荚果条形，扁平，无毛，有明显的网脉；种子多数。花期 4 ~ 5 月，果期 6 ~ 7 月。

| 生境分布 | 生于海拔 650 ~ 1 400 m 的山坡疏林或山谷灌丛、林中及山坡石缝。分布于湖南邵阳（邵阳）、常德（桃源）、郴州（临武）、永州（零陵、道县）、怀化（中方、辰溪、会同、麻阳、芷江、洪江、沅陵）、湘西州（吉首、泸溪、花垣、永顺、龙山、凤凰）等。

| 资源情况 | 野生资源较少。栽培资源较少。药材来源于野生和栽培。

| 采收加工 | **双肾藤根：**秋季采挖，晒干。

双肾藤茎：夏、秋季采收，除去枝叶，切段，鲜用或晒干。

| 药材性状 | **双肾藤根：**本品呈圆柱形，稍扁，大小、长短不一，直径 1 ~ 3.5 cm。表面褐色，有细纵皱纹及横长皮孔，并有少数细须根或残留须根痕。质坚硬，断面皮部褐棕色，木部色稍淡，密布细小孔洞（导管）。无臭，味涩、微苦。

双肾藤茎：本品呈类圆柱形或圆柱形，直径 1 ~ 3 cm。表面灰褐色至黑褐色，具纵纹。质硬，不易折断。切面皮部较窄，褐色或红棕色，木部宽广，灰色或淡红棕色，导管孔明显，髓部棕褐色。气微香，味微苦。

| 功能主治 | **双肾藤根：**苦、涩，温。收敛固涩，解毒除湿。用于咳嗽咯血，吐血，便血，遗尿，尿频，带下，子宫脱垂，痢疾，痹痛，疝气，睾丸肿痛，湿疹，疮疖肿痛。

双肾藤茎：苦、涩，温。归肾、大肠经。祛风除湿活络，行气散结止痛，收敛止血。用于风湿痹痛，肢体麻木，睾丸肿痛，阴囊湿疹，疮疖肿痛，跌打损伤，血崩，咯血，衄血，便血。

| 用法用量 | **双肾藤根：**内服煎汤，10 ~ 30 g，大剂量可用至 60 g。外用适量，煎汤洗。

双肾藤茎：内服煎汤，15 ~ 30 g。外用适量，煎汤洗；或捣敷。

豆科 Leguminosae 羊蹄甲属 *Bauhinia*

薄叶羊蹄甲

Bauhinia glauca (Wall. ex Benth.) Benth. subsp. *tenuiflora* (Watt. ex C. B. Clarke) K. et S. S. Larsen

| 药 材 名 | 薄叶羊蹄甲（药用部位：根、叶）。

| 形态特征 | 藤本。小枝被锈色柔毛。单叶互生；叶柄长 1.5 ~ 3 cm；叶片近圆形，长 5 ~ 8.5 cm，2 浅裂，先端圆，基部近心形，两面疏被毛，基出脉 9 ~ 11，薄膜质。伞房花序，花密集；萼筒较粗，长 2.5 ~ 3 cm，裂片椭圆状披针形；花托长 2.5 ~ 3 cm，为萼裂片长的 4 ~ 5 倍；花瓣白色，宽倒卵形，先端圆，边有皱纹，外面被毛；能育雄蕊 3，退化雄蕊 7；子房柄短。荚果带状，长达 20 cm，宽约 4 cm；种子多数，在荚果中形成一纵列，卵形，扁平。花期 6 ~ 7 月，果期 9 ~ 12 月。

| 生境分布 | 生于山麓和沟谷的密林或灌丛中。分布于湖南怀化（辰溪、沅陵）等。

| 资源情况 | 野生资源稀少。药材来源于野生。

| 采收加工 | 全年均可采收，除去杂质，鲜用或晒干。

| 功能主治 | 辛、甘，温。补肾固脱，止血，镇咳。用于脱肛，子宫脱垂，遗精，崩漏，咳嗽。

| 用法用量 | 内服煎汤，9 ~ 15 g。

| 附　　注 | 本种与粉叶羊蹄甲 *Bauhinia glauca* (Wall. Ex Benth.) Benth. 的区别在于本种叶较薄，薄膜质，分裂仅为叶长的 1/6 ~ 1/5，花托长 2.5 ~ 3 cm，为萼裂片长的 4 ~ 5 倍。

豆科 Leguminosae 羊蹄甲属 *Bauhinia*

羊蹄甲 *Bauhinia purpurea* L.

| 药材名 | 羊蹄甲（药用部位：根、树皮、叶、花。别名：玲甲花、紫羊蹄甲、白紫荆）。

| 形态特征 | 乔木或直立灌木，高 7 ~ 10 m。树皮厚，近光滑，灰色至暗褐色。枝初时略被毛，后毛渐脱落。叶硬纸质，近圆形，长 10 ~ 15 cm，宽 9 ~ 14 cm，基部浅心形，先端分裂达叶长的 1/3 ~ 1/2，裂片先端圆钝或近急尖，两面无毛或下面薄被微柔毛，基出脉 9 ~ 11；叶柄长 3 ~ 4 cm。总状花序侧生或顶生，少花，长 6 ~ 12 cm，有时 2 ~ 4 花序生于枝顶而成复总状花序，被褐色绢毛；花蕾纺锤形，具 4 ~ 5 棱或狭翅，顶钝；花梗长 7 ~ 12 mm；花萼佛焰苞状，一侧开裂达基部而成外反的 2 裂片，裂片长 2 ~ 2.5 cm，先端微裂，其中 1 裂片具 2 齿，另 1 裂片具 3 齿；花瓣桃红色，倒披针形，长

4 ~ 5 cm，具脉纹和较长的瓣柄；能育雄蕊 3，花丝与花瓣等长，退化雄蕊 5 ~ 6，长 6 ~ 10 mm；子房具长柄，被黄褐色绢毛，柱头稍大，斜盾形。荚果带状，扁平，长 12 ~ 25 cm，宽 2 ~ 2.5 cm，略呈弯镰状，成熟时开裂，木质的果瓣扭曲并将种子弹出；种子近圆形，扁平，直径 12 ~ 15 mm，种皮深褐色。花期 9 ~ 11 月，果期翌年 2 ~ 3 月。

| 生境分布 | 生于丛林中。分布于湖南株洲（攸县、渌口）、邵阳（新邵、武冈）、郴州（汝城、桂东）、永州（蓝山）、衡阳（衡东）、常德（石门）、益阳（安化）、长沙（浏阳）等。

| 资源情况 | 野生资源稀少。药材来源于野生。

| 采收加工 | 全年均可采收根、树皮，夏季采收叶、花，晒干。

| 功能主治 | 根，微涩，微凉，健脾燥湿，消肿止痛。用于消化不良，急性胃肠炎，咳嗽咯血，关节疼痛，跌打损伤等。树皮，苦、涩，平。敛疮，清热解毒，消肿，用于烫伤，脓疮等。叶，淡，平，润肺止咳。用于肺热咳嗽等。花，淡，凉，疏风解表，宣肺止咳。用于外感风热，咳嗽咳痰等。

| 用法用量 | 内服煎汤，10 ~ 30 g。

| 附　　注 | 本种与洋紫荆 *Bauhinia variegata* L. 的主要区别在于本种具能育雄蕊 3，花瓣较狭窄，具长柄，总状花序极短缩，花后能结果，而后者具能育雄蕊 5，花瓣较阔，具短柄，总状花序开展，有时复合为圆锥花序，通常不结果。

豆科 Leguminosae 羊蹄甲属 *Bauhinia*

洋紫荆 *Bauhinia variegata* L.

| 药 材 名 | 羊蹄甲（药用部位：根。别名：洋紫荆、猪迹羊蹄甲）、羊蹄甲树皮（药用部位：树皮）、羊蹄甲叶（药用部位：叶）、羊蹄甲花（药用部位：花。别名：老白花）。

| 形态特征 | 落叶乔木，高 5 ~ 8 m。树皮暗褐色，近光滑，幼嫩部分被灰色短柔毛。枝广展，硬而稍呈“之”字形弯曲，无毛。叶近革质，广卵形至近圆形，长 5 ~ 9 cm，宽 7 ~ 11 cm，基部浅心形至深心形，近截形，先端 2 裂达叶长的 1/3，裂片阔，具钝头或圆，无毛，基出脉 9 ~ 13；叶柄长 2.5 ~ 3.5 cm，被毛或无毛。总状花序侧生或顶生，极短缩，呈伞房花序式，少花，被灰色短柔毛，总花梗短而粗；苞片卵形，早落；花大，无梗；花蕾纺锤形；花萼佛焰苞状，被短柔毛，一侧开裂为长 2 ~ 3 cm 的广卵形裂片；花托长 12 mm；花瓣

倒卵形或倒披针形，长 4 ~ 5 cm，具瓣柄，紫红色或淡红色，杂以黄绿色及暗紫色斑纹；能育雄蕊 5，花丝纤细，无毛，长约 4 cm，退化雄蕊 1 ~ 5，丝状，较短；子房具柄，被柔毛，缝线被毛较密，柱头小。荚果带状，扁平，长 15 ~ 25 cm，宽 1.5 ~ 2 cm，具长柄及喙；种子 10 ~ 15，近圆形，扁平，直径约 1 cm。花期全年，3 月最盛。

| 生境分布 | 生于阳光充足的土壤中。分布于湖南郴州（苏仙）等。

| 资源情况 | 野生资源稀少。药材来源于野生。

| 采收加工 | **羊蹄甲：** 全年均可采收，切片，晒干。

羊蹄甲树皮： 全年均可采收，切片，鲜用或晒干。

羊蹄甲叶： 7 ~ 10 月采收，鲜用或晒干。

老白花： 4 ~ 7 月花盛开时采收，烘干。

| 功能主治 | **羊蹄甲：** 苦、涩，平。健脾祛湿，止血。用于消化不良，急性胃肠炎，关节疼痛，跌打损伤。

羊蹄甲树皮： 苦、涩，平。健脾祛湿。用于消化不良，急性胃肠炎。

羊蹄甲叶： 淡，凉。止咳化痰，通便。用于咳嗽，支气管炎，便秘。

老白花： 淡，凉。清热解毒，止咳。用于肺炎，气管炎，肺结核咯血。

| 用法用量 | **羊蹄甲：** 内服煎汤，10 ~ 30 g。

羊蹄甲树皮： 内服煎汤，10 ~ 30 g。

羊蹄甲叶： 内服煎汤，10 ~ 15 g。

老白花： 内服煎汤，9 ~ 15 g。

豆科 Leguminosae 云实属 *Caesalpinia*

华南云实 *Caesalpinia crista* L.

| 药材名 | 南天藤（药用部位：茎叶、根。别名：耀荚根、粘毛刺叶）。

| 形态特征 | 木质藤本，长可达 10 m 以上。树皮黑色，有少数倒钩刺。二回羽状复叶长 20 ~ 30 cm，叶轴上有黑色倒钩刺，羽片 2 ~ 3 对，有时 4 对，对生；小叶 4 ~ 6 对，对生，具短柄，革质，卵形或椭圆形，长 3 ~ 6 cm，宽 1.5 ~ 3 cm，先端圆钝，有时微缺，很少急尖，基部阔楔形或钝，两面无毛，上面有光泽。总状花序长 10 ~ 20 cm，复排列成顶生、疏松的大型圆锥花序；花芳香；花梗纤细，长 5 ~ 15 mm；萼片 5，披针形，长约 6 mm，无毛；花瓣 5，不相等，其中 4 花瓣黄色，卵形，无毛，瓣柄短，稍明显，上面 1 花瓣具红色斑纹，向瓣柄渐狭，内面中部有毛；雄蕊略伸出，花丝基部膨大，被毛；子房被毛，有胚珠 2。荚果斜阔卵形，革质，长 3 ~ 4 cm，宽 2 ~ 3 cm，

肿胀，具网脉，先端有喙；种子 1，扁平。花期 4 ~ 7 月，果期 7 ~ 12 月。

| 生境分布 | 生于海拔 400 ~ 1 500 m 的山地林的空旷、潮湿地带或路旁灌丛中。分布于湖南湘西州（永顺）、张家界（慈利）等。

| 资源情况 | 野生资源稀少。药材来源于野生。

| 采收加工 | 全年均可采收茎叶，秋季采挖根，洗净，切段或片，鲜用或晒干。

| 功能主治 | 苦、辛，凉。清热解毒，利湿通淋。用于疮疡疖肿，小便不利，热淋，石淋。

| 用法用量 | 内服煎汤，5 ~ 10 g。外用适量，捣敷。

豆科 Leguminosae 云实属 *Caesalpinia*

云实 *Caesalpinia decapetala* (Roth) Alston

| 药 材 名 | 云实根（药用部位：根、茎。别名：牛王茨根、阎王刺根）、云实皮（药用部位：根皮）、四时清（药用部位：叶）、云实花（药用部位：花）、云实种子（药用部位：种子。别名：员实、天豆、马豆）。

| 形态特征 | 藤本。树皮暗红色。枝、叶轴和花序均被柔毛和钩刺。二回羽状复叶长 20 ~ 30 cm，羽片 3 ~ 10 对，对生，具柄，基部有刺 1 对；小叶 8 ~ 12 对，膜质，长圆形，长 10 ~ 25 mm，宽 6 ~ 12 mm，两端近圆钝，两面均被短柔毛，老时渐无毛；托叶小，斜卵形，先端渐尖，早落。总状花序顶生，直立，长 15 ~ 30 cm，具多花，总花梗多刺；花梗长 3 ~ 4 cm，被毛，在花萼下具关节，故花易脱落；萼片 5，长圆形，被短柔毛；花瓣黄色，膜质，圆形或倒卵形，长 10 ~ 12 mm，盛开时反卷，基部具短梗；雄蕊与花瓣近等长，花丝

基部扁平，下部被绵毛；子房无毛。荚果长圆状舌形，长 6 ~ 12 cm，宽 2.5 ~ 3 cm，脆革质，栗褐色，无毛，有光泽，沿腹缝线膨胀成狭翅，成熟时沿腹缝线开裂，先端具尖喙；种子 6 ~ 9，椭圆状，长约 11 mm，宽约 6 mm，种皮棕色。花果期 4 ~ 10 月。

| 生境分布 | 生于平原、丘陵、山谷及河边。湖南各地均有分布。

| 资源情况 | 野生资源丰富。栽培资源较丰富。药材来源于野生和栽培。

| 采收加工 | **云实根**：全年均可采挖，除去泥沙，洗净，切片，干燥。

云实皮：全年均可采剥，晒干。

四时清：夏、秋季采收，鲜用或晒干。

云实花：夏季采集，晒干。

云实种子：秋季采收成熟果实，剥取种子，晒干。

| 药材性状 | **云实根**：本品根近圆柱形，长短不等，直径 2 ~ 7 cm，根头膨大，外皮灰褐色，粗糙，有横长皮孔和纵皱纹，栓皮脱落处显红褐色；质坚硬，不易折断；切面棕褐色、淡棕黄色或白色，皮部薄，呈颗粒状；木部宽广，有多数小孔。茎圆柱形，直径 2 ~ 3 cm，外皮和切面与根相似；外皮散生圆锥状钉刺或钉刺痕，切面木部中央有髓。气微，味辛、涩、微苦。

云实皮：本品半卷筒状，长短、粗细不一，厚 0.2 ~ 0.6 cm。外表皮灰褐色，粗糙，有灰白色横向皮孔，皮孔长 0.2 ~ 0.4 cm；内表皮红褐色，平坦。质脆，易折断，断面颗粒状，嚼之有砂粒感。

云实花：本品皱缩，展开后花萼呈黄绿色，具 5 深裂。花瓣 5，黄色，其中 1 花瓣较小且微凹，下部具红色条纹，其余 4 花瓣类圆形。雄蕊 10，花丝细长，下部密生柔毛；雌蕊圆柱形，弯曲。花梗细，长 2 ~ 4 cm。体轻。气微，味微甜。

云实种子：本品长圆形，长约 1 cm，宽约 6 mm。外皮棕黑色，有灰黄色纵向纹理及横向裂缝状环圈。种皮坚硬，剥开后内有棕黄色子叶 2。气微，味苦。

| 功能主治 |

云实根：苦、辛，温。解表散寒，祛风除湿。用于感冒咳嗽，身痛，喉痛，牙痛，跌打损伤，鱼口便毒（腹股沟溃疡），慢性支气管炎。

云实皮：解毒散寒，祛痰止咳。用于感冒，支气管炎等。

四时清：苦、辛，凉。除湿解毒，活血消肿。用于皮肤瘙痒，口疮，痢疾，跌打损伤，产后恶露不尽。

云实花：甘，平。归脾、肾经。补气健脾，养阴益肾。用于脾胃虚弱，体倦乏力，食少，精血不足。

云实种子：辛、苦，温。归肺、大肠经。解毒除湿，化痰止咳，杀虫。用于痢疾，疟疾，慢性支气管炎，疳积，虫积。

| 用法用量 |

云实根：内服煎汤，10 ~ 15 g。

云实皮：内服煎汤，15 ~ 30 g。

云实花：内服煎汤，5 ~ 9 g。

云实种子：内服煎汤，9 ~ 15 g；或入丸、散剂。

豆科 Leguminosae 云实属 *Caesalpinia*

小叶云实 *Caesalpinia millettii* Hook. et Arn.

| 药 材 名 | 小叶云实（药用部位：根）。

| 形态特征 | 有刺藤本，各部位均被锈色短柔毛。叶长 19 ~ 20 cm；叶轴具成对的钩刺；羽片 7 ~ 12 对；小叶 15 ~ 20 对，互生，长圆形，长 7 ~ 13 mm，宽 4 ~ 5 mm，先端圆钝，基部斜截形，两面被锈色毛，下面毛较密。圆锥花序腋生，长达 30 cm；花多数，上部稠密，下部稀疏；花梗长 15 mm，被稀疏短柔毛；花托凹陷；萼片 5，最下面 1 萼片长达 8 mm，其余萼片长约 5 mm；花瓣黄色，近圆形，宽约 8 mm，最上面 1 花瓣较小，宽仅 4 mm，基部有梗；雄蕊长约 1 cm，花丝下部被长柔毛；雌蕊较雄蕊略长，长约 13 mm，子房与花柱下部被柔毛，柱头平截，有短毛。荚果倒卵形，背缝线直，具狭翅，被短柔毛，革质，无刺，成熟时沿背缝线开裂；种子 1，肾形，

红棕色，长约 11 mm，宽约 6 mm，有光泽，具环纹。花期 8 ~ 9 月，果期 12 月。

| 生境分布 | 生于山脚灌丛中或溪旁。分布于湖南岳阳（云溪）、郴州（汝城）、湘西州（泸溪）等。

| 资源情况 | 野生资源稀少。药材来源于野生。

| 采收加工 | 全年均可采挖，洗净，切片，晒干。

| 功能主治 | 甘，温。归脾、胃经。祛风除湿，健脾和胃。用于风湿痹痛，胃病，消化不良。

| 用法用量 | 内服煎汤，10 ~ 15 g。

豆科 Leguminosae 云实属 *Caesalpinia*

鸡嘴簕 *Caesalpinia sinensis* (Hemsl.) J. E. Vidal

| 药 材 名 | 鸡嘴簕（药用部位：根。别名：石南龙、南茄）。

| 形态特征 | 藤本。主干和小枝具分散、粗大的倒钩刺；嫩枝上或多或少具锈色柔毛，老枝无毛或近无毛。二回羽状复叶；叶轴上有刺；羽片 2 ~ 3 对，长 30 cm；小叶 2 对，革质，长圆形至卵形，长 6 ~ 9 cm，宽 2.5 ~ 3.5 cm，先端渐尖、急尖或钝，基部圆形，或多或少不等侧，上面无毛，淡青色至榄绿色，稍有光泽，下面沿中脉有少量柔毛，侧脉约 20 对，明显；小叶柄短。圆锥花序腋生或顶生；花梗长约 5 mm；萼片 5，长约 4 mm，宽约 3 mm；花瓣 5，黄色，长约 7 mm，瓣柄长约 3 mm；雄蕊 10，花丝长约 1 cm，下部被锈色柔毛；雌蕊稍长于雄蕊，子房近无柄，被柔毛或近无毛，有胚珠 1 ~ 4。荚果革质，压扁，近圆形或半圆形，长约 4.5 cm，宽约 3.5 cm，表

面有明显网脉，栗褐色，腹缝线稍弯曲，具狭翅，翅宽约 3 mm，先端有长约 3 mm 的喙；种子 1，近圆形，压扁，直径约 2 cm。花期 4 ~ 5 月，果期 7 ~ 8 月。

| 生境分布 | 生于灌丛中。分布于湘西州（吉首、泸溪）等。

| 资源情况 | 野生资源稀少。药材来源于野生。

| 功能主治 | 清热解毒，消肿止痛，止痒。用于跌打损伤，疮疡肿毒，湿疹，腹泻，痢疾。

| 用法用量 | 内服煎汤，9 ~ 12 g。

豆科 Leguminosae 杭子梢属 *Campylotropis*

杭子梢 *Campylotropis macrocarpa* (Bunge) Rehder

| 药 材 名 | 壮筋草（药用部位：根）。

| 形态特征 | 灌木，高 1 ~ 3 m。幼枝密被白色短柔毛。羽状复叶具 3 小叶；托叶狭三角形、披针形或披针状钻形，长 3 ~ 6 mm；叶柄长 1.5 ~ 3.5 cm，被短柔毛；小叶椭圆形或宽椭圆形，长 2 ~ 7 cm，宽 1.5 ~ 4 cm，先端圆形、钝或微凹，具小凸尖，基部圆形，稀近楔形，上面无毛，脉明显，下面贴生柔毛，中脉隆起，毛较密。总状花序单一（稀 2）腋生和顶生，花序轴密生柔毛，总花梗斜生或贴生短柔毛；苞片早落；花梗长 4 ~ 12 mm，具开展的微柔毛或短柔毛；花萼钟形，萼裂片狭三角形或三角形，渐尖；花冠紫红色或近粉红色，长 10 ~ 13 mm，旗瓣椭圆形、倒卵形或近长圆形，近基部狭窄，瓣柄长 0.9 ~ 1.6 mm，翼瓣微短于旗瓣或与旗瓣等长，龙骨瓣呈直角或

微钝角内弯，瓣片上部通常比瓣片下部（连瓣柄）短 1 ~ 3.5 mm。荚果长圆形、近长圆形或椭圆形，长 9 ~ 16 mm，宽 3.5 ~ 6 mm，先端具短喙尖，果颈无毛，具网脉，边缘生纤毛。花果期 5 ~ 10 月。

| 生境分布 | 生于海拔 150 ~ 2 000 m 的山坡、灌丛、山谷沟边及林缘、林中。湖南各地均有分布。

| 资源情况 | 野生资源一般。栽培资源一般。药材来源于野生和栽培。

| 采收加工 | 夏、秋季采挖，洗净，切片，晒干。

| 功能主治 | 苦、微辛，平。归肝、脾经。疏风解表。用于风寒感冒，痧证，肾炎性水肿，肢体麻木，半身不遂。

| 用法用量 | 内服煎汤，10 ~ 15 g；或浸酒。

豆科 Leguminosae 刀豆属 *Canavalia*

直生刀豆 *Canavalia ensiformis* (L.) DC.

|药材名|

直立刀豆（药用部位：种子）。

|形态特征|

亚灌木状一年生草本，高 0.6 ~ 2 m，各部位均被短柔毛。羽状复叶具 3 小叶；小叶薄，卵形或椭圆形，长 8 ~ 16 cm，宽 5 ~ 8 cm，先端急尖，基部楔形或圆形，全缘，侧脉 5 对；叶柄较叶片长；小叶柄长约 8 mm。总状花序单生于叶腋，长 15 ~ 25 cm，1 ~ 3 花生于花序轴肉质隆起的节上；小苞片鳞片状，着生于萼的基部；花萼长 1.5 ~ 2 cm，上唇大，裂齿 2，椭圆形，与萼管近等长，下唇小，裂齿 3，三角形；花冠浅紫色或白色带紫色，旗瓣近圆形，直径 2.2 cm，基部具半圆形、内折的 2 耳，瓣柄扁平而阔，长约 5 mm，翼瓣倒卵状长椭圆形，与镰状的龙骨瓣均具耳及瓣柄。荚果带状，长 20 ~ 35 cm，宽 2.5 ~ 4 cm，果瓣厚革质，沿背缝线约 5 mm 处有纵棱；种子椭圆形，长 3 cm，宽 2 cm，略扁，种皮白色，种脐长不超过 1.5 cm。花期 5 ~ 7 月，果期 10 月。

|生境分布|

生于山地杂木林、灌丛中。分布于湖南郴州

（永兴）、怀化（通道）等。

| 资源情况 | 野生资源稀少。药材来源于野生。

| 采收加工 | 秋季种子成熟时采收果实，晒干，剥取种子；或先剥取种子，然后晒干。

| 功能主治 | 甘，温；有小毒。温中降逆，补肾。用于虚寒呃逆，呕吐，腹胀，肾虚腰痛，痰喘等。

| 用法用量 | 内服煎汤，10 ~ 15 g。

豆科 Leguminosae 刀豆属 *Canavalia*

刀豆 *Canavalia gladiata* (Jacq.) DC.

| 药 材 名 | 刀豆（药用部位：种子。别名：挟剑豆、刀豆子、大戈豆）、刀豆壳（药用部位：果壳）、刀豆根（药用部位：根）。

| 形态特征 | 缠绕草本，长达数米，无毛或稍被毛。羽状复叶具 3 小叶，小叶卵形，长 8 ~ 15 cm，宽（4 ~ ）8 ~ 12 cm，先端渐尖或具急尖的尖头，基部宽楔形，两面薄被微柔毛或近无毛，侧生小叶偏斜；叶柄常较小叶片短；小叶柄长约 7 mm，被毛。总状花序具长总花梗，数花生于总轴中部以上；花梗极短，生于花序轴隆起的节上；小苞片卵形，长约 1 mm，早落；花萼长 15 ~ 16 mm，稍被毛，上唇长约为萼管的 1/3，具阔而圆的裂齿 2，下唇 3 裂，齿小，长约 2 ~ 3 mm，急尖；花冠白色或粉红色，长 3 ~ 3.5 cm，旗瓣宽椭圆形，先端凹入，基部具不明显的耳及阔瓣柄，翼瓣和龙骨瓣均弯曲，具向下

的耳；子房线形，被毛。荚果带状，略弯曲，长20 ~ 35 cm，宽4 ~ 6 cm，离缝线约5 mm处有棱；种子呈椭圆形或长椭圆形，长约3.5 cm，宽约2 cm，厚约1.5 cm，种皮红色或褐色，种脐长约为种子周长的3/4。花期7 ~ 9月，果期10月。

| 生境分布 | 生于排水良好、疏松的砂壤土中。湖南各地均有分布。

| 资源情况 | 野生资源稀少。药材来源于栽培。

| 采收加工 | **刀豆**：播种当年8 ~ 11月采摘成熟果荚，剥取种子，晒干或烘干。

刀豆壳：秋季采收成熟果实，晒干，剥取果壳，晒至全干。

刀豆根：9 ~ 10月采挖，晒干或鲜用。

| 药材性状 | **刀豆**：本品呈扁卵形或扁肾形，长2 ~ 3.5 cm，宽1 ~ 2 cm，厚0.5 ~ 1.2 cm。表面淡红色至红紫色，微皱缩，略有光泽，边缘具黑色眉状种脐，种脐长约2 cm，上有白色细纹3。质硬，难破碎。种皮革质，内表面棕绿色而光亮；子叶2，黄白色，油润。无臭，味淡，嚼之有豆腥味。

| 功能主治 | **刀豆**：甘，温。归脾、胃、肾经。温中下气，益肾补元。用于虚寒呃逆，腹胀，久泻，肾虚腰痛，鼻渊，小儿疝气。

刀豆壳：甘，平。下气，活血。用于反胃，呃逆，闭经，喉痹。

刀豆根：苦，温。祛风，活血，通经止痛。用于头风，跌打损伤，风湿腰痛，心痛，牙痛，久痢，疝气，闭经。

| 用法用量 | **刀豆**：内服煎汤，9 ~ 15 g；或烧存性，研末。

刀豆壳：内服煎汤，9 ~ 15 g。外用适量，烧存性，研末敷。

刀豆根：内服煎汤，9 ~ 15 g。外用适量，捣敷。

豆科 Leguminosae 锦鸡儿属 *Caragana*

锦鸡儿 *Caragana sinica* (Buchoz) Rehd.

| 药 材 名 |

锦鸡儿（药用部位：花。别名：金雀花、大绣花针）。

| 形态特征 |

灌木，高 1 ~ 2 m。树皮深褐色。小枝有棱，无毛。托叶三角形，硬化成针刺，长 5 ~ 7 mm；叶轴脱落或硬化成针刺，针刺长 7 ~ 15（~ 25）mm；小叶 2 对，羽状，有时假掌状，上部 1 对小叶常较下部的大，厚革质或硬纸质，倒卵形或长圆状倒卵形，长 1 ~ 3.5 cm，宽 5 ~ 15 mm，先端圆形或微缺，具刺尖或无刺尖，基部楔形或宽楔形，上面深绿色，下面淡绿色。花单生，花梗长约 1 cm，中部有关节；花萼钟状，长 12 ~ 14 mm，宽 6 ~ 9 mm，基部偏斜；花冠黄色，常带红色，长 2.8 ~ 3 cm，旗瓣狭倒卵形，具短瓣柄，翼瓣稍长于旗瓣，瓣柄与瓣片近等长，耳短小，龙骨瓣宽钝；子房无毛。荚果圆筒状，长 3 ~ 3.5 cm，宽约 5 mm。花期 4 ~ 5 月，果期 7 月。

| 生境分布 |

生于山坡向阳处和灌丛。湖南各地均有分布。

| 资源情况 | 野生资源一般。栽培资源丰富。药材来源于栽培。

| 采收加工 | 4 ~ 5 月花盛开时采摘，晒干或烘干。

| 功能主治 | 祛风活血，化痰止咳。用于头晕耳鸣，肺虚咳嗽，小儿消化不良。

| 用法用量 | 内服煎汤，3 ~ 15 g；或研末。

豆科 Leguminosae 决明属 *Cassia*

双荚决明 *Cassia bicapsularis* L.

|药材名| 双荚决明（药用部位：种子。别名：腊肠仔树）。

|形态特征| 直立灌木，多分枝，无毛。叶长 7 ~ 12 cm，有小叶 3 ~ 4 对；叶柄长 2.5 ~ 4 cm；小叶倒卵形或倒卵状长圆形，膜质，长 2.5 ~ 3.5 cm，宽约 1.5 cm，先端圆钝，基部渐狭，偏斜，下面粉绿色，侧脉纤细，在近边缘处网结，最下方的 1 对小叶间有黑褐色、线形、具钝头的腺体 1。总状花序生于枝条先端的叶腋间，常集成伞房花序，约与叶等长，花鲜黄色，直径约 2 cm；雄蕊 10，其中 7 雄蕊能育，3 雄蕊退化而无花药，能育雄蕊中有 3 雄蕊特大，高出于花瓣，4 雄蕊较小，短于花瓣。荚果圆柱状，膜质，直或微曲，长 13 ~ 17 cm，直径 1.6 cm，缝线狭窄；种子 2 列。花期 10 ~ 11 月，

果期 11 月至翌年 3 月。

| 生境分布 | 生于肥力中等的微酸性土壤或砖红壤中。湖南各地均有分布。

| 资源情况 | 野生资源一般。栽培资源丰富。药材来源于野生和栽培。

| 采收加工 | 秋季荚果变黄时将植株割下，晒干，打下种子，去净杂质。

| 功能主治 | 苦，寒。归大肠经。清肝明目，泻下导滞。用于目疾，便秘。

| 用法用量 | 内服煎汤，9 ~ 15 g，缓下 3 ~ 6 g；或开水泡服。

豆科 Leguminosae 决明属 *Cassia*

短叶决明 *Cassia leschenaultiana* DC.

|药 材 名| 短叶决明（药用部位：根。别名：地油甘、牛旧藤、大叶山扁豆）。

|形态特征| 一年生或多年生亚灌木状草本，通常高 30 ~ 80 cm，有时高可达 1 m。茎直立，分枝，嫩枝密生黄色柔毛。叶长 3 ~ 8 cm；叶柄上端有圆盘状腺体 1；小叶 14 ~ 25 对，线状镰形，长 8 ~ 13（~ 15）mm，宽 2 ~ 3 mm，两侧不对称，中脉靠近叶的上缘；托叶线状锥形，长 7 ~ 9 mm，宿存。花序腋生，有花 1 或数朵不等；总花梗先端的小苞片长约 5 mm；萼片 5，长约 1 cm，带状披针形，外面疏被黄色柔毛；花冠橙黄色，花瓣稍长于萼片或与萼片等长；雄蕊 10，有时 1 ~ 3 雄蕊退化；子房密被白色柔毛。荚果扁平，长 2.5 ~ 5 cm，宽约 5 mm，有种子 8 ~ 16。花期 6 ~ 8 月，果期 9 ~ 11 月。

| 生境分布 | 生于海拔 500 ~ 2 100 m 的山地路旁的灌丛或草丛中。分布于湖南邵阳（隆回）、郴州（宜章、汝城）、永州（江华）、常德（临澧、石门）、益阳（安化）等。

| 资源情况 | 野生资源稀少。栽培资源一般。药材来源于野生和栽培。

| 采收加工 | 秋季荚果变黄时将植株割下，晒干，打下种子，去净杂质。

| 功能主治 | 微苦、涩，平。清热解毒，消肿排脓，平肝安神。用于痢疾，角膜混浊，失眠，夜盲症，烟酸缺乏症，毒蛇咬伤，痈肿，疔疮，肺痈等。

| 用法用量 | 内服煎汤，15 ~ 20 g。

豆科 Leguminosae 决明属 *Cassia*

含羞草决明 *Cassia mimosoides* L.

|药材名|

含羞草决明（药用部位：全草。别名：山扁豆）。

|形态特征|

一年生或多年生亚灌木状草本，高 30 ~ 60 cm，多分枝。枝条纤细，被微柔毛。叶长 4 ~ 8 cm，在叶柄的上端、最下面 1 对小叶的下方有圆盘状腺体 1；有小叶 20 ~ 50 对，线状镰形，长 3 ~ 4 mm，宽约 1 mm，先端短急尖，两侧不对称，中脉靠近叶的上缘，干时呈红褐色；托叶线状锥形，长 4 ~ 7 mm，有明显肋条，宿存。花序腋生，单一或数朵聚生，总花梗先端有小苞片 2，长约 3 mm；花萼长 6 ~ 8 mm，先端急尖，外被疏柔毛；花瓣黄色，不等大，具短梗，略长于萼片；雄蕊 10，5 长 5 短相间而生。荚果镰形，扁平，长 2.5 ~ 5 cm，宽约 4 mm，果柄长 1.5 ~ 2 cm；种子 10 ~ 16。花果期 8 ~ 10 月。

|生境分布|

生于荒地、坡地、空旷地的灌丛或草丛中。分布于湖南株洲（醴陵）、邵阳（武冈）、岳阳（汨罗）、常德（澧县、津市）、益阳

（桃江、安化）、郴州（桂阳、宜章、永兴、临武、桂东、安仁）、永州（江永、蓝山、新田）、怀化（通道）、张家界（桑植）等。

| 资源情况 | 野生资源一般。栽培资源丰富。药材来源于野生和栽培。

| 采收加工 | 夏、秋季采收，扎成把，晒干。

| 药材性状 | 本品根细长，须根发达，外表棕褐色；质硬，不易折断。茎多分枝，呈黄褐色或棕褐色，被短柔毛。叶卷曲，下部叶多脱落，黄棕色至灰绿色，质脆易碎；托叶锥尖。气微，味淡。

| 功能主治 | 甘、微苦。清热解毒，健脾利湿，通便。用于黄疸，暑热吐泻，疳积，水肿，小便不利，习惯性便秘，疔疮痈肿，毒蛇咬伤。

| 用法用量 | 内服煎汤，9 ~ 18 g。外用适量，研末调敷。

豆科 Leguminosae 决明属 *Cassia*

豆茶决明 *Cassia nomame* (Sieb.) Kitag.

| 药材名 | 豆茶决明（药用部位：全草或种子。别名：关门草、山茶叶）。

| 形态特征 | 一年生草本，株高 30 ~ 60 cm，稍有毛，分枝或不分枝。叶长 4 ~ 8 cm，有小叶 8 ~ 28 对，叶柄上端有黑褐色、盘状、无柄腺体 1；小叶长 5 ~ 9 mm，带状披针形，稍不对称。花生于叶腋，有柄，单生或 2 至数朵组成短的总状花序；萼片 5，分离，外面疏被柔毛；花瓣 5，黄色；雄蕊 4，有时 5；子房密被短柔毛。荚果扁平，有毛，开裂，长 3 ~ 8 cm，宽约 5 mm，有种子 6 ~ 12；种子扁，近菱形，平滑。

| 生境分布 | 生于山坡和原野的草丛中。分布于湖南邵阳（新宁）、郴州（嘉禾）、永州（祁阳）、娄底（冷水江）、湘西州（吉首、花垣）等。

| 资源情况 | 野生资源一般。栽培资源一般。药材来源于野生和栽培。

| 采收加工 | 夏、秋季采收，晒干。

| 药材性状 | 本品茎枝圆形，呈棕黄色，基部灰黑色，表面有纵纹及疣状皮孔；质硬，易折断，断面色白，松泡中空。叶多卷缩或脱落，棕绿色或灰绿色；质脆易碎。残存荚果呈棕褐色。气微，味淡。

| 功能主治 | 甘、苦，平。全草，用于慢性肾小球肾炎，咳嗽痰多。种子，用于疳积。

| 用法用量 | 内服煎汤，10 ~ 15 g；或研末。

豆科 Leguminosae 决明属 *Cassia*

决明 *Cassia obtusifolia* L.

| 药 材 名 | 决明（药用部位：种子。别名：决明子、马蹄决明）。

| 形态特征 | 直立、粗壮、一年生亚灌木状草本，高 1 ~ 2 m。叶长 4 ~ 8 cm；叶柄上无腺体；叶轴上每对小叶间有棒状的腺体 1；小叶 3 对，膜质，倒卵形或倒卵状长椭圆形，长 2 ~ 6 cm，宽 1.5 ~ 2.5 cm，先端圆钝而有小尖头，基部渐狭，偏斜，上面被稀疏柔毛，下面被柔毛；小叶柄长 1.5 ~ 2 mm；托叶线状，被柔毛，早落。花腋生，通常 2 花聚生；总花梗长 6 ~ 10 mm；花梗长 1 ~ 1.5 cm，丝状；萼片稍不等大，卵形或卵状长圆形，膜质，外面被柔毛，长约 8 mm；花瓣黄色，下面 2 花瓣略长，长 12 ~ 15 mm，宽 5 ~ 7 mm；能育雄蕊 7，花药四方形，顶孔开裂，长约 4 mm，花丝短于花药；子房无柄，被白色柔毛。荚果纤细，近四棱形，两端渐尖，长达 15 cm，宽 3 ~

4 mm，膜质；种子约 25，菱形，光亮。花果期 8 ~ 11 月。

| 生境分布 | 生于山坡、旷野及河滩沙地。湖南各地均有分布。

| 资源情况 | 栽培资源较丰富。药材来源于野生和栽培。

| 采收加工 | 秋末果实成熟、荚果变为黄褐色时将全株割下，晒干，打下种子，除净杂质。

| 药材性状 | 本品略呈菱形、方柱状或短圆柱形，长 3 ~ 7 mm，宽 2 ~ 4 mm。表面绿棕色或暗棕色，平滑，有光泽，一端较平坦，另一端斜尖，背、腹面各有一凸起的棱线，棱线两侧各有一斜向对称而色较浅的线形凹纹。质坚硬，不易破碎。种皮薄，子叶 2，黄色，呈“S”形折曲并重叠。气微，味微苦。

| 功能主治 | 甘、苦、咸，微寒。归肝、肾经。清热明目，润肠通便。用于目赤涩痛，畏光多泪，头痛，眩晕，目暗不明，大便秘结。

| 用法用量 | 内服煎汤，9 ~ 15 g。

豆科 Leguminosae 决明属 *Cassia*

望江南 *Cassia occidentalis* L.

| 药材名 | 望江南（药用部位：茎、叶。别名：飞天蜈蚣、铁蜈蚣、凤凰草）、望江南子（药用部位：种子。别名：金豆子、羊角豆、野扁豆）。

| 形态特征 | 直立、少分枝的亚灌木或灌木，无毛，高 0.8 ~ 1.5 m。根黑色。枝带草质，有棱。叶长约 20 cm；叶柄近基部有大而带褐色、圆锥形的腺体 1；小叶 4 ~ 5 对，膜质，卵形至卵状披针形，长 4 ~ 9 cm，宽 2 ~ 3.5 cm，先端渐尖，有小缘毛；小叶柄长 1 ~ 1.5 mm，揉之有腐败气味；托叶膜质，卵状披针形，早落。花数朵组成伞房状总状花序，腋生和顶生，长约 5 cm；苞片线状披针形或长卵形，长渐尖，早脱；花长约 2 cm；萼片不等大，外生的萼片近圆形，长 6 mm，内生的萼片卵形，长 8 ~ 9 mm；花瓣黄色，外生花瓣卵形，长约 15 mm，宽 9 ~ 10 mm，其余花瓣长可达 20 mm，宽 15 mm，

先端圆形，均有短狭的瓣柄；7 雄蕊发育，3 雄蕊不育，无花药。荚果带状镰形，褐色，压扁，长 10 ~ 13 cm，宽 8 ~ 9 mm，稍弯曲，边缘颜色较淡，加厚，有尖头；果柄长 1 ~ 1.5 cm；种子 30 ~ 40，种子间有薄隔膜。花期 4 ~ 8 月，果期 6 ~ 10 月。

| 生境分布 | 生于河边滩地、旷野、丘陵的灌木林或疏林中。湖南各地均有分布。

| 资源情况 | 野生资源稀少。栽培资源丰富。药材来源于栽培。

| 采收加工 | **望江南：**夏季植株生长旺盛时采收，阴干；亦可随采随用。

望江南子：10 月果实成熟时割取全株，晒干后脱粒，取种子，再晒干。

| 功能主治 | **望江南：**苦，寒。肃肺，清肝，利尿，通便，解毒消肿。用于咳嗽气喘，头痛目赤，血淋，大便秘结，痈肿疮毒，蛇虫咬伤。

望江南子：清肺，健胃，通便，解毒。用于目赤肿痛，头晕头涨，消化不良，胃痛，痢疾，便秘，痈肿疔毒。

| 用法用量 | 内服煎汤，6 ~ 9 g；或捣汁。外用适量，研末敷。

豆科 Leguminosae 决明属 *Cassia*

黄槐决明 *Cassia surattensis* Burm. f.

| 药材名 | 黄槐决明（药用部位：叶、种子。别名：降香檀、花梨母、降香黄檀）。

| 形态特征 | 灌木或小乔木，高 5 ~ 7 m，多分枝。小枝有肋条。树皮颇光滑，灰褐色。嫩枝、叶轴、叶柄被微柔毛。叶长 10 ~ 15 cm；叶轴及叶柄呈扁四方形，叶轴下面 2 对或 3 对小叶之间和叶柄上部有棍棒状腺体 2 ~ 3；小叶 7 ~ 9 对，长椭圆形或卵形，长 2 ~ 5 cm，宽 1 ~ 1.5 cm，下面粉白色，被疏散且紧贴的长柔毛，全缘；小叶柄长 1 ~ 1.5 mm，被柔毛；托叶线形，弯曲，长约 1 cm，早落。总状花序生于枝条上部的叶腋内；苞片卵状长圆形，外被微柔毛，长 5 ~ 8 mm；萼片卵圆形，大小不等，内生的萼片长 6 ~ 8 mm，外生的萼片长 3 ~ 4 mm，有 3 ~ 5 脉；花瓣鲜黄色至深黄色，卵形

至倒卵形，长 1.5 ~ 2 cm；雄蕊 10，全部能育，最下面 2 雄蕊有较长花丝，花药长椭圆形，2 侧裂；子房线形，被毛。荚果扁平，带状，开裂，长 7 ~ 10 cm，宽 8 ~ 12 mm，先端具细长的喙；果颈长约 5 mm；果柄明显；种子 10 ~ 12，有光泽。

| 生境分布 | 生于海拔 750 ~ 1 500 m 的村边、山腰、灌丛。分布于湖南永州（双牌）等。

| 资源情况 | 野生资源一般。栽培资源一般。药材来源于野生和栽培。

| 采收加工 | 全年均可采收，晒干或鲜用。

| 功能主治 | 甘、苦，寒。归大肠经。叶，清热解毒，润肺。种子，泻下导滞。用于肠燥便秘。

| 用法用量 | 内服煎汤，3 ~ 10 g；叶可泡茶。

豆科 Leguminosae 决明属 *Cassia*

小决明 *Cassia tora* L.

| 药 材 名 | 小决明（药用部位：种子。别名：马蹄决明、钝叶决明）。

| 形态特征 | 一年生直立粗壮草本，高 1 ~ 2 m。植株较小，荚果较短。种子短圆柱形，一端钝圆，另一端倾斜并有尖头，长 4 ~ 6 mm，宽 2 ~ 3 mm；胚黄色，两子叶重叠并呈“S”状弯曲。

| 生境分布 | 生于山坡、路边和旷野等。分布于湖南株洲（茶陵、醴陵）、衡阳（珠晖、石鼓、衡阳、衡南、衡山）、常德（鼎城、临澧、石门）、张家界（桑植）、益阳（南县）、郴州（桂阳）、永州（江华）、怀化（通道）等。湖南各地均有栽培。

| 资源情况 | 野生资源一般。栽培资源丰富。药材来源于野生和栽培。

| 采收加工 | 秋季采收成熟果实，晒干，打下种子，除去杂质。

| 药材性状 | 本品呈短圆柱形，较小，长 3 ～ 5 mm，宽 2 ～ 3 mm。表面棱线两侧各有一宽广的浅黄棕色带。

| 功能主治 | 甘、苦、咸，微寒。清热明目，润肠通便。

| 用法用量 | 内服煎汤，9 ～ 15 g。

豆科 Leguminosae 紫荆属 *Cercis*

紫荆 *Cercis chinensis* Bunge

|药材名|

紫荆（药用部位：树皮、花、果实。别名：裸枝树、紫珠）。

|形态特征|

丛生或单生灌木，高 2 ~ 5 m。树皮和小枝灰白色。叶纸质，近圆形或三角状圆形，长 5 ~ 10 cm，宽与长相等或略短于长，先端急尖，基部浅心形至深心形，两面通常无毛，嫩叶绿色，仅叶柄略带紫色，叶缘膜质，透明，新鲜时明显可见。花紫红色或粉红色，2 ~ 10 或更多成束，簇生于老枝和主干上，尤其主干上花束较多，越到上部幼嫩枝条则花越少，通常先于叶开放，但嫩枝或幼株上的花则与叶同时开放，花长 1 ~ 1.3 cm；花梗长 3 ~ 9 mm；龙骨瓣基部具深紫色斑纹；子房嫩绿色，花蕾期光亮无毛，后期则密被短柔毛，有胚珠 6 ~ 7。荚果扁，狭长形，绿色，长 4 ~ 8 cm，宽 1 ~ 1.2 cm，翅宽约 1.5 mm，先端急尖或短渐尖，喙细而弯曲，基部长渐尖，两侧缝线对称或近对称；果颈长 2 ~ 4 mm；种子 2 ~ 6，阔长圆形，长 5 ~ 6 mm，宽约 4 mm，黑褐色，光亮。花期 3 ~ 4 月，果期 8 ~ 10 月。

| 生境分布 | 生于密林或石灰岩地区。栽培于庭院、屋旁，喜肥沃、排水良好的土壤。湖南各地均有分布。

| 资源情况 | 野生资源一般。栽培资源丰富。药材来源于野生和栽培。

| 采收加工 | 树皮，7 ~ 8 月剥取，晒干。花，4 ~ 5 月采摘，晒干。果实，9 ~ 10 月采收，晒干。

| 功能主治 | 树皮，苦，平。活血通经，消肿解毒。用于风寒湿痹，闭经，血气痛，喉痹，淋证，痈肿，疥癣，跌打损伤，蛇虫咬伤。花，清热凉血，祛风解毒。用于风湿筋骨痛，鼻中疳疮。果实，用于咳嗽，孕妇心痛。

| 用法用量 | 内服煎汤，10 ~ 15 g；或研末，1.5 ~ 3 g。外用适量，研末撒。

豆科 Leguminosae 紫荆属 *Cercis*

黄山紫荆 *Cercis chingii* Chun

| 药 材 名 | 黄山紫荆（药用部位：根、茎皮）。

| 形态特征 | 从生灌木，高 2 ~ 4 m，主干和分枝常呈披散状；小枝初时灰白色，干后呈黑褐色，有多而密的小皮孔，嫩时被棕色短柔毛。叶近革质，卵圆形或肾形，长 5 ~ 11 cm，宽 5 ~ 12 cm，先端急尖具长 5 ~ 8 mm 的尖头，或圆钝而无尖头，基部心形或截平，干后下面常呈棕色，且基部脉腋间或沿主脉上常被短柔毛，主脉 5，在下面凸起；叶柄长 1.5 ~ 3 cm，两端微膨大。花常先于叶开放，数花簇生于老枝上，淡紫红色，后渐变白色；花萼长约 6 mm；花瓣长约 1 cm。荚果厚革质，长 7 ~ 8.5 cm，宽约 1.3 cm，无翅和果颈，喙粗大，长约 8 mm，直径 2 mm，坚硬，2 瓣裂，果瓣常扭曲；种子 3 ~ 6，

嵌入一厚而微白色（干后呈棕褐色）的海绵状组织内。花期 2 ~ 3 月，果期 9 ~ 10 月。

| 生境分布 | 生于低海拔的山地疏林灌丛、路旁或栽培于庭园中。分布于湖南长沙等。

| 资源情况 | 栽培资源稀少。药材来源于栽培。

| 功能主治 | 活血，消肿，止痛。

豆科 Leguminosae 紫荆属 *Cercis*

广西紫荆 *Cercis chuniana* Metc.

| 药 材 名 | 广西紫荆（药用部位：花、果实、树皮。别名：岭南紫荆）。

| 形态特征 | 乔木，高 6 ~ 27 m，胸径约 20 cm。树皮灰色。当年生小枝红色，干后呈褐红色，有多而密的小皮孔。叶纸质，菱状卵形，长 5 ~ 9 cm，宽 3 ~ 5 cm，先端长渐尖，基部钝三角形，两侧不对称，两面常被白粉，尤以上面为多，下面基部脉腋间常有少数短柔毛；叶柄细小，长约 1 cm 或过之，两端稍膨大。总状花序长 3 ~ 5 cm，有数花至 10 余花；花梗纤细，长约 1 cm；花未见。荚果紫红色，干后呈红褐色，狭长圆形，极压扁，长 6 ~ 9 cm，宽 1.3 ~ 1.7 cm，两端略尖，先端具长 2 ~ 3 mm 的细尖喙；翅较狭，宽不及 1 mm；果颈长约 5 mm；果柄长 1 ~ 1.5 cm；种子 2 ~ 5，阔卵圆形，长约 6 mm，宽约 5 mm，压扁，黑褐色，表面光滑。果期 9 ~ 11 月。

| 生境分布 | 生于海拔 600 ~ 1 900 m 的山谷、溪边疏林或密林中。分布于湖南郴州（临武）、永州（道县、蓝山）等。

| 资源情况 | 野生资源一般。栽培资源一般。药材来源于野生和栽培。

| 采收加工 | 4 ~ 5 月采摘花，7 ~ 8 月剥取树皮，9 ~ 11 月采收果实。晒干。

| 功能主治 | 苦，平。清热解毒，凉血止血，消炎生肌。用于偏头痛，吐血，跌打肿痛，外伤出血等。

| 用法用量 | 内服煎汤，9 ~ 15 g。外用适量，研末敷。

豆科 Leguminosae 紫荆属 *Cercis*

湖北紫荆 *Cercis glabra* Pamp.

| 药材名 | 湖北紫荆（药用部位：树皮。别名：箩筐树、乌桑树、云南紫荆）。

| 形态特征 | 乔木，高 6 ~ 16 m，胸径达 30 cm。树皮和小枝灰黑色。叶较大，厚纸质或近革质，心形或三角状圆形，长 5 ~ 12 cm，宽 4.5 ~ 11.5 cm，先端钝或急尖，基部浅心形至深心形，幼叶常呈紫红色。总状花序短，总轴长 0.5 ~ 1 cm，有数花至 10 余花；花淡紫红色或粉红色，先于叶或与叶同时开放，稍大，长 1.3 ~ 1.5 cm；花梗细长，长 1 ~ 2.3 cm。荚果狭长圆形，紫红色，多数长 9 ~ 14 cm，少数长不及 9 cm，宽 1.2 ~ 1.5 cm，翅宽约 2 mm，先端渐尖，基部圆钝，2 缝线不等长，背缝稍长，向外弯拱，少数基部渐尖而缝线等长；果颈长 2 ~ 3 mm；种子 1 ~ 8，近圆形，长 6 ~ 7 mm，宽 5 ~ 6 mm。花期 3 ~ 4 月，果期 9 ~ 11 月。

| 生境分布 | 生于海拔 600 ~ 1 900 m 的山地疏林或密林中、山谷、路边或岩石上。分布于湖南张家界（永定）、郴州（苏仙）、永州（东安）、湘西州（吉首、花垣）等。

| 资源情况 | 野生资源一般。栽培资源较丰富。药材来源于野生和栽培。

| 采收加工 | 7 ~ 8 月采收，晒干。

| 功能主治 | 苦，平。活血通经，解毒消肿。用于风寒湿痹，闭经。

| 用法用量 | 内服煎汤，10 ~ 20 g。

豆科 Leguminosae 香槐属 *Cladrastis*

翅荚香槐 *Cladrastis platycarpa* (Maxim.) Makino.

| 药 材 名 | 翅荚香槐（药用部位：根、果实。别名：日本香槐、翅叶香槐、狭翅香槐）。

| 形态特征 | 大乔木，高 30 m，胸径 80 ~ 120 cm。树皮暗灰色，多皮孔。一年生枝被褐色柔毛，旋即秃净。奇数羽状复叶。圆锥花序长 30 cm，直径 15 cm，花序轴和花梗被稀疏短柔毛，花梗细，长 3 ~ 4 mm；花萼阔钟状，与花梗等长，密被棕褐色绢毛，萼齿 5，三角形，近等长；花冠白色；雄蕊 10，离生；子房线形，被淡黄白色疏柔毛，花柱稍弯曲，胚珠 5 ~ 6。荚果扁平，长椭圆形或长圆形，长 4 ~ 8 cm，宽 1.5 ~ 2 cm，两侧具翅，不开裂，有种子 1 ~ 2，稀 4；种子长圆形，长约 8 mm，宽 3 mm，压扁，种皮深褐色或黑色。花期 4 ~ 6 月，果期 7 ~ 10 月。

| 生境分布 | 生于海拔 1 000 m 以下的山谷疏林中或村庄附近的山坡杂木林中。分布于湖南衡阳（珠晖、蒸湘、耒阳）、郴州（桂阳）、永州（东安、道县、新田）、怀化（麻阳）、娄底（冷水江）、湘西州（吉首）等。

| 资源情况 | 野生资源一般。栽培资源一般。药材来源于野生和栽培。

| 采收加工 | 夏、秋季采收，晒干。

| 药材性状 | 本品果实呈椭圆形，背缝及腹缝均扩大，呈狭翅状。

| 功能主治 | 祛风止痛。用于关节疼痛。

| 用法用量 | 内服煎汤，鲜根 30 ~ 60 g。

豆科 Leguminosae 香槐属 *Cladrastis*

小花香槐 *Cladrastis sinensis* Hemsl.

| 药 材 名 | 小花香槐（药用部位：根）。

| 形态特征 | 乔木，高达 20 m。幼枝、叶轴、小叶柄被灰褐色或锈色柔毛。叶长达 20 cm，小叶 9 ~ 15，卵状披针形或长圆状披针形，长 6 ~ 10 cm，先端渐尖或钝，基部圆或微心形，上面深绿色，无毛，下面苍白色，常沿中脉被锈色柔毛，无小托叶。圆锥花序顶生，长 15 ~ 30 cm；花长约 1.4 cm；花萼钟形，长约 4 mm，萼齿 5，半圆形，钝尖，密被灰褐色或锈色短柔毛；花冠白色或淡黄色，稀粉红色；雄蕊 10，分离；子房线形，疏被淡黄色柔毛。荚果长椭圆形或椭圆形，扁平，两侧无翅，长 3 ~ 8 cm，宽 1 ~ 1.4 cm，疏被柔毛，具 1 ~ 5 种子；种子卵形，压扁，褐色，长约 4 mm。花果期 6 ~ 10 月。

| 生境分布 | 生于海拔 1 000 ~ 1 800 m 的较温暖的山区杂木林中。分布于湖南邵阳（绥宁）等。

| 资源情况 | 野生资源较少。药材来源于野生。

| 功能主治 | 消肿，止痛。

豆科 Leguminosae 香槐属 *Cladrastis*

香槐 *Cladrastis wilsonii* Takeda

| 药 材 名 | 香槐（药用部位：根、果实。别名：山荆、香近豆、四季豆）。

| 形态特征 | 落叶乔木，高 4 ～ 16 m。树皮灰褐色。幼枝灰绿色，二年生枝紫褐色，无毛，有细小皮孔。奇数羽状复叶互生；小叶 9 ～ 11，膜质，基部叶卵形，长约 5 cm；上部叶渐大，卵状椭圆形或长椭圆形，顶部叶倒卵状椭圆形，长 10 cm，宽 4 ～ 5 cm，上面光滑，下面沿主脉疏被淡棕褐色柔毛。圆锥花序疏松，顶生或腋生，总花梗被褐色短柔毛；花长约 20 mm，白色；萼钟状，先端 5 裂，萼齿三角形；花瓣几等长，旗瓣近圆形，先端微凹；雄蕊 10，近分离；子房线形，具短柄，密被绢状毛。荚果扁，长 4.5 cm，宽约 12 mm，密生短柔毛。花期 6 ～ 7 月，果期 9 ～ 10 月。

| 生境分布 | 生于海拔 1 000 m 的山坡杂木林中。分布于湖南株洲（醴陵）、郴州（临武）、永州（江永）等。

| 资源情况 | 野生资源一般。栽培资源一般。药材来源于野生和栽培。

| 采收加工 | 夏、秋季采收，晒干。

| 药材性状 | 本品荚果呈条状而扁，表面黄绿色，密被短柔毛，果皮硬。

| 功能主治 | 辛，温。归肝经。根，祛风止痛。用于关节疼痛。果实，催吐。

| 用法用量 | 内服煎汤，鲜根 30 ～ 60 g。

豆科 Leguminosae 舞草属 *Codariocalyx*

舞草 *Codariocalyx motorius* (Houtt.) H. Ohashi

| 药 材 名 | 舞草（药用部位：全草）。

| 形态特征 | 直立小灌木，高达 1.5 m。茎单一或分枝，圆柱形，微具条纹，无毛。叶为三出复叶，侧生小叶很小或缺而仅具单小叶；托叶窄三角形，长 10 ~ 14 mm，通常偏斜，无毛，边缘疏生小柔毛；叶柄长 1.1 ~ 2 cm，上面具沟槽，疏生开展柔毛；顶生小叶长椭圆形或披针形，长 5.5 ~ 10 cm，宽 1 ~ 2.5 cm，先端圆形或急尖，有细尖，基部钝或圆，上面无毛，下面被贴伏短柔毛，侧脉每边 8 ~ 14，不达叶缘，侧生小叶很小，长椭圆形或线形或有时缺；小托叶钻形，长 3 ~ 5 mm，两面无毛。圆锥花序或总状花序顶生或腋生，花序轴具弯曲钩状毛；苞片宽卵形，长约 6 mm，密生，花

时脱落；花梗开花时长 1 ~ 4 mm，被开展毛；花萼膜质，外面被毛，萼筒长 1 ~ 1.5 mm，上部裂片先端 2 裂；花冠紫红色，旗瓣长、宽均 7.5 ~ 10 mm；雌蕊长 10 ~ 12 mm，子房被微毛。荚果镰形或直，长 2.5 ~ 4 cm，腹缝线直，背缝线稍缢缩，成熟时沿背缝线开裂，疏被钩状短毛，有荚节 5 ~ 9；种子长 4 ~ 4.5 mm，宽 2.5 ~ 3 mm。花期 7 ~ 9 月，果期 10 ~ 11 月。

| 生境分布 | 生于海拔 200 ~ 1 500 m 的丘陵山坡或山沟灌丛。分布于湖南怀化（通道）等。

| 资源情况 | 野生资源稀少。药材来源于野生。

| 采收加工 | 春、秋季采收，除去杂质，晒干。

| 功能主治 | 安神，镇静，补肾安胎，祛瘀生新，活血消肿。

豆科 Leguminosae 舞草属 *Codoriocalyx*

圆叶舞草 *Codoriocalyx gyroides* (Roxburgh ex Link) Hasskarl

| 药 材 名 | 圆叶舞草（药用部位：全草。别名：团叶舞草、圆叶野百合）。

| 形态特征 | 直立灌木，高 1 ～ 3 m。茎圆柱形，多少具条线，幼时被柔毛。嫩枝被长柔毛，老时渐无毛。叶为三出复叶；托叶狭三角形。总状花序顶生或腋生；苞片宽卵形；花梗长 4 ～ 9 mm；花萼宽钟形；雄蕊长 9 ～ 11 mm；雌蕊长 12 ～ 14 mm，子房线形，被毛。荚果镰状弯曲，长 2.5 ～ 5 cm，宽 4 ～ 6 mm，腹缝线直，背缝线稍缢缩为波状，成熟时沿背缝线开裂，密被黄色钩状短毛和长柔毛，有荚节 5 ～ 9；种子长 4 mm，宽约 2.5 mm。花期 9 ～ 10 月，果期 10 ～ 11 月。

| 生境分布 | 生于海拔 100 ～ 1 500 m 的平原、河边草地及山坡疏林中。分布于湖南衡阳（常宁）等。

| 资源情况 | 野生资源一般。栽培资源一般。药材来源于栽培。

| 采收加工 | 夏、秋季采收，晒干。

| 药材性状 | 本品荚果微呈镰形，密被淡黄色柔毛。

| 功能主治 | 微涩、甘，平。祛瘀生新，活血消肿。用于跌打肿痛，骨折，疳积，风湿骨痛。

| 用法用量 | 内服煎汤，15 ~ 25 g。

豆科 Leguminosae 猪屎豆属 *Crotalaria*

响铃豆 *Crotalaria albida* Heyne ex Roth

|药 材 名|

响铃豆（药用部位：根。别名：黄花地丁、小响铃、马口铃）。

|形态特征|

多年生直立草本，基部常呈木质，高 30 ~ 60（~ 80）cm。全体或上部分枝，通常细弱，被紧贴的短柔毛。总状花序顶生或腋生，有花 20 ~ 30，花序长达 20 cm；苞片丝状，长约 1 mm，小苞片与苞片同形，生于萼筒基部；花梗长 3 ~ 5 mm；花萼二唇形，长 6 ~ 8 mm，深裂，上面 2 萼齿宽大，先端稍钝圆，下面 3 萼齿披针形，先端渐尖；花冠淡黄色，旗瓣椭圆形，长 6 ~ 8 mm，先端具束状柔毛，基部可见胼胝体，翼瓣长圆形，约与旗瓣等长，龙骨瓣弯曲约 90°，中部以上变为狭形成长喙；子房无柄。荚果短圆柱形，长约 10 mm，无毛，稍伸出花萼之外；种子 6 ~ 12。花果期 5 ~ 12 月。

|生境分布|

生于海拔 200 ~ 2 100 m 的荒地路旁及山坡疏林下。湖南各地均有分布。

| 资源情况 | 野生资源一般。栽培资源丰富。药材来源于栽培。

| 采收加工 | 夏、秋季采收，鲜用或扎成把，晒干。

| 功能主治 | 苦、辛，凉。清热解毒，止咳平喘，截疟。用于尿道炎，膀胱炎，肝炎，胃肠炎，痢疾，支气管炎，肺炎，哮喘，疟疾，目赤肿痛；外用于痈肿疮毒，乳腺炎。

| 用法用量 | 内服煎汤，10 ~ 15 g。外用适量，鲜品捣敷。

豆科 Leguminosae 猪屎豆属 *Crotalaria*

假地蓝 *Crotalaria ferruginea* Grah. ex Benth.

| 药 材 名 | 假地蓝（药用部位：全草。别名：黄花野百合、野花生、大响铃豆）。

| 形态特征 | 草本，基部常呈木质，高 60 ~ 120 cm。茎直立或铺地蔓延，多分枝，被伸展的棕黄色长柔毛。托叶披针形或三角状披针形，长 5 ~ 8 mm；单叶，叶片椭圆形，长 2 ~ 6 cm，宽 1 ~ 3 cm，两面被毛，下面叶脉上的毛密，先端钝或渐尖，基部略呈楔形，侧脉隐约可见。总状花序顶生或腋生，有花 2 ~ 6；苞片披针形，长 2 ~ 4 mm，小苞片与苞片同形，生于萼筒基部；花梗长 3 ~ 5 mm；花萼二唇形，长 10 ~ 12 mm，密被粗糙的长柔毛，深裂几达基部，萼齿披针形；花冠黄色，旗瓣长椭圆形，长 8 ~ 10 mm，翼瓣长圆形，长约 8 mm，龙骨瓣与翼瓣等长，中部以上变狭成长喙，包于萼内或与之等长；子房无柄。荚果长圆形，无毛，长 2 ~ 3 cm；种子

20 ~ 30。花果期 6 ~ 12 月。

| 生境分布 | 生于海拔 400 ~ 1 000 m 的山坡疏林及荒山草地。湖南各地均有分布。

| 资源情况 | 野生资源一般。栽培资源丰富。药材来源于栽培。

| 采收加工 | 夏、秋季采收，晒干。

| 药材性状 | 本品茎呈圆形，全体被黄棕色茸毛。叶片卷曲，呈椭圆形或卵形，黄绿色。枝端尚带荚果，种子大多已脱落。根蜿蜒而长，圆形，少分枝，须根细长，表面呈土黄色。

| 功能主治 | 微酸，寒。归肺经。补肾，消炎，平喘，止咳。用于目眩耳鸣，遗精，慢性肾小球肾炎，膀胱炎，慢性支气管炎；外用于疔疮痈肿。

| 用法用量 | 内服煎汤，25 ~ 50 g；或炖肉。外用适量，捣敷。

豆科 Leguminosae 猪屎豆属 *Crotalaria*

线叶猪屎豆 *Crotalaria linifolia* L. f.

| 药 材 名 | 线叶猪屎豆（药用部位：根。别名：条叶猪屎豆、线叶野百合）。

| 形态特征 | 多年生草本，基部常呈木质，高 50 ~ 100 cm。茎圆柱形，密被丝质短柔毛。托叶小，通常早落；单叶，倒披针形或长圆形，长 2 ~ 5 cm，宽 0.5 ~ 1.5 cm，先端渐尖或钝尖，具细小的短尖头，基部渐狭，但非为楔形，两面被丝质柔毛；叶柄短。总状花序顶生或腋生，有花多朵，花序长 10 ~ 20 cm；苞片披针形，长 2 ~ 3 mm，小苞片与苞片相似，生于萼筒基部；花萼二唇形，长 6 ~ 7 mm，深裂；花冠黄色，旗瓣圆形或长圆形，先端圆或凹，长 5 ~ 7 mm，基部边缘被毛，胼胝体垫状，翼瓣长圆形，长 6 ~ 7 mm，龙骨瓣长约 8 mm，近直生，中部以上变狭，具长喙；子房无柄。荚果四角菱形，长 5 ~ 6 mm，无毛，成熟后果皮呈黑色；种子 8 ~ 10。花期 5 ~ 10

月，果期 8 ~ 12 月。

| 生境分布 | 生于海拔 500 ~ 2 100 m 的山坡路旁。分布于湖南湘西州（龙山）等。

| 资源情况 | 野生资源一般。栽培资源一般。药材来源于栽培。

| 采收加工 | 夏、秋季采挖，洗净，切片，晒干。

| 功能主治 | 辛、微苦，平。归大肠、膀胱经。清热解毒，消肿止痛。用于耳鸣，遗精，妇女干血痨；外用于疮痈，疥癣等。

| 用法用量 | 内服煎汤，6 ~ 12 g。外用适量，捣敷。

豆科 Leguminosae 猪屎豆属 *Crotalaria*

猪屎豆 *Crotalaria pallida* Ait.

| 药 材 名 |

猪屎豆（药用部位：根、茎、叶、种子。别名：野花生、猪屎青、土沙苑子）。

| 形态特征 |

多年生草本，或呈灌木状。茎枝圆柱形，具小沟纹，密被紧贴的短柔毛。托叶极细小，刚毛状，通常早落。总状花序顶生，长达 25 cm，有花 10 ~ 40；苞片线形，长约 4 mm，早落，小苞片的形状与苞片相似，长约 2 mm，花时极细小，长不及 1 mm，生于萼筒中部或基部；花梗长 3 ~ 5 mm；花萼近钟形，长 4 ~ 6 mm，5 裂，萼齿三角形，约与萼筒等长，密被短柔毛；花冠黄色，伸出萼外，旗瓣圆形或椭圆形，直径约 10 mm，基部具胼胝体 2，翼瓣长圆形，长约 8 mm，下部边缘具柔毛，龙骨瓣最长，长约 12 mm，弯曲约 90°，具长喙，基部边缘具柔毛；子房无柄。荚果长圆形，长 3 ~ 4 cm，直径 5 ~ 8 mm，幼时被毛，成熟后毛脱落，果瓣开裂后扭转；种子 20 ~ 30。花果期 9 ~ 12 月。

| 生境分布 |

生于海拔 100 ~ 1 000 m 的荒山草地。分布

于湖南长沙（岳麓）、湘潭（雨湖、韶山）、衡阳（衡山）、郴州（嘉禾、汝城）、永州（蓝山）等。

| 资源情况 | 野生资源一般。栽培资源丰富。药材来源于栽培。

| 采收加工 | 夏、秋季采收，晒干。

| 药材性状 | 三角状肾形，略扁，表面浅褐色或黄棕色，光滑。质坚硬，不易破碎。气微，味淡。

| 功能主治 | 苦、辛，平；有毒。归大肠、膀胱经。根，解毒散结，消积。用于淋巴结结核，乳腺炎，痢疾，疳积。茎、叶，清热祛湿。用于痢疾，湿热腹泻。种子，补肝肾，明目，固精。用于头晕眼花，神经衰弱，遗精，早泄，小便频数，遗尿，带下。

| 用法用量 | 内服煎汤，根 25 ～ 50 g，茎、叶 6 ～ 10 g，种子 6 ～ 15 g。

豆科 Leguminosae 猪屎豆属 *Crotalaria*

农吉利 *Crotalaria sessiliflora* L.

药材名

农吉利（药用部位：全草。别名：佛指甲、狸豆、狗灵草）。

形态特征

一年生直立草本，有时为亚灌木状，高 20 ~ 100 cm，不分枝或上部多分枝，被紧贴的丝毛。单叶互生，几无柄；托叶极细小，刚毛状，被毛；叶片线状披针形，长 3 ~ 11 cm，宽 4 ~ 10 mm，先端短尖，常有束状毛，基部渐狭，上面无毛，下面有黄褐色或白色的粗毛。总状花序顶生或腋生，有花 2 ~ 20，常密集排列；苞片与小苞片线形，宿存，被褐色粗毛；花萼长约 12 mm，萼管短，5 裂，裂片不等大，上面裂片宽，卵状披针形，下面裂片狭线形而尖；蝶形花冠紫蓝色或淡蓝色，约与花萼等长；雄蕊 10，5 长 5 短，上部分离；子房长圆形，柱头内弯。荚果长圆形，长 1 ~ 1.5 cm，无毛；种子 10 ~ 15。

生境分布

生于丘陵岗地、低山。分布于湖南长沙（宁乡）、衡阳（石鼓、衡阳）、郴州（汝城）、永州（零陵）、娄底（冷水江）、湘西州（永顺）等。

| 资源情况 | 野生资源较少。药材来源于野生。

| 采收加工 | 7 ~ 10 月采收，鲜用或切段晒干。

| 药材性状 | 本品茎呈圆柱形，稍有分枝，表面灰绿色，密被灰白色茸毛。单叶互生，叶片多皱缩卷曲，完整者呈线形或线状披针形，暗绿色，下表面有柔毛，全缘。荚果长圆柱形，长 1 ~ 1.4 cm，包于宿存花萼内，宿萼 5 裂，密被棕黄色或白色长毛；种子细小，肾形或心形而扁，成熟时呈棕色，有光泽。气微，味淡。

| 功能主治 | 甘、淡，平；有毒。归肝、胃、脾、大肠经。清热，利湿，解毒，消积。用于痢疾，热淋，喘咳，风湿痹痛，疔疮疖肿，毒蛇咬伤，疳积，恶性肿瘤。

| 用法用量 | 内服煎汤，15 ~ 60 g。外用适量，研末调敷或撒敷；或鲜品捣敷；或煎汤洗。

豆科 Leguminosae 猪屎豆属 *Crotalaria*

光萼猪屎豆 *Crotalaria zanzibarica* Benth.

| 药 材 名 | 光萼猪屎豆（药用部位：种子。别名：光萼野百合、南美猪屎豆）。

| 形态特征 | 草本或亚灌木，高达 2 m。茎枝圆柱形，具小沟纹，被短柔毛。托叶极细小，钻状，长约 1 mm；叶三出；叶柄长 3 ~ 5 cm；小叶长椭圆形，两端渐尖，长 6 ~ 10 cm，宽 1 ~ 2（~ 3）cm，先端具短尖，上面绿色，光滑无毛，下面青灰色，被短柔毛；小叶柄长约 2 mm。总状花序顶生，有花 10 ~ 20，花序长达 20 cm；苞片线形，长 2 ~ 3 mm，小苞片与苞片同形，稍短小，生于花梗中部以上；花梗长 3 ~ 6 mm，在花蕾时挺直向上，开花时屈曲向下，结果时下垂；花萼近钟形，长 4 ~ 5 mm，5 裂，萼齿三角形，约与萼筒等长，无毛；花冠黄色，伸出萼外，旗瓣圆形，直径约 12 mm，基部具胼胝体 2，先端具芒尖，翼瓣长圆形，约与旗瓣等长，龙骨瓣最长，长

约 15 mm，稍弯曲，中部以上变狭，形成长喙，基部边缘具微柔毛；子房无柄。荚果长圆柱形，长 3 ~ 4 cm，幼时被毛，成熟后毛脱落，果皮常呈黑色，基部残存宿存花丝及花萼；种子 20 ~ 30，肾形，成熟时呈朱红色。花果期 4 ~ 12 月。

| 生境分布 | 生于海拔 100 ~ 1 000 m 的田园路边及荒山草地。湖南各地均有分布。

| 资源情况 | 野生资源一般。栽培资源丰富。药材来源于栽培。

| 采收加工 | 夏、秋季采收，晒干。

| 药材性状 | 本品呈三角状肾形，略扁，表面橙红色或棕红色，光滑。质坚硬，不易破碎。气微，味淡。

| 功能主治 | 辛、甘，平。归脾、胃经。清热解毒，散结祛瘀。外用于疮痈，跌打损伤。

| 用法用量 | 内服煎汤，6 ~ 12 g。外用适量，捣敷。

豆科 Leguminosae 黄檀属 *Dalbergia*

南岭黄檀 *Dalbergia balansae* Prain

| 药材名 | 南岭黄檀（药用部位：木材）。

| 形态特征 | 乔木，高 6 ~ 15 m。树皮灰黑色，粗糙，有纵裂纹。羽状复叶长 10 ~ 15 cm；叶轴和叶柄被短柔毛；托叶披针形；小叶 6 ~ 7 对，皮纸质，长圆形或倒卵状长圆形。圆锥花序腋生，疏散；总花梗、分枝和花序轴疏被黄褐色短柔毛或近无毛；基生小苞片卵状披针形，副萼状小苞片披针形，均早落；花冠白色，各瓣均具柄，旗瓣圆形；雄蕊 10；子房具柄，密被短柔毛。荚果舌状或长圆形，两端渐狭，通常有种子 1，稀有种子 2 ~ 3，果瓣正对种子部分有明显网纹。花期 6 月。

| 生境分布 | 生于海拔 300 ~ 900 m 的山地杂木林或灌丛中。湖南各地均有分布。

| 资源情况 | 野生资源丰富。栽培资源丰富。药材来源于栽培。

| 采收加工 | 全年均可采收，砍碎，晒干或鲜用。

| 功能主治 | 辛，温。归肝经。行气止痛，解毒消肿。用于跌打肿痛，外伤疼痛，痈疽肿毒。

| 用法用量 | 内服煎汤，9 ~ 15 g。外用适量，研末、捣末敷。

豆科 Leguminosae 黄檀属 *Dalbergia*

大金刚藤 *Dalbergia dyeriana* Harms

| 药 材 名 | 大金刚藤（药用部位：根茎。别名：大金刚藤黄檀）。

| 形态特征 | 大藤本。小枝纤细，无毛。羽状复叶长 7 ~ 13 cm；小叶（3 ~ ）4 ~ 7 对，薄革质，倒卵状长圆形或长圆形，长 2.5 ~ 4（ ~ 5）cm，宽 1 ~ 2（ ~ 2.5）cm，基部楔形，有时阔楔形，先端圆或钝，有时稍凹缺，上面无毛，有光泽，下面疏被紧贴柔毛，脉纤细而密，两面明显隆起；小叶柄长 2 ~ 2.5 mm。圆锥花序腋生，长 3 ~ 5 cm，直径约 3 cm；总花梗、分枝与花梗均略被短柔毛；花梗长 1.5 ~ 3 mm；基生小苞片与副萼状小苞片长圆形或披针形，脱落；花萼钟状，略被短柔毛，后渐无毛，萼齿三角形，先端钝，上面 2 萼齿较阔，下面 1 萼齿最长，先端近急尖；花冠黄白色，各瓣均具稍长的瓣柄，旗瓣长圆形，先端微缺，翼瓣倒卵状长圆形，无耳，龙骨瓣狭长

圆形，内侧有短耳；雄蕊 9，单体，花丝上部 1/4 离生；子房具短柄，被短柔毛或近无毛，有胚珠 1 ~ 3，花柱短，无毛，柱头小，尖状。荚果长圆形或带状，扁平，长 5 ~ 6（~ 9）cm，宽 1.2 ~ 2 cm，先端圆、钝或急尖，有细尖头，基部楔形，具果颈，果瓣薄革质，干时呈淡褐色，正对种子部分有细而清晰的网纹，有种子 1 ~ 2；种子长圆状肾形，长约 1 cm，宽约 5 mm。花期 5 月。

| 生境分布 | 生于海拔 700 ~ 1 500 m 的山坡灌丛或山谷密林中。湖南各地均有分布。

| 资源情况 | 野生资源丰富。栽培资源丰富。药材来源于栽培。

| 采收加工 | 8 ~ 9 月采挖，洗净，切片，晒干。

| 功能主治 | 微辛，温；有毒。归肝、肾经。祛风除湿，利小便，活血祛瘀，解毒散结。

| 用法用量 | 内服煎汤，9 ~ 15 g。

豆科 Leguminosae 黄檀属 *Dalbergia*

藤黄檀 *Dalbergia hancei* Benth.

| 药材名 | 藤黄檀（药用部位：根、茎。别名：橿树、梣果藤、藤檀）。

| 形态特征 | 藤本。枝纤细，幼枝略被柔毛，小枝有时呈钩状或旋扭。羽状复叶长 5 ～ 8 cm。总状花序远较复叶短，幼时包藏于舟状、覆瓦状排列且早落的苞片内，数个总状花序常再集成腋生短圆锥花序；花梗长 1 ～ 2 mm，与花萼和小苞片同被褐色短茸毛；基生小苞片卵形，副萼状小苞片披针形，均早落；花萼阔钟状，长约 3 mm，萼齿短，阔三角形，除最下面 1 萼齿先端急尖外，其余萼齿均钝或圆，具缘毛；花冠绿白色，芳香，长约 6 mm，各瓣均具长柄，旗瓣椭圆形，基部两侧稍呈截形，具耳，中间渐狭，下延而成 1 瓣柄，翼瓣与龙骨瓣长圆形；雄蕊 9 或 10，单体，其中 1 雄蕊对着旗瓣；子房线形，除腹缝略具缘毛外，其余部位无毛，具短子房柄，花柱稍长，柱头小。

荚果扁平，长圆形或带状，无毛，长 3 ~ 7 cm，宽 8 ~ 14 mm，基部收缩为 1 细果颈，通常有种子 1，稀有种子 2 ~ 4；种子肾形，极扁平，长约 8 mm，宽约 5 mm。花期 4 ~ 5 月。

| 生境分布 | 生于山坡灌丛中或山谷溪旁。湖南各地均有分布。

| 资源情况 | 野生资源一般。栽培资源丰富。药材来源于栽培。

| 采收加工 | 夏、秋季采收，切碎，晒干。

| 功能主治 | 根，辛，温，强筋骨，宽筋，活络。用于风湿痹痛。茎，行气止痛，破积。用于心胃气痛，气喘，衄血。

| 用法用量 | 内服煎汤，根 3 ~ 6 g，茎 3 ~ 9 g。

豆科 Leguminosae 黄檀属 *Dalbergia*

黄檀 *Dalbergia hupeana* Hance

| 药 材 名 | 黄檀（药用部位：根皮。别名：不知春、望水檀、檀树）。

| 形态特征 | 乔木，高 10 ~ 20 m。树皮暗灰色，呈薄片状剥落。幼枝淡绿色，无毛。羽状复叶长 15 ~ 25 cm。圆锥花序顶生或生于最上部的叶腋间，连总花梗长 15 ~ 20 cm，直径 10 ~ 20 cm，疏被锈色短柔毛；花密集，长 6 ~ 7 mm；花梗长约 5 mm，与花萼均疏被锈色柔毛；基生小苞片和副萼状小苞片卵形，被柔毛，脱落；花萼钟状，长 2 ~ 3 mm，萼齿 5，上方 2 萼齿阔圆形，近合生，侧方的萼齿卵形，最下面 1 萼齿披针形，长于其余 4 萼齿；花冠白色或淡紫色，长于花萼，各瓣均具柄，旗瓣圆形，先端微缺，翼瓣倒卵形，龙骨瓣半月形，与翼瓣内侧均具耳；雄蕊 10，二体；子房具短柄，除基部与子房柄具毛外，其余部位无毛，胚珠 2 ~ 3，花柱纤细，柱头

小，头状。荚果长圆形或阔舌状，长 4 ～ 7 cm，宽 13 ～ 15 mm，先端急尖，基部渐狭成果颈，果瓣薄革质，正对种子部分有网纹，有 1 ～ 2（～ 3）种子；种子肾形，长 7 ～ 14 mm，宽 5 ～ 9 mm。花期 5 ～ 7 月。

| 生境分布 | 生于海拔 600 ～ 1 400 m 的山地林中或灌丛中、山沟溪旁及有小树林的坡地。湖南各地均有分布。

| 资源情况 | 野生资源较少。栽培资源丰富。药材来源于栽培。

| 采收加工 | 夏、秋季采收。

| 药材性状 | 本品呈黄白色或淡褐色，质硬而重，切面光滑。

| 功能主治 | 辛、苦，平；有小毒。归肝经。清热解毒，止血消肿。用于疥疮疔毒，毒蛇咬伤，细菌性痢疾，跌打损伤等。

| 用法用量 | 内服煎汤，15 ～ 30 g。外用适量，研末调敷。

豆科 Leguminosae 黄檀属 *Dalbergia*

香港黄檀 *Dalbergia millettii* Benth.

| 药 材 名 | 香港黄檀（药用部位：叶。别名：倒钩刺）。

| 形态特征 | 藤本。枝无毛，干时呈黑色，有时短枝呈钩状。羽状复叶。圆锥花序腋生，长 1 ～ 1.5 cm；总花梗、花序轴和分枝被极稀疏的短柔毛；花微小，长 2.5 ～ 3 mm；花梗极短；基生小苞片和副萼状小苞片卵形，宿存，具缘毛；花萼钟状，长约 1 mm，近无毛，萼齿 5，最下面 1 萼齿三角形，先端急尖，侧方 2 萼齿卵形，上方 2 萼齿合生，圆形；花冠白色，花瓣具柄，旗瓣圆形，先端微凹缺，基部具短柄，翼瓣卵状长圆形，龙骨瓣长圆形；雄蕊 9，单体；子房具柄，略被疏毛，有胚珠 1 ～ 2，花柱短，柱头小。荚果长圆形至带状，扁平，无毛，长 4 ～ 6 cm，宽 12 ～ 16 mm，先端钝或圆，基部阔楔形，具短果颈，果瓣革质，全部有网纹，其中正对种子部分网纹较明显，有种

子 1 ～ 2；种子肾形，扁平，长 8 ～ 12 mm，宽约 6 mm。花期 5 月。

| 生境分布 | 生于海拔 350 ～ 800 m 的山谷疏林或密林中。分布于湖南邵阳（邵阳）、永州（零陵）、怀化（中方）、湘西州（吉首、花垣）等。

| 资源情况 | 野生资源一般。栽培资源丰富。药材来源于栽培。

| 采收加工 | 夏、秋季采收，鲜用或晒干。

| 功能主治 | 苦，寒。清热解毒。用于疔疮，痈疽，蜂窝织炎，毒蛇咬伤。

| 用法用量 | 内服煎汤，15 ～ 30 g。外用适量，鲜品捣敷。

豆科 Leguminosae 黄檀属 *Dalbergia*

象鼻藤 *Dalbergia mimosoides* Franch.

| 药材名 | 象鼻藤（药用部位：叶。别名：含羞草叶黄檀）。

| 形态特征 | 灌木，高 4 ~ 6 m，或为藤本，多分枝。幼枝密被褐色短粗毛。羽状复叶长 6 ~ 8（~ 10）cm。圆锥花序分枝聚伞花序状；总花梗、花序轴、分枝与花梗均被柔毛；花小，稍密集，长约 5 mm；小苞片卵形，被柔毛，脱落；花萼钟状，略被毛，除下方 1 萼齿呈披针形外，其余萼齿均呈卵形，各萼齿均具缘毛；花冠白色或淡黄色，花瓣具短柄，旗瓣长圆状倒卵形，先端微凹缺，翼瓣倒卵状长圆形，龙骨瓣椭圆形；雄蕊 9 或 10，单体，花丝长短相间；子房具柄，沿腹缝线疏被柔毛，其余部位无毛，花柱短，柱头小，有胚珠 2 ~ 3。荚果无毛，长圆形至带状，扁平，长 3 ~ 6 cm，宽 1 ~ 2 cm，先端急尖，基部钝或楔形，具稍长的果颈，果瓣革质，正对种子部分有

网纹，有种子 1 ~ 2；种子肾形，扁平，长约 10 mm，宽约 6 mm。花期 4 ~ 5 月。

| 生境分布 | 生于海拔 800 ~ 2 000 m 的山沟疏林或山坡灌丛中。分布于湖南岳阳（临湘）、常德（澧县）、张家界（永定、武陵源、慈利）、永州（新田）、怀化（鹤城、麻阳、洪江）、湘西州（泸溪、永顺）、湘潭（湘乡）等。

| 资源情况 | 野生资源稀少。栽培资源丰富。药材来源于栽培。

| 采收加工 | 夏、秋季采收，鲜用或晒干。

| 药材性状 | 本品羽状复叶先端呈钝圆形，基部圆形，全缘，绿色或枯绿色，两面疏生灰白色茸毛。叶轴及叶柄有淡黄色短柔毛。质脆易碎。气微。

| 功能主治 | 苦，寒。归心、脾经。消炎，解毒。用于疔疮，痈疽，毒蛇咬伤，蜂窝织炎。

| 用法用量 | 内服煎汤，9 ~ 15 g。外用适量，鲜品捣敷。

豆科 Leguminosae 鱼藤属 *Derris*

中南鱼藤 *Derris fordii* Oliv.

药材名

中南鱼藤（药用部位：茎。别名：霍氏鱼藤）。

形态特征

攀缘灌木。羽状复叶长 15 ~ 28 cm；小叶 2 ~ 3 对，厚纸质或薄革质，卵状椭圆形、卵状长椭圆形或椭圆形，长 4 ~ 13 cm，宽 2 ~ 6 cm，先端渐尖，略钝，基部圆形，两面无毛，侧脉 6 ~ 7 对，纤细，两面均隆起；小叶柄长 4 ~ 6 mm，黑褐色。圆锥花序腋生，稍短于复叶；花序轴和花梗被极少的黄褐色短硬毛；花数朵生于短小枝上；花梗通常长 3 ~ 5 mm；小苞片 2，长约 1 mm，生于花萼的基部，外被微柔毛；花萼钟状，长 2 ~ 3 mm，上部被极稀疏的柔毛，萼齿短，圆形或三角形；花冠白色，长约 10 mm，旗瓣阔倒卵状椭圆形，有短柄，翼瓣一侧有耳，龙骨瓣基部具尖耳；雄蕊单体；子房无柄，被白色长柔毛。荚果薄革质，长椭圆形至舌状长椭圆形，长 4 ~ 10 cm，宽 1.5 ~ 2.3 cm，扁平，无毛，腹缝翅宽 2 ~ 3 mm，背缝翅宽不及 1 mm，有种子 1 ~ 4；种子褐红色，长肾形，长 14 ~ 18 mm，宽约 10 mm。花期 4 ~ 5 月，果期 10 ~ 11 月。

| 生境分布 | 生于山地路旁、山谷灌木林或疏林中。湖南各地均有分布。

| 资源情况 | 野生资源一般。栽培资源丰富。药材来源于栽培。

| 采收加工 | 夏、秋季采收，切片，晒干。

| 药材性状 | 本品呈圆柱形，表面粗糙，折断面木部占大部分。气微。

| 功能主治 | 辛，温。归肝、脾、小肠经。清热解毒。用于痈疽疮疡，疥癣，丹毒，无名肿毒，蛇虫咬伤。

| 用法用量 | 内服煎汤，3 ~ 10 g。外用适量，捣敷，或研末调敷。

豆科 Leguminosae 山蚂蟥属 *Desmodium*

小槐花 *Desmodium caudatum* (Thunb.) DC.

| 药 材 名 |

小槐花（药用部位：全株或根。别名：草鞋板、味噌草、拿身草）。

| 形态特征 |

直立灌木或亚灌木，高 1 ～ 4 m，通体无毛。树皮灰褐色。分枝多。三出复叶互生。总状花序顶生或腋生，长 5 ～ 30 cm，花序轴密被柔毛并混生小钩状毛，每节生 2 花；苞片条状披针形，长约 3 mm；花梗长 3 ～ 4 mm，密被贴伏柔毛；花萼近二唇形，长 3.5 ～ 4 mm；蝶形花冠绿白色或黄白色，长约 8 mm，旗瓣矩圆形，瓣柄极短，翼瓣狭长圆形，具瓣柄，龙骨瓣近矩形，具瓣柄；二体雄蕊；雌蕊长约 7 mm，子房在缝线上密被贴伏柔毛。荚果条形，扁平，长 5 ～ 7 cm，稍弯曲，被钩状短毛，腹背缝线稍缢缩，具 4 ～ 8 荚节；荚节长椭圆形，节间紧缩，每节有一椭圆形的种子。花期 7 ～ 9 月，果期 9 ～ 11 月。

| 生境分布 |

生于海拔 150 ～ 1 000 m 的山坡、路旁草地、沟边、林缘或林下。湖南各地均有分布。

| 资源情况 | 野生资源较丰富。栽培资源丰富。药材来源于栽培。

| 采收加工 | 夏、秋季采集，洗净，晒干，亦可随采随用。

| 药材性状 | 本品根呈圆柱形，大小不一，有支根，表面灰褐色或棕褐色，具细纵皱纹，可见疣状突起及长圆形皮孔；质坚硬，不易折断，断面黄白色，纤维性。茎呈圆柱形，常有分枝，表面灰褐色，具类圆形的皮孔突起；质硬而脆，折断面黄白色，纤维性。三出复叶互生；叶柄长 1.6 ~ 2.8 cm；小叶片多皱缩脱落，展平后呈阔披针形，长 4 ~ 9 cm，宽 1 ~ 3 cm，先端渐尖或锐尖，基部楔形，全缘，上表面深褐色，下表面色稍淡；小叶柄长约 1 mm。

| 功能主治 | 淡，凉。清热利湿，消积散瘀。用于劳伤咳嗽，吐血，水肿，疳积，痈疮溃疡，跌打损伤。

| 用法用量 | 内服煎汤，10 ~ 20 g。外用适量，煎汤洗；或捣敷。

豆科 Leguminosae 山蚂蟥属 *Desmodium*

假地豆 *Desmodium heterocarpon* (L.) DC.

|药 材 名| 假地豆（药用部位：全株。别名：山花生、假番豆）。

|形态特征| 小灌木或亚灌木。茎直立或平卧，高 30 ~ 150 cm，基部多分枝，被糙伏毛，后变无毛。叶为羽状三出复叶。总状花序顶生或腋生，长 2.5 ~ 7 cm，总花梗密被淡黄色钩状毛；花极密，每 2 花生于花序的节上；苞片卵状披针形，被缘毛，在花未开放时呈覆瓦状排列；花梗长 3 ~ 4 mm，近无毛或疏被毛；花萼长 1.5 ~ 2 mm，钟形，4 裂，疏被柔毛，裂片三角形，较萼筒稍短，上部裂片先端微 2 裂；花冠紫红色、紫色或白色，长约 5 mm，旗瓣倒卵状长圆形，先端圆至微缺，基部具短瓣柄，翼瓣倒卵形，具耳和瓣柄，龙骨瓣极弯曲，先端钝；雄蕊二体，长约 5 mm；雌蕊长约 6 mm，子房无毛或被毛，花柱无毛。荚果密集，狭长圆形，长 12 ~ 20 mm，宽 2.5 ~ 3 mm，

腹缝线浅波状，腹背两缝线被钩状毛，有荚节 4 ～ 7，荚节近方形。花期 7 ～ 10 月，果期 10 ～ 11 月。

| 生境分布 | 生于海拔 350 ～ 1 800 m 的山坡草地、水旁、灌丛或林中。分布于湖南株洲（攸县、醴陵）、常德（鼎城）、郴州（北湖、苏仙、汝城）、永州（江永）、怀化（中方、洪江）、娄底（新化）、湘西州（吉首）等。

| 资源情况 | 野生资源较丰富。药材来源于野生。

| 采收加工 | 9 ～ 10 月采收，切段，晒干或鲜用。

| 药材性状 | 本品小枝圆柱形，光滑。掌状复叶具 3 小叶，先端小叶较大，椭圆形或倒卵形，长 1.5 ～ 5.5 cm，宽 1 ～ 2.4 cm，先端圆形或钝，有的微有缺刻，基部楔形，全缘，两侧小叶稍小，椭圆形。有时可见密集排列的荚果，荚果长 1.4 ～ 2 cm，宽约 3 mm，有 4 ～ 7 荚节，腹缝线较平直，背缝线稍缢缩，表面被带钩的缘毛。

| 功能主治 | 淡，凉。清热，利尿，解毒。用于肺热咳喘，水肿，淋证，尿血，跌打肿痛，毒蛇咬伤，痈疖，暑温，痄腮。

| 用法用量 | 内服煎汤，15 ～ 60 g。外用适量，鲜品捣敷。

豆科 Leguminosae 山蚂蝗属 *Desmodium*

大叶拿身草 *Desmodium laxiflorum* DC.

| 药 材 名 | 大叶拿身草（药用部位：全草。别名：路蚂蟥、粘衣草）。

| 形态特征 | 直立或平卧灌木或亚灌木，高 30 ~ 120 cm。茎单一或分枝，具不明显的棱，被贴伏毛和小钩状毛。叶为三出羽状复叶；顶生小叶卵形或椭圆形；小托叶钻形。总状花序腋生或顶生，顶生者具少数分枝，呈圆锥状，长达 28 cm，总轴被柔毛和小钩状毛； 2 ~ 7 花簇生于每一节上；苞片小，线状钻形；花梗长 2 ~ 3 mm，果时长 5 ~ 8 mm，密被小钩状毛，混生稀疏开展毛；花萼漏斗形，长约 2.5 mm，密被长柔毛，裂片披针形，较萼筒稍长，上部裂片先端微 2 裂；花冠紫堇色或白色，长 4 ~ 7 mm，旗瓣宽倒卵形或近圆形，翼瓣基部具耳和短瓣柄，龙骨瓣无耳，但具瓣柄；雄蕊二体，长约 5 mm；雌蕊长 4 ~ 6 mm，子房疏生柔毛。荚果线形，长 2 ~ 6 cm，

腹、背缝线在荚节处稍缢缩，有荚节4～12；荚节长圆形，长4～5 mm，宽1.5～2 mm，密被小钩状毛。花期8～10月，果期10～11月。

| 生境分布 | 生于海拔160～2 000 m的次生林林缘、灌丛或草坡。分布于湖南邵阳（绥宁）等。

| 资源情况 | 野生资源丰富。药材来源于野生。

| 采收加工 | 9～10月采收，切段，晒干。

| 药材性状 | 本品茎圆柱形，长50～100 cm，密生短柔毛，具不明显的棱；质脆，折断面髓部明显。三出复叶；小叶3，卵形或椭圆形，先端急尖，基部圆形，全缘，长4.5～15 cm，宽3～6.2 cm，上表面枯绿色，下表面具毛茸，两侧小叶较小。有时可见荚果，荚果长1.8～5.8 cm，具4～12节，节处缢缩，表面密被带钩的黄棕色小毛。气微。

| 功能主治 | 甘，平。归胃、大肠经。活血，平肝，清热，利湿，解毒。用于跌打损伤，高血压，肝炎，肾炎性水肿，膀胱结石，过敏性皮炎，梅毒。

| 用法用量 | 内服煎汤，15～30 g。外用适量，捣敷。

豆科 Leguminosae 山蚂蟥属 *Desmodium*

小叶三点金 *Desmodium microphyllum* (Thunb.) DC.

| 药材名 | 小叶三点金（药用部位：全草或根。别名：斑鸠窝、辫子草）。

| 形态特征 | 多年生草本。茎纤细，多分枝，直立或平卧，通常呈红褐色，近无毛。根粗，木质。叶为三出羽状复叶。总状花序顶生或腋生，被黄褐色开展柔毛，有花 6 ~ 10；苞片卵形，被黄褐色柔毛；花梗长 5 ~ 8 mm，纤细，略被短柔毛；花萼长 4 mm，5 深裂，密被黄褐色长柔毛，裂片线状披针形，较萼筒长 3 ~ 4 倍；花冠粉红色，与花萼近等长，旗瓣倒卵形或倒卵状圆形，中部以下渐狭，具短瓣柄，翼瓣倒卵形，具耳和瓣柄，龙骨瓣长椭圆形，较翼瓣长，弯曲；雄蕊二体，长约 5 mm；子房线形，被毛。荚果长约 12 mm，宽约 3 mm，腹、背两缝线浅齿状，通常具 3 ~ 4 荚节，有时具 2 或 5 荚节，荚节近圆形，扁平，被小钩状毛和缘毛，或近无毛，有网脉。花期 5 ~ 9 月，果

期 9 ~ 11 月。

| 生境分布 | 生于海拔 150 ~ 2 000 m 的荒地草丛或灌木林中。分布于湖南株洲（醴陵）、衡阳（衡南）、常德（安乡）、郴州（苏仙、临武、桂东、安仁）、永州（冷水滩、双牌、江华）、怀化（靖州、通道）、湘西州（花垣）、长沙（浏阳）等。

| 资源情况 | 野生资源较丰富。药材来源于野生。

| 采收加工 | 夏、秋季采集，洗净，切片，晒干。

| 药材性状 | 本品多缠绕成团。根粗壮，有分枝，木质化。茎较细。小叶 3，先端小叶较大，多数长 2 ~ 9 mm，少数长可达 17 mm，宽约 4 mm，椭圆形，先端圆形，具短尖，基部圆形，全缘，绿色，下表面具柔毛，两侧小叶很小。有时可见总状花序或荚果。荚果长约 12 mm，直径约 3 mm，有荚节 2 ~ 5，节处缢缩，表面被短毛。气特异。

| 功能主治 | 甘，平。健脾利湿，止咳平喘，解毒消肿。用于疳积，黄疸，痢疾，咳嗽，哮喘，支气管炎；外用于毒蛇咬伤，痈疮溃烂，漆疮，痔疮。

| 用法用量 | 内服煎汤，10 ~ 20 g。外用适量，鲜品捣敷；或煎汤洗。

豆科 Leguminosae 山蚂蟥属 *Desmodium*

饿蚂蟥 *Desmodium multiflorum* DC.

|药材名|

饿蚂蟥（药用部位：全株。别名：饿蚂蟥花、细风带）。

|形态特征|

直立灌木，高 1 ~ 2 m，多分枝。幼枝具棱角，密被淡黄色至白色柔毛，老时渐无毛。叶为三出羽状复叶；小叶 3。花序顶生或腋生，顶生者多为圆锥花序，腋生者为总状花序，长可达 18 cm。荚果长 15 ~ 24 mm，腹缝线近直或微波状，背缝线圆齿状，有荚节 4 ~ 7，荚节倒卵形，长 3 ~ 4 mm，宽约 3 mm，密被褐色贴伏丝状毛。花期 7 ~ 9 月，果期 8 ~ 10 月。

|生境分布|

生于海拔 500 ~ 2 000 m 的山坡草地或林缘。分布于湖南衡阳（耒阳）、邵阳（绥宁）、常德（安乡）、郴州（北湖、嘉禾）、永州（东安、双牌、江华）、怀化（靖州）、湘西州（古丈、永顺）、益阳（安化）等。

|资源情况|

野生资源丰富。栽培资源丰富。药材来源于野生和栽培。

| 采收加工 | 夏、秋季采收，切段，晒干或鲜用。

| 药材性状 | 本品茎枝圆柱形，直径约 3 mm，表面具纵棱。三出复叶，先端小叶较大，长 5.5 ~ 9 cm，宽 3.5 ~ 5 cm，椭圆状倒卵形，先端钝或急尖，具硬尖，基部楔形，全缘，枯绿色，下表面具柔毛，质脆。有时可见总状花序或荚果，荚果长 1.5 ~ 2.4 cm，腹缝线缢缩，背缝线圆齿状，有 4 ~ 7 节，表面密被褐色绢状毛。气微，具豆腥气。

| 功能主治 | 甘、苦，凉。归脾、胃、肝经。活血止痛，解毒消肿。用于脘腹疼痛，疳积，妇女干血痨，腰扭伤，尿道炎，腮腺炎，毒蛇咬伤。

| 用法用量 | 内服煎汤，9 ~ 30 g。外用适量，鲜品捣敷；或捣汁涂。

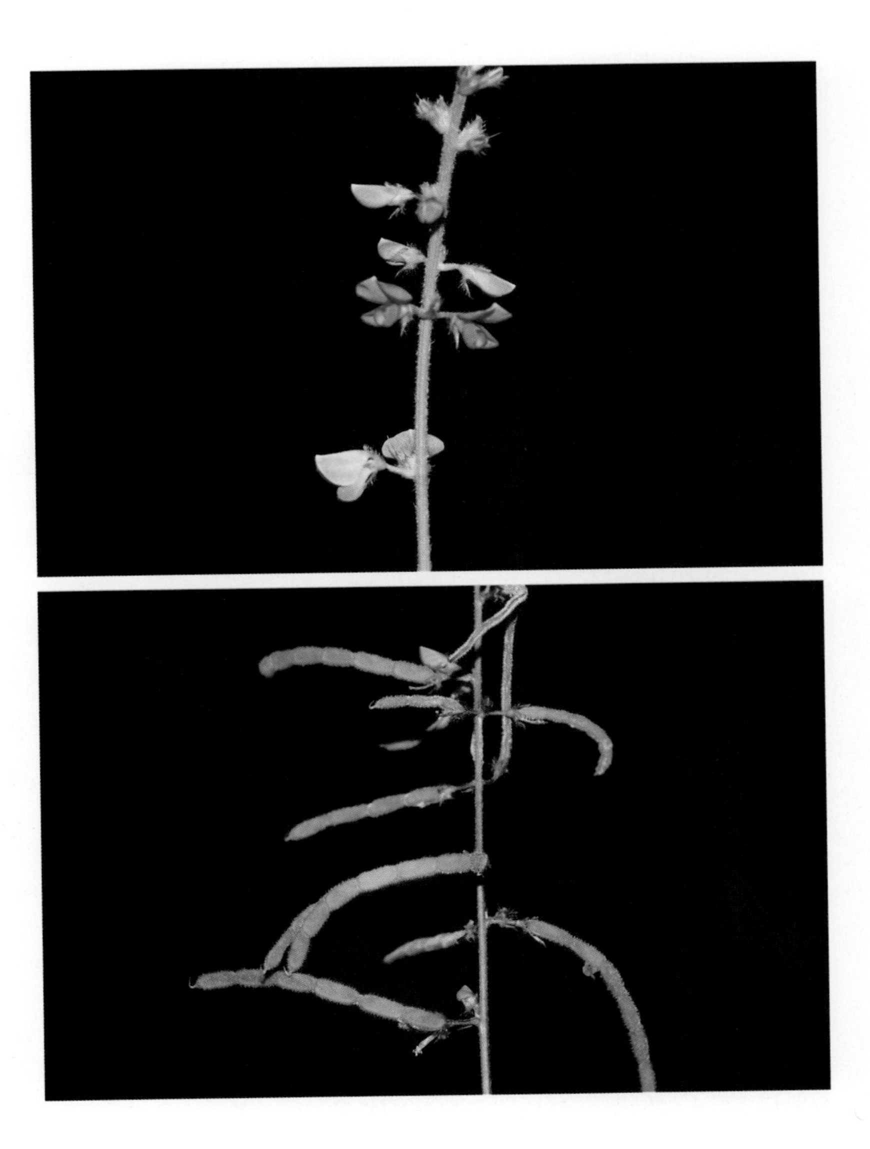

豆科 Leguminosae 山蚂蟥属 *Desmodium*

长波叶山蚂蟥 *Desmodium sequax* Wall.

| 药材名 | 长波叶山蚂蟥（药用部位：茎叶。别名：波叶山蚂蟥、瓦子草）。

| 形态特征 | 直立灌木，高 1 ~ 2 m，多分枝。幼枝和叶柄被锈色柔毛，有时混有钩状小毛。叶为三出羽状复叶，托叶线形，有缘毛；小叶纸质，卵状椭圆形或圆菱形。总状花序顶生和腋生，顶生者通常分枝成圆锥花序，长达 12 cm；总花梗密被开展或向上的硬毛和小绒毛。荚果腹背缝线缢缩，呈念珠状，长 3 ~ 4.5 cm，宽 3 mm，有荚节 6 ~ 10，荚节近方形，密被褐色、开展的钩状小毛。花期 7 ~ 9 月，果期 9 ~ 11 月。

| 生境分布 | 生于海拔 1 000 ~ 2 000 m 的山地草坡或林缘。分布于湖南常德（安乡）、郴州（汝城）、永州（江永、新田）、怀化（中方、会同）、湘西州（泸溪、古丈、龙山、保靖）、张家界（桑植）等。

| 资源情况 | 野生资源丰富。栽培资源丰富。药材来源于野生和栽培。

| 采收加工 | 夏、秋季采收，切段，晒干。

| 药材性状 | 本品茎枝圆柱形，直径约 3 mm，表面被褐色短柔毛。可见三出复叶，中间小叶较大，长达 9.5 cm，宽达 4.5 cm，卵状椭圆形，顶部渐尖，基部楔形，叶缘自中部以上呈波状，侧生小叶较小，几全缘。两面均被柔毛，以下表面毛较多，气微。有时可见花序或荚果，荚果长约 2.8 cm，宽约 2.5 mm，表面被带钩的褐色小毛，腹背缝线缢缩，有 6 ~ 9 节。气微，具豆腥气。

| 功能主治 | 清热泻火，活血祛瘀，敛疮。用于风热目赤，胞衣不下，血瘀经闭，烧伤。

| 用法用量 | 内服煎汤，30 ~ 60 g。外用适量，煎汤洗；或研末撒。

豆科 Leguminosae 山蚂蟥属 *Desmodium*

广金钱草 *Desmodium styracifolium* (Osbeck) Merr.

药材名

广金钱草（药用部位：全草。别名：金钱草、铜钱沙）。

形态特征

直立亚灌木状草本，高 30 ~ 100 cm，多分枝。幼枝密被白色或淡黄色毛。叶通常具单小叶。总状花序短，顶生或腋生，总花梗密被绢毛；花密生，花梗长 2 ~ 3 mm，苞片密集，覆瓦状排列，宽卵形，被毛；花萼长约 3.5 mm，密被钩状小毛且混生丝状毛，萼筒长约 1.5 mm，先端 4 裂，裂片近等长，上部裂片 2 裂；花冠紫红色；雄蕊二体，雌蕊长约 6 mm，子房线形，被毛。荚果长 10 ~ 20 mm，宽约 2.5 mm，被短柔毛和钩状小毛，腹缝线直，背缝线波状，有荚节 3 ~ 6，荚节近方形，扁平，具网纹。花果期 6 ~ 9 月。

生境分布

生于海拔 1 000 m 以下的山坡、草地或灌丛中。分布于湖南邵阳（武冈）、永州（冷水滩）、怀化（通道、溆浦）、株洲、常德（临澧）等。

| 资源情况 | 野生资源丰富。栽培资源丰富。药材来源于野生和栽培。

| 采收加工 | 夏、秋季采收，除去杂质，切段，晒干（不宜暴晒，否则叶易脱落）或鲜用。

| 药材性状 | 本品茎呈圆柱形，长可达 1 m，密被黄色、伸展的短柔毛，质稍脆，断面中部有髓。叶互生；小叶 1 或 3，圆形或矩圆形，直径 2 ~ 4 cm，先端微凹，基部心形或钝圆，全缘，上表面黄绿色或灰绿色，无毛，下表面具紧贴的灰白色绒毛，侧脉羽状；叶柄长 1 ~ 2 cm；托叶 1 对，披针形，长约 0.8 cm。气微香，味微甘。

| 功能主治 | 甘、淡，凉。归肝、肾、膀胱经。利湿退黄，利尿通淋。用于黄疸尿赤，热淋，石淋，水肿尿少。

| 用法用量 | 内服煎汤，15 ~ 30 g。

豆科 Leguminosae 扁豆属 *Dolichos*

扁豆 *Dolichos lablab* L.

| 药 材 名 | 白扁豆（药用部位：种子）。

| 形态特征 | 一年生缠绕草质藤本。茎光滑。三出羽状复叶；小叶 3，顶生小叶宽三角状，侧生小叶斜卵形；托叶小，披针形。总状花序腋生，直立，花序轴粗壮；花冠蝶形，白色或紫红色。荚果倒卵状长椭圆形，微弯，扁平；种子 2 ~ 5，白色或紫黑色，成熟后呈扁椭圆形或扁卵圆形，表面黄白色，平滑而有光泽，质坚硬，种皮薄脆，内有子叶 2，肥厚，黄白色，角质，嚼之有豆腥气。花期 7 ~ 9 月，果期 9 ~ 11 月。

| 生境分布 | 栽培于肥沃、排水良好的砂壤土。湖南各地均有栽培。

| 资源情况 | 栽培资源丰富。药材来源于栽培。

| 采收加工 | 秋、冬季采收成熟果实，晒干，取出种子，再晒干。

| 药材性状 | 本品扁椭圆形或扁卵形，长 8 ~ 13 mm，宽 6 ~ 9 mm，厚约 7 mm。表面淡黄白色或淡黄色，平滑，稍有光泽，有的可见棕褐色斑点，一侧边缘有隆起的半月形白色种阜，种阜长 7 ~ 10 mm，剥去后可见凹陷的种脐，紧接种阜的一端有珠孔，另一端有种脊，种皮薄而脆，子叶 2，肥厚，黄白色。气微，味淡，嚼之有豆腥气。

| 功能主治 | 甘，微温。归脾、胃经。健脾化湿，和中消暑。用于脾胃虚弱，食欲缺乏，大便溏泻，白带过多，暑湿吐泻，胸闷腹胀。

| 用法用量 | 内服煎汤，9 ~ 15 g。

豆科 Leguminosae 山黑豆属 *Dumasia*

山黑豆 *Dumasia truncata* Sieb. et Zucc.

药材名

山黑豆（药用部位：全草）。

形态特征

攀缘状缠绕草本。茎纤细，长 1 ~ 3 m，具细纵纹，通常无毛。叶具羽状 3 小叶；小叶膜质；小托叶刚毛状，无毛。总状花序腋生，纤细，通常无毛；总花梗短；花长 1.2 ~ 2 cm；苞片和小苞片细小；花梗长 1 ~ 3 mm；花萼管状，膜质，淡绿色，长约 6 mm，管口斜截形，无毛；花冠黄色或淡黄色，旗瓣椭圆形至微倒卵形，具瓣柄和耳，翼瓣和龙骨瓣近椭圆形，稍短于旗瓣，但远较旗瓣小，具长瓣柄；雄蕊二体；子房线状倒披针形，无毛，胚珠通常 3 ~ 5，花柱纤细，无毛。荚果倒披针形至披针状椭圆形，长约 4 cm，宽约 9 mm，略膨，先端具喙，基部渐狭成短果颈；种子通常 3 ~ 5，扁球形，黑褐色，直径约 6 mm。花期 8 ~ 9 月，果期 10 ~ 11 月。

生境分布

生于海拔 380 ~ 1 000 m 的山地路旁潮湿地。分布于湖南衡阳（衡山）、张家界（永定）、益阳（安化）、湘西州（古丈、永顺）等。

| 资源情况 | 野生资源稀少。药材来源于野生。

| 采收加工 | 夏、秋季采收，切段，晒干。

| 功能主治 | 苦、涩，平。清热解毒，通经脉。用于风湿痹痛，筋骨麻木，扭挫伤，咽喉肿痛等。

| 用法用量 | 内服煎汤，6 ~ 15 g。

豆科 Leguminosae 山黑豆属 *Dumasia*

柔毛山黑豆 *Dumasia villosa* DC.

| 药材名 | 柔毛山黑豆（药用部位：全草）。

| 形态特征 | 缠绕状草质藤本，全株各部被黄色或黄褐色柔毛。叶具羽状 3 小叶；托叶小，线状披针形或呈刚毛状，密被柔毛；叶柄长 3 ~ 5 cm，密被毛；小叶纸质，顶生小叶卵形至宽卵形，长 3.5 ~ 5 cm，宽 2 ~ 3 cm，先端钝或微凹，具小凸尖，基部圆形、近截平或短楔形，两面密被伏柔毛，侧生小叶常略小和偏斜，干后上面绿褐色，下面淡灰白色；侧脉每 4 ~ 6，略明显。花序轴、总花梗均被淡黄色柔毛；花常密集或略疏；苞片和小苞片小，刚毛状；花梗短，被黄色短柔毛；花萼筒长约 1 cm，先端斜截形，无毛或微被伏毛；雄蕊二体；子房线形，被毛，花柱长，具毛，近顶部扁平，扁平部分急向上弯，

柱头头状。荚果长椭圆形，长 2 ~ 3 cm，宽约 5 mm，密被黄色柔毛，在种子间缢缩；种子通常 3 ~ 4。花期 9 ~ 10 月，果期 11 ~ 12 月。

| 生境分布 | 生于海拔 400 ~ 1 800 m 的山谷溪边灌丛。分布于湖南湘西州（古丈）等。

| 资源情况 | 野生资源稀少。药材来源于野生。

| 采收加工 | 春、秋季采收，除去杂质，晒干。

| 功能主治 | 清热解毒，通经，健胃。

豆科 Leguminosae 野扁豆属 *Dunbaria*

圆叶野扁豆 *Dunbaria rotundifolia* (Lour.) Merr.

| 药 材 名 | 圆叶野扁豆（药用部位：全草）。

| 形态特征 | 多年生缠绕藤本。茎纤细，柔弱，微被短柔毛。叶具羽状小叶 3；托叶小，披针形，常早落；叶柄长 0.8 ~ 2.5 cm；小叶纸质，顶生小叶圆菱形。1 ~ 2 花腋生；花萼钟状，长 2 ~ 5 mm，齿裂，裂齿卵状披针形，密被红色腺点和短柔毛；花冠黄色，旗瓣倒卵状圆形，先端微凹，基部具齿状 2 耳，翼瓣倒卵形，略弯，具尖耳，龙骨瓣镰状，具钝喙；雄蕊二体；子房无柄。荚果线状长椭圆形，扁平，略弯，长 3 ~ 5 cm，宽约 8 mm，被极短柔毛或近无毛，先端具针状喙，无果颈；种子 6 ~ 8，近圆形，直径约 3 mm，黑褐色。果期 9 ~ 10 月。

| 生境分布 | 生于山地灌丛中。分布于湖南株洲（醴陵）等。

| 资源情况 | 野生资源较少。药材来源于野生。

| 采收加工 | 春、夏季采收，洗净，晒干。

| 药材性状 | 本品茎纤细，柔弱，微被短柔毛。叶具羽状小叶 3；托叶小，披针形，常早落；小叶纸质，顶生小叶圆菱形，宽常稍大于长，先端钝或圆形，基部圆形，两面微被极短柔毛或近无毛，被黑褐色小腺点，下面的小腺点尤密，侧生小叶稍小，偏斜。荚果线状长椭圆形，扁平，略弯，长 3 ~ 5 cm，宽约 8 mm，被极短柔毛或近无毛，先端具针状喙，无果颈；种子 6 ~ 8，近圆形，直径约 3 mm，黑褐色。

| 功能主治 | 淡，凉。清热解毒，止血生肌。用于急性肝炎，肺热，大肠湿热。

| 用法用量 | 内服煎汤，10 ~ 30 g。外用适量，捣敷；或煎汤洗。

豆科 Leguminosae 野扁豆属 *Dunbaria*

野扁豆 *Dunbaria villosa* (Thunb.) Makino

| 药 材 名 | 野扁豆（药用部位：全草或种子）。

| 形态特征 | 多年生缠绕草本。茎细弱，微具纵棱，略被短柔毛。叶具羽状小叶3。总状花序或复总状花序腋生，密被极短柔毛；花萼钟状，被短柔毛和锈色腺点；花冠黄色，旗瓣近圆形或横椭圆形，基部具短瓣柄，翼瓣镰状，基部具瓣柄，一侧具耳，龙骨瓣与翼瓣相仿，但极弯，先端具喙，基部具长瓣柄；子房密被短柔毛和锈色腺点。荚果线状长圆形，长 3 ～ 5 cm，宽约 8 mm，扁平，稍弯，被短柔毛或近无毛，先端具喙。果实无果颈或具极短的果颈；种子 6 ～ 7，近圆形，长约 4 mm，宽约 3 mm，黑色。花期 7 ～ 9 月。

| 生境分布 | 生于山坡草丛或灌木林中。湖南各地均有分布。

| 资源情况 | 野生资源丰富。药材来源于野生。

| 采收加工 | 全草，春季采收，洗净，晒干。种子，秋季采收，晒干。

| 药材性状 | 本品缠绕成团。茎纤细且长，草绿色，具毛茸和锈色腺点。叶皱缩易碎，完整叶为三出复叶，先端小叶较大，叶片菱形，先端渐尖或突尖，基部圆形，全缘，两侧小叶斜菱形，绿色或枯绿色，下表面具腺点。荚果线状长圆形，长约 4 cm，宽 0.7 cm，表面具茸毛，有椭圆形种子 6 ~ 7；果柄长约 2.5 mm。气微，具豆腥气。

| 功能主治 | 甘，平。归肾经。清热解毒，消肿止带。用于咽喉肿痛，乳痈，牙痛，肿毒，毒蛇咬伤，白带过多。

| 用法用量 | 内服煎汤，10 ~ 30 g。外用适量，捣敷；或煎汤洗。

豆科 Leguminosae 鸡头薯属 *Eriosema*

鸡头薯 *Eriosema chinense* Vog.

| 药 材 名 |

鸡头薯（药用部位：块根。别名：猪仔笠、猪仔薯、野良茹）。

| 形态特征 |

小叶单生，披针形，先端钝或急尖，基部圆形或微心形，上面及叶缘散生棕色长柔毛，下面被灰白色短绒毛，沿主脉密被棕色长柔毛；近无柄。总状花序腋生，极短；苞片线形；花萼钟状，裂片披针形，被棕色近丝质柔毛；花冠淡黄色；雄蕊二体；子房密被白色长硬毛，花柱内弯，无毛。荚果菱状椭圆形，长 8 ~ 10 mm，宽约 6 mm，成熟时呈黑色，被褐色长硬毛；种子 2，小，肾形，黑色，种脐长线形，约占种子的全长，珠柄着生于种脐的一端。花期 5 ~ 6 月，果期 7 ~ 10 月。

| 生境分布 |

生于海拔 300 ~ 1 300 m 的山野间土壤贫瘠的草坡上。分布于湖南永州（蓝山、新田）等。

| 资源情况 |

野生资源较少。药材来源于野生。

| 采收加工 | 夏、秋季采挖，多鲜用，亦可切片，晒干。

| 药材性状 | 本品肉质，呈圆锥形，长 4 ~ 7 cm，直径 2 ~ 4 cm，末端细长，木质化。表面深棕色，有横列的短皮孔和少数支根痕。干燥根表面灰褐色，密布不规则的皱纹。质软而韧，断面外部淡褐色，内部类白色，带纤维性。气微，味微甘。

| 功能主治 | 甘，平。清肺化痰，滋阴，消肿。用于肺热咳嗽，烦渴，赤白痢疾。

| 用法用量 | 内服煎汤，10 ~ 15 g；或炖肉。外用适量，鲜品捣敷。

豆科 Leguminosae 刺桐属 *Erythrina*

龙牙花 *Erythrina corallodendron* L.

| 药材名 | 龙牙花（药用部位：树皮。别名：龙牙花树皮）。

| 形态特征 | 灌木或小乔木，高 3 ~ 5 m。干和枝条散生皮刺。羽状复叶具 3 小叶；小叶菱状卵形，先端渐尖而钝或尾状，基部宽楔形，两面无毛，有时叶柄上面和下面中脉上有刺。总状花序腋生，长可达 30 cm 以上；花深红色，具短梗，与花序轴成直角或稍下弯；花萼钟状，萼齿不明显，仅下面 1 萼齿稍突出，旗瓣长椭圆形，先端微缺，略具瓣柄至近无柄，翼瓣短；雄蕊二体，不整齐，略短于旗瓣；子房有长柄，被白色短柔毛，花柱无毛。荚果长约 10 cm，具柄，先端有喙；种子多数，深红色，有 1 黑斑。花期 6 ~ 11 月。

| 生境分布 | 生于排水良好、肥沃的砂壤土中。分布于湖南衡阳（珠晖）、常德

（桃源、临澧）、益阳（桃江、沅江）、郴州（苏仙）、永州（双牌）等。

| 资源情况 | 野生资源较少。栽培资源较丰富。药材来源于栽培。

| 药材性状 | 本品粗糙，灰褐色。

| 功能主治 | 麻醉，镇静，平喘。

豆科 Leguminosae 山豆根属 *Euchresta*

山豆根 *Euchresta japonica* Hook. f. ex Regel

| 药材名 | 山豆根（药用部位：根及根茎）。

| 形态特征 | 藤状灌木，几不分枝。茎上常生不定根。叶仅具 3 小叶；叶柄长 4 ~ 5.5 cm，被短柔毛，近轴面有一明显的沟槽；小叶厚纸质，椭圆形，先端短渐尖至钝圆，基部宽楔形，上面暗绿色，无毛，干后出现皱纹，下面苍绿色，被短柔毛，侧脉极不明显。总状花序；小苞片细小，钻形；花萼杯状，内外均被短柔毛，裂片钝三角形；花冠白色，旗瓣瓣片长圆形，先端钝圆，匙形，基部外面疏被短柔毛，瓣柄线形，略向后折，翼瓣椭圆形，先端钝圆，瓣柄卷曲，线形，龙骨瓣上半部黏合，极易分离，瓣片椭圆形；子房扁长圆形或线形。果序长约 8 cm；荚果椭圆形，先端钝圆，具细尖，黑色，光滑；果柄长 1 cm，果颈长 4 cm，无毛。

| 生境分布 | 生于海拔 800 ~ 1 350 m 的山谷或山坡密林中。分布于湖南湘西州（古丈、龙山）等。

| 资源情况 | 野生资源较少。栽培资源较丰富。药材来源于栽培。

| 采收加工 | 除去残茎及杂质，浸泡，洗净，润透，切厚片，干燥。

| 药材性状 | 本品根呈长圆柱形，常有分枝，长短不等。表面棕色至棕褐色，有不规则的纵皱纹及横长皮孔样突起。质坚硬，难折断，断面皮部浅棕色，木部淡黄色。有豆腥气，味极苦。

| 功能主治 | 苦，寒。归肺、胃经；有毒。清热解毒，消肿利咽。用于火毒蕴结，乳蛾，喉痹，齿龈肿痛，口舌生疮。

| 用法用量 | 内服煎汤，3 ~ 6 g。

豆科 Leguminosae 山豆根属 *Euchresta*

管萼山豆根 *Euchresta tubulosa* Dunn

|药材名|

鄂豆根（药用部位：根。别名：胡豆连）。

|形态特征|

灌木。叶具小叶 3 ～ 7；叶柄长 6 ～ 7 cm；小叶纸质，椭圆形或卵状椭圆形，先端短渐尖至钝，基部楔形至圆形，上面无毛，下面被黄褐色短柔毛，顶生小叶和侧生小叶近等大，长 8 ～ 10.5 cm，宽 3.5 ～ 4.5 cm；侧生小叶柄长 2 mm，顶生小叶柄长 0.6 ～ 1 cm，中脉在上面平或稍凹，在下面稍凸起，侧脉 5 ～ 6 对，不明显。总状花序顶生；子房线形，花柱线形。果实椭圆形，黑褐色，两端钝圆而先端有一极短的小尖头。花期 5 ～ 6（～ 7）月，果期 7 ～ 9 月。

|生境分布|

生于海拔 300 ～ 1 700 m 的山地、密林中。分布于湖南张家界（永定、桑植、慈利）、常德（石门）等。

|资源情况|

野生资源较丰富。栽培资源较少。药材来源于野生。

| 采收加工 | 春、秋季采挖，除去须根，洗净泥土，晒干。

| 药材性状 | 本品呈长圆柱形。表面棕褐色，有纵皱纹。质坚硬而脆，易折断。断面略平坦，微呈角质，皮部浅黄色，形成层为暗色环，木部黄色，中心有髓。具豆腥气，味苦。

| 功能主治 | 苦，寒。清热解毒，消肿镇痛。用于肠炎，胃痛，咽喉痛，牙痛，疮疖肿毒等。

| 用法用量 | 内服煎汤，10 ~ 15 g。

豆科 Leguminosae 千斤拔属 *Flemingia*

大叶千斤拔 *Flemingia macrophylla* (Willdenow) Prain

| 药 材 名 | 千斤拔（药用部位：根。别名：天根不倒、千斤红）。

| 形态特征 | 灌木，高达 2.5 m。幼枝有明显纵棱。具指状小叶：托叶大，叶片披针形，叶柄具狭翅，被毛与幼枝同；小叶片纸质或薄革质。总状花序，聚生于叶腋，花多而密集，花序轴、苞片、花梗均密被灰色至灰褐色柔毛；花梗极短；花萼钟状；花冠紫红色，旗瓣长椭圆形，翼瓣狭椭圆形，龙骨瓣长椭圆形；子房椭圆形，被丝质毛，花柱纤细。荚果椭圆形；种子球形，亮黑色。6 ~ 9 月开花，10 ~ 12 月结果。

| 生境分布 | 生于海拔 200 ~ 1 500 m 的旷野草地、灌丛、山谷路旁和疏林阳处。分布于湖南郴州（汝城）等。

| 资源情况 | 野生资源丰富。药材来源于野生。

| 采收加工 | 秋季采挖，抖净泥土，晒干。

| 药材性状 | 本品较粗壮，多有分枝，表面深红棕色，香气较浓厚。

| 功能主治 | 甘、淡、涩，平。归肝、肾、脾经。祛风湿，益脾肾，强筋骨。用于风湿骨痛，腰肌劳损，四肢痿软，偏瘫，阳痿，月经不调，带下，腹胀，食少，气虚足肿。

| 用法用量 | 内服煎汤，10 ~ 30 g；或浸酒。外用适量，研末撒；或捣敷。

豆科 Leguminosae 千斤拔属 *Flemingia*

千斤拔 *Flemingia prostrata* Roxburgh

|药材名|

千斤拔（药用部位：根。别名：蔓性千斤拔、一条根、钻地风）。

|形态特征|

直立或披散亚灌木。幼枝三棱柱状，密被灰褐色短柔毛。叶具指状小叶 3；托叶线状披针形，长 0.6 ~ 1 cm，有纵纹，被毛，先端细尖，宿存；叶柄长 2 ~ 2.5 cm。总状花序腋生，通常长 2 ~ 2.5 cm，各部密被灰褐色至灰白色柔毛。荚果椭圆状，长 7 ~ 8 mm，宽约 5 mm，被短柔毛；种子 2，近圆球形，黑色。花果期夏、秋季。

|生境分布|

生于海拔 50 ~ 300 m 的旷野或山坡路旁草地上。分布于湖南邵阳（隆回）、岳阳（汨罗）、常德（澧县）、永州（江华）、怀化（洪江）、郴州（安仁）等。

|资源情况|

野生资源较丰富。药材来源于野生。

|采收加工|

秋季采挖，洗净，切段，晒干。

| 药材性状 | 本品呈圆锥形，长 15 ～ 30 cm，根头部较膨大。外表面棕红色，有明显皮孔。皮部易剥落。商品多切成长 3 ～ 7 cm 的斜片。质坚硬，断面白色，粉性，呈菊花心状。

| 功能主治 | 甘、微涩，平。归肝、肾经。祛风除湿，强筋壮骨，活血解毒。用于风湿痹痛，腰肌劳损，四肢痿软，跌打损伤，咽喉肿痛。

| 用法用量 | 内服煎汤，15 ～ 30 g。外用适量，磨汁涂；或研末调敷。

豆科 Leguminosae 乳豆属 *Galactia*

乳豆 *Galactia tenuiflora* (Klein ex Willd.) Wight et Arn.

| 药 材 名 | 乳豆（药用部位：全草）。

| 形态特征 | 缠绕、草质藤本。茎纤细，疏被短柔毛，渐变无毛。三出复叶，小叶卵形或宽椭圆形，长 2.5 ~ 5.5 cm，先端钝圆或微凹，基部圆形，幼时两面密被短柔毛。总花序腋生，长 3 ~ 15 cm；花小；花萼二唇形，萼齿 5，上面 2 齿合生，有柔毛；花冠淡紫色，长 10 ~ 12 mm，旗瓣卵圆形或倒卵形，翼瓣长圆形，与龙骨瓣等长并贴生。荚果条形，长 5 ~ 8 cm，宽 6 ~ 7 mm，直或稍弯；种子 6 ~ 8，肾形，深褐色。

| 生境分布 | 生于旷野丛林或河边疏林中，常攀爬于他物之上。分布于湖南永州（道县、新田）、郴州（永兴）等。

| 资源情况 | 野生资源较少。药材来源于野生。

| 采收加工 | 夏、秋季枝叶茂盛时采收，晒干或鲜用。

| 功能主治 | 续断接骨。用于跌打损伤，骨折。

豆科 Leguminosae 皂荚属 *Gleditsia*

华南皂荚 *Gleditsia fera* (Lour.) Merr.

|药 材 名|

越南皂荚（药用部位：果实）。

|形态特征|

乔木，高 3 ~ 42 m。小枝灰褐色，无毛。刺粗壮，长 5 ~ 13 cm，基部圆柱形，具分枝。奇数羽状复叶；叶柄具槽；小叶 59 对，薄革质，菱状长圆形，长 27 cm，宽 1.5 ~ 3 cm，先端圆形或微凹，基部楔形，边缘具圆齿状锯齿，两面无毛，叶脉在两面均明显。花杂性，绿白色，排列为圆锥花序；萼片较花瓣稍短；花瓣通常 5，长圆状椭圆形；雄蕊 10，花丝基部有长柔毛。荚果近无柄，扁平，革质，长 13.5 ~ 26（~ 41）cm，宽 2.5 ~ 3（~ 6.5）cm，黑棕色，有光泽，无毛；种子 10 ~ 12，扁卵形，平滑，棕色，长 8 ~ 11 mm，宽 5 ~ 6 mm。花期 4 ~ 5 月，果期 6 ~ 12 月。

|生境分布|

生于海拔 300 ~ 1 000 m 的山地缓坡、山谷林中或村旁路边阳处。分布于湖南衡阳（常宁）等。

| 资源情况 | 野生资源较丰富。药材来源于野生。

| 采收加工 | 夏、秋季采摘，晒干。

| 药材性状 | 本品呈长条形而扁，或稍弯曲，长 15 ~ 25 cm，宽 2 ~ 3.5 cm，厚 0.8 ~ 1.4 cm。表面不平，红褐色或紫红色，被灰白色粉霜，擦去粉霜后有光泽，两端略尖，基部有短果柄或果柄断痕，背缝线凸起，呈棱脊状。质坚硬，摇之有响声。剖开后呈浅黄色，内含多数种子。种子扁椭圆形，外皮黄棕色而光滑，质坚。气味辛辣，嗅其粉末则打喷嚏。以肥厚、饱满、质坚者为佳。

| 功能主治 | 苦、辛，温；有小毒。归肝经。豁痰开窍，杀虫止痒。用于中风昏迷，口噤不语，疥疮，顽癣。

| 用法用量 | 内服入丸、散剂，0.5 ~ 1.5 g。外用适量，煎汤洗；或捣敷；或烧存性，研末涂。孕妇禁服。

豆科 Leguminosae 皂荚属 *Gleditsia*

山皂荚 *Gleditsia japonica* Miq.

| 药 材 名 | 山皂角（药用部位：荚果、茎刺）。

| 形态特征 | 落叶乔木，高达 25 m。小枝紫褐色或脱皮后呈灰绿色，微有棱，具分散的白色皮孔，光滑无毛；刺略扁，粗壮，紫褐色至棕黑色，常分枝，长 2 ~ 15.5 cm。叶为一回或二回羽状复叶（具羽片 2 ~ 6 对），长 11 ~ 25 cm；小叶 3 ~ 10 对，纸质至厚纸质，卵状长圆形或卵状披针形至长圆形；网脉不明显；小叶柄极短。花黄绿色，组成穗状花序；花序腋生或顶生，被短柔毛，雄花序长 8 ~ 20 cm，雌花序长 5 ~ 16 cm；萼片和花瓣均为 4 ~ 5，形状与雄花的相似，两面密被柔毛；不育雄蕊 4 ~ 8；子房无毛，花柱短，下弯，柱头膨大，2 裂；胚珠多数。荚果带形，扁平，长 20 ~ 35 cm，宽 2 ~ 4 cm，

不规则旋扭或弯曲作镰状，先端具长 5 ~ 15 mm 的喙，果颈长 1.5 ~ 5 cm，果瓣革质，棕色或棕黑色，常具泡状隆起，无毛，有光泽；种子多数，椭圆形，长 9 ~ 10 mm，宽 5 ~ 7 mm，深棕色，光滑。花期 4 ~ 6 月；果期 6 ~ 11 月。

| 生境分布 | 生于海拔 100 ~ 1 000 m 的向阳山坡或谷地、溪边路旁。栽培于公园。分布于湖南长沙（芙蓉）、衡阳（衡山）等。

| 资源情况 | 野生资源稀少。栽培资源较少。药材来源于野生或栽培。

| 功能主治 | 荚果，有小毒，祛痰开窍。茎刺，活血祛瘀，消肿溃脓，下乳。

豆科 Leguminosae 皂荚属 *Gleditsia*

绒毛皂荚 *Gleditsia japonica* Miq. var. *velutina* L. C.

| 药 材 名 | 山皂角（药用部位：荚果、茎刺）。

| 形态特征 | 落叶乔木，高达 25 m。小枝紫褐色或脱皮后呈灰绿色，微有棱，具分散的白色皮孔，光滑无毛；刺略扁，粗壮，紫褐色至棕黑色，常分枝，长 2 ~ 15.5 cm。叶为一回或二回羽状复叶（具羽片 2 ~ 6 对），长 11 ~ 25 cm；小叶 3 ~ 10 对，纸质至厚纸质，卵状长圆形或卵状披针形至长圆形；网脉不明显；小叶柄极短。花黄绿色，组成穗状花序；花序腋生或顶生，被短柔毛，雄花序长 8 ~ 20 cm，雌花序长 5 ~ 16 cm；萼片和花瓣均为 4 ~ 5，形状与雄花的相似，两面密被柔毛；不育雄蕊 4 ~ 8；子房无毛，花柱短，下弯，柱头膨大，2 裂；胚珠多数。荚果带形。扁平，长 20 ~ 35 cm，宽 2 ~

4 cm，不规则旋扭或弯曲作镰状，先端具长 5 ~ 15 mm 的喙，果颈长 1.5 ~ 5 cm，果瓣革质，棕色或棕黑色，常具泡状隆起，密被黄绿色绒毛；种子多数，椭圆形，长 9 ~ 10 mm，宽 5 ~ 7 mm，深棕色，光滑。花期 4 ~ 6 月，果期 6 ~ 11 月。

| 生境分布 | 生于海拔 950 m 的山地、路边疏林中。分布于湖南衡阳（南岳）等。

| 资源情况 | 野生资源稀少。药材来源于野生。

| 功能主治 | 荚果，有小毒。祛痰开窍。茎刺，活血祛瘀，消肿溃脓，下乳。

豆科 Leguminosae 皂荚属 *Gleditsia*

皂荚 *Gleditsia sinensis* Lam.

| 药材名 | 皂荚（药用部位：果实。别名：鸡栖子、皂角、大皂荚）。

| 形态特征 | 落叶乔木，高达 15 m。棘刺粗壮，红褐色，常分枝。偶数羽状复叶；小叶 4 ～ 7 对，小叶片卵形、卵状披针形或长椭圆状卵形，长 3 ～ 8 cm，宽 1 ～ 3.5 cm，先端钝，有时稍凸，基部斜圆形或斜楔形，边缘有细锯齿。花杂性，成腋生及顶生总状花序，花均被细柔毛；花萼钟形，裂片 4，卵状披针形；花瓣 4，淡黄白色，卵形或长椭圆形；雄蕊 8，4 长 4 短；子房条形，扁平。荚果直而扁平，有光泽，紫黑色，被白色粉霜，长 12 ～ 30 cm，直径 2 ～ 4 cm；种子多数，扁平，长椭圆形，长约 10 mm，红褐色，有光泽。花期 5 月，果期 10 月。

| 生境分布 | 生于海拔 0 ～ 2 000 m 的山坡林中或谷地、路旁。湖南各地均有分布。

| 资源情况 | 野生资源丰富。栽培资源丰富。药材来源于野生和栽培。

| 采收加工 | 秋季果实成熟变黑时采摘，除去杂质，洗净，晒干。

| 药材性状 | 本品呈长条形而扁，或稍弯曲，长 15 ～ 25 cm，宽 2 ～ 3.5 cm，厚 0.8 ～ 1.4 cm。表面不平，红褐色或紫红色，被灰白色粉霜，擦去粉霜后有光泽，两端略尖，基部有短果柄或果柄断痕，背缝线凸起，呈棱脊状。质坚硬，摇之有响声。剖开后呈浅黄色，内含多数种子。种子扁椭圆形，外皮黄棕色而光滑，质坚。气味辛辣，嗅其粉末则打喷嚏。以肥厚、饱满、质坚者为佳。

| 功能主治 | 辛，温；有小毒。归肺、肝、胃、大肠经。祛痰止咳，开窍通闭，杀虫散结。用于咳痰喘满，中风口噤，痰涎壅盛，神昏不语，癫痫，喉痹，二便不通，痈肿疥癣。

| 用法用量 | 内服多入丸、散剂，1 ～ 3 g。外用适量，研末搐鼻；或煎汤洗；或研末掺；或研末调敷；或熬膏涂；或烧烟熏。

豆科 Leguminosae 大豆属 *Glycine*

大豆 *Glycine max* (L.) Merr.

| 药材名 |

大豆黄卷（药用部位：种子）。

| 形态特征 |

一年生草本，高 30 ~ 90 cm。茎粗壮，直立，密被褐色长硬毛。叶通常具 3 小叶；托叶具脉纹，被黄色柔毛；叶柄长 2 ~ 20 cm；小叶宽卵形，纸质。总状花序短者少花，长者多花；总花梗通常有 5 ~ 8 无梗、紧挤的花；苞片披针形，被糙伏毛，小苞片披针形，被贴伏的刚毛；花萼披针形，花紫色、淡紫色或白色，基部具瓣柄，翼瓣篦状。荚果肥大，稍弯，下垂，黄绿色，密被褐黄色长毛；种子 2 ~ 5，椭圆形或近球形，种皮光滑，呈淡绿色、黄色、褐色、黑色等。花期 6 ~ 7 月，果期 7 ~ 9 月。

| 生境分布 |

生于年平均气温约 10℃、光照强度为 2 500 ~ 3 000MJ/m^2 的地区。湖南各地均有分布。

| 资源情况 |

野生资源一般。栽培资源丰富。药材来源于栽培。

| 采收加工 | 秋季采收成熟果实，晒干，碾碎果壳，打下种子，除去杂质。

| 药材性状 | 本品椭圆形或近球形，长约 1 cm，宽 5 ~ 8 mm，种皮光滑，淡绿色、黄色、褐色或黑色，种脐明显，椭圆形。

| 功能主治 | 甘，平。归脾、大肠经。健脾宽中，润燥利水，清热解毒，益气。用于疳积，泻痢，腹胀羸瘦，妊娠中毒，疮痈肿毒，外伤出血等。

| 用法用量 | 内服煎汤，30 ~ 50 g。

豆科 Leguminosae 大豆属 *Glycine*

野大豆 *Glycine soja* Siebold et Zuccarini

| 药 材 名 | 野大豆（药用部位：种子。别名：马料豆、乌豆）。

| 形态特征 | 一年生缠绕草本，长 1 ~ 4 m。茎、小枝纤细，全体疏被褐色长硬毛。叶具 3 小叶，长可达 14 cm；托叶卵状披针形，急尖，被黄色柔毛；顶生小叶卵圆形或卵状披针形。总状花序通常短，稀长达 13 cm；花小，长约 5 mm；花梗密生黄色长硬毛；苞片披针形；花萼钟状，密生长毛，裂片 5，三角状披针形，先端锐尖；花冠淡红紫色或白色，旗瓣近圆形，先端微凹，基部具短瓣柄，翼瓣斜倒卵形，有明显的耳，龙骨瓣比旗瓣及翼瓣短小，密被长毛；花柱短而向一侧弯曲。荚果长圆形，稍弯，两侧稍扁，长 17 ~ 23 mm，宽 4 ~ 5 mm，密被长硬毛，种子间稍缢缩，干时易裂；种子 2 ~ 3，椭圆形，稍扁，长 2.5 ~ 4 mm，宽 1.8 ~ 2.5 mm，褐色至黑色。花期 7 ~ 8 月，果

期 8 ～ 10 月。

| 生境分布 | 生于海拔 150 ～ 2 000 m 的田边、沟旁、河岸、湖边、沼泽、草甸、沿海和岛屿向阳的矮灌丛或芦苇丛中，稀生于河岸疏林下。湖南各地均有分布。

| 资源情况 | 野生资源稀少。栽培资源一般。药材来源于栽培。

| 采收加工 | 秋季果实成熟时割取全株，晒干，打下种子，再晒至足干。

| 药材性状 | 本品呈矩圆形，略扁，长约 4 mm，宽约 2 mm，种皮外面被黄褐色污黏物，擦净后可见黑褐色的外种皮，上有黄白色斑纹，微具光泽，侧边中央有长椭圆形的种脐。质坚硬，剥去种皮，内有黄色、肥厚的子叶 2。嚼之微有豆类气味。以颗粒饱满、色黑、无泥土杂质者为佳。

| 功能主治 | 甘，温。补益肝肾，祛风解毒。用于阴亏目昏，肾虚腰痛，盗汗，筋骨疼痛，产后风痉，小儿疳积。

| 用法用量 | 内服煎汤，12 ～ 30 g；或入丸、散剂。

豆科 Leguminosae 肥皂荚属 *Gymnocladus*

肥皂荚 *Gymnocladus chinensis* Baill.

| 药 材 名 | 肥皂架（药用部位：果实。别名：肉皂荚、肉皂角、肥猪子）。

| 形态特征 | 乔木，高 5 ~ 12 m，无刺。二回羽状复叶，具羽片 6 ~ 10；小叶 20 ~ 24，矩圆形至长圆形，长 1.5 ~ 4 cm，宽 1 ~ 1.5 cm，先端圆或微缺，基部略呈斜圆形，两面密被短柔毛。总状花序顶生；花杂性，白色或带紫色，下垂；花萼长 5 ~ 6 mm，有 10 脉，密被短柔毛，裂片 5，披针形；花瓣 5，较萼略长；雄蕊 10，5 长 5 短；子房长椭圆形，无毛，无子房柄。荚果长椭圆形，长 7 ~ 12 cm，宽 3 ~ 4 cm，扁或肥厚，具种子 2 ~ 4。花期 4 ~ 5 月，果期 8 ~ 10 月。

| 生境分布 | 生于海拔 150 ~ 1 500 m 的山坡、山腰、杂木林、竹林中以及岩石边、村旁、宅旁和路边等。分布于湖南衡阳（衡山）、岳阳（云溪）等。

| **资源情况** | 野生资源较丰富。栽培资源一般。药材来源于野生。

| **采收加工** | 10 月采收，阴干。

| **药材性状** | 本品长椭圆形，长 7 ~ 12 cm，宽 3 ~ 4 cm，先端有短喙，扁平或肥厚，外表紫棕色，光滑无毛，内有种子 2 ~ 4。种子近球形，稍扁，黑色，直径约 2 cm。气味辛辣。以肥厚饱满者为佳。

| **功能主治** | 辛，温。归肺、大肠经。祛风除湿，活血消肿。用于风湿疼痛，跌打损伤，疔疮肿毒。

| **用法用量** | 内服煎汤，2 ~ 4 g；或入丸、散剂。外用适量，捣敷；研末撒或调涂。

豆科 Leguminosae 木蓝属 *Indigofera*

多花木蓝 *Indigofera amblyantha* Craib

| 药 材 名 | 木蓝山豆根（药用部位：根。别名：野蓝枝、马黄消）。

| 形态特征 | 直立灌木，高 0.8 ~ 2 m，少分枝。茎褐色或淡褐色，圆柱形，幼枝禾秆色，具棱。羽状复叶长达 18 cm；叶柄长 2 ~ 5 cm。总状花序腋生，长 11 ~ 15 cm，总花梗近无。荚果棕褐色，线状圆柱形；种子褐色，长圆形，长约 2.5 mm。花期 5 ~ 7 月，果期 9 ~ 11 月。

| 生境分布 | 生于海拔 600 ~ 1 600 m 的山坡草地、沟边、路旁灌丛中及林缘。分布于湖南张家界（武陵源）、益阳（桃江）、郴州（北湖、桂阳、临武）、株洲、永州（蓝山）等。

| 资源情况 | 野生资源较少。药材来源于野生。

｜采收加工｜ 秋季采收，洗净，切片，晒干。

｜药材性状｜ 本品根头部呈不规则块状，上端常残留茎基或茎痕，其下有根数条。根呈长圆柱形，有时分歧，略弯曲，长 15 ~ 50 cm，直径 4 ~ 10 mm，表面灰黄色或黄棕色，有横长的皮孔及纵皱纹，偶有横裂，有时栓皮呈鳞片状剥落。质坚硬，难折断，断面黄白色或淡黄色，皮部纤维状，中心无髓。气微弱，味苦。

｜功能主治｜ 苦、辛、平，有小毒。归肺、膀胱经。清热解毒，活血通络。用于肺炎，百日咳，急性胃肠炎，肾炎，牙龈炎，中耳炎，脉管炎，骨髓炎，疮疡肿毒，跌打损伤，风湿痹痛。

｜用法用量｜ 内服煎汤，9 ~ 30 g；或研末，每次 1 ~ 3 g，每日 3 次；或浸酒。外用适量，研末撒。

豆科 Leguminosae 木蓝属 *Indigofera*

深紫木蓝 *Indigofera atropurpurea* Buch.-Ham.

| 药 材 名 | 深紫木蓝（药用部位：根、叶）。

| 形态特征 | 灌木或小乔木，高 1.5 ~ 5 m。茎褐色，圆柱形，嫩枝具棱，与叶轴及小叶两面均被白色间生棕色“丁”字毛；羽状复叶长达 24 cm；叶柄长达 2.5 ~ 3.5 cm；托叶早落；小叶 3 ~ 9（~ 10）对，对生，膜质，卵形或椭圆形，长 1.5 ~ 6.5（~ 8）cm，宽 1 ~ 3.5 cm，先端圆钝或急尖，基部宽楔形或圆形，侧脉 8 ~ 10 对，明显。总状花序长达 28 cm，通常长 8 ~ 15 cm；总花梗长 1.5 ~ 2.5 cm，与花序轴均被棕色疏“丁”字毛；苞片卵形或卵状披针形，先端尾状渐尖，外面被棕色毛；花梗短；花萼钟状，长 2.5 mm，外面密被灰褐色“丁”字毛，萼齿短三角形；花冠深紫色，旗瓣长圆状椭圆形，长

7 ~ 8.5 mm，宽 4.5 ~ 5.5 mm，外面无毛，翼瓣长 7 ~ 8 mm，先端有缘毛，基部有短瓣柄，龙骨瓣长 7.5 ~ 8.5 mm，先端及边缘有柔毛，中下部有距，距长约 0.5 mm，基部有短瓣柄；花药球形，先端有小凸尖头，基部有少量髯毛；子房无毛，有胚珠 6 ~ 9。荚果圆柱形，长 2.5 ~ 5 cm，两缝线明显加厚，早期疏被毛，后变无毛，具种子 6 ~ 9；种子间有横隔，内果皮白色，无紫色斑点，果瓣开裂后旋卷状；果柄短，长约 1.5 mm，下弯；种子赤褐色，近方形，长约 1.75 mm，宽约 1.5 mm。花期 5 ~ 9 月，果期 8 ~ 12 月。

| 生境分布 | 生于海拔 300 ~ 1 600 m 的山坡路旁灌丛中、山谷疏林中及路旁草坡和溪沟边。分布于湖南郴州（永兴）等。

| 资源情况 | 野生资源稀少。药材来源于野生。

| 功能主治 | 根，用于人工流产。叶，用于蛇咬伤。

豆科 Leguminosae 木蓝属 *Indigofera*

宜昌木蓝

Indigofera decora Lindl. var. *ichangensis* (Craib) Y. Y. Fang et C. Z. Zheng

| 药材名 |

散瘀木（药用部位：根。别名：宜昌槐蓝、宜昌木兰）。

| 形态特征 |

灌木，高 0.4 ~ 2 m。羽状复叶长 8 ~ 25 cm；叶柄通常长 1 ~ 1.5 cm，稀长达 3 cm，叶轴扁平或圆柱形，上面有槽或无槽，无毛或疏被“丁”字毛；托叶早落；小叶 3 ~ 6 对，对生或近对生，稀互生或下部互生，叶形变异甚大，通常呈卵状披针形、卵状长圆形或长圆状披针形，稀呈卵形、椭圆形或狭披针形，长 2 ~ 6.5（~ 7.5）cm，宽 1 ~ 3.5 cm，先端渐尖或急尖，稀圆钝，具小尖头，基部楔形或阔楔形，两面被毛；小叶柄长约 2 mm；小托叶钻形，长约 1.5 mm。总状花序长 13 ~ 21（~ 32）cm，直立。荚果棕褐色，圆柱形，长 2.5 ~ 6.5（~ 8）cm，近无毛，内果皮有紫色斑点，有种子 7 ~ 8；种子椭圆形，长 4 ~ 4.5 mm。花期 4 ~ 6 月，果期 6 ~ 10 月。

| 生境分布 |

生于灌丛或杂木林中。分布于湖南常德（临澧）、株洲（芦淞）、衡阳（祁东、耒阳）、

益阳（桃江）、郴州（宜章、临武、汝城）、永州（冷水滩、祁阳、双牌、道县、蓝山、新田）、怀化（鹤城、辰溪）、湘西州（吉首、花垣、古丈）等。

| 资源情况 | 野生资源较少。药材来源于野生。

| 采收加工 | 4 ~ 5 月或 8 ~ 9 月采挖，除去须根，洗净，晒干。

| 药材性状 | 本品根头部呈不规则块状，上端常残留茎基或茎痕，其下有根数条。根呈长圆柱形，有时分歧，略弯曲，长 15 ~ 50 cm，直径 4 ~ 10 mm，表面灰黄色或黄棕色，有横长的皮孔及纵皱纹，偶有横裂，有时栓皮呈鳞片状剥落。质坚硬，难折断，断面黄白色或淡黄色，皮部纤维状，中心无髓。气微弱，味苦。

| 功能主治 | 苦，寒。清热利咽，解毒，通便。用于暑温，热结便秘，咽喉肿痛，肺热咳嗽，黄疸，痔疮，白秃疮，蛇虫咬伤。

| 用法用量 | 内服煎汤，15 ~ 30 g。

豆科 Leguminosae 木蓝属 *Indigofera*

马棘 *Indigofera pseudotinctoria* Matsum.

| 药 材 名 | 一味药（药用部位：全株或根。别名：狼牙草、野蓝枝子）。

| 形态特征 | 多年生小灌木，高 60 ~ 100 cm。茎多分枝，枝条有“丁”字毛。奇数羽状复叶互生，长 5 ~ 6 cm；小叶 7 ~ 11，倒卵形或长圆形，长 1 ~ 2.5 cm，宽 5 ~ 14 mm，先端凹陷，全缘，基部阔楔形，上面暗绿色，下面淡绿色，两面被平贴的“丁”字毛。总状花序腋生。荚果圆柱形，褐色，有种子数粒。花期 5 ~ 8 月，果期 8 ~ 10 月。

| 生境分布 | 生于灌丛或林缘石隙中。分布于湖南长沙（长沙、望城、宁乡、浏阳）、株洲（攸县、茶陵、醴陵）、湘潭（湘潭、韶山、湘乡）、衡阳（衡阳、衡山、衡东、祁东、耒阳）、邵阳（新邵、邵阳、隆回、洞口、绥宁、新宁）、岳阳（华容、湘阴、汨罗）、常德（安乡、澧县、临澧、桃源、石门、津市）、益阳（桃江、安化）、郴州（桂阳、宜章、

永兴、嘉禾、临武、汝城）、永州（冷水滩、祁阳、东安、双牌、道县、江永、蓝山、新田、江华）、怀化（中方、辰溪、麻阳、新晃、芷江、洪江、沅陵、溆浦）、娄底（新化、冷水江、涟源）、湘西州（吉首、泸溪、花垣、古丈、永顺、龙山）、张家界（慈利、桑植）等。

| 资源情况 | 野生资源一般。栽培资源较丰富。药材来源于栽培。

| 采收加工 | 秋季采收，洗净，切片，晒干，或去外皮，切片，晒干。也可鲜用。

| 药材性状 | 本品全株长 60 ~ 90 cm。茎直立，分枝多，被白色“丁”字毛。奇数羽状复叶互生。夏季开花，叶腋抽出穗式总状花序，蝶形花冠红紫色。荚果圆柱形，幼时密生“丁”字毛，成熟后呈暗紫色，内有肾状种子数粒。

| 功能主治 | 苦、涩，平。清热解毒，消肿散结。用于感冒咳嗽，扁桃体炎，颈淋巴结结核，疳积，痔疮；外用于疔疮。

| 用法用量 | 内服煎汤，20 ~ 30 g。外用适量，鲜品捣敷；或干品炒炭存性，研末调敷。

豆科 Leguminosae 鸡眼草属 *Kummerowia*

长萼鸡眼草 *Kummerowia stipulacea* (Maxim.) Makino

| 药材名 | 掐不齐（药用部位：全草）。

| 形态特征 | 一年生草本，高可达 15 cm。茎平伏，多分枝。叶片为三出羽状复叶；托叶卵形；叶柄短；小叶纸质，倒卵形、宽倒卵形或倒卵状楔形，侧脉多而密。花常腋生；小苞片生于萼下；花梗有毛；花萼膜质，阔钟形，裂片宽卵形，有缘毛；花冠上部暗紫色，翼瓣狭披针形。荚果椭圆形或卵形，稍侧偏。7 ~ 8 月开花，8 ~ 10 月结果。

| 生境分布 | 生于海拔 100 ~ 1 200 m 的路旁、草地、山坡、固定或半固定沙丘等。分布于湖南长沙（芙蓉、浏阳）、株洲（茶陵）、邵阳（邵阳）、常德（安乡、临澧、石门）、岳阳（汨罗）、郴州（宜章、永兴、汝城）、永州（零陵、东安）、怀化（辰溪、芷江、洪江）、湘西（泸

溪、古丈、永顺、凤凰）等。

| 资源情况 | 野生资源较丰富。药材来源于野生。

| 采收加工 | 夏、秋季采收，洗净，切细晒干。

| 药材性状 | 本品茎较粗。小枝被向上伸出的毛。小叶倒卵形，先端钝圆或中央凹入。萼片较长。

| 功能主治 | 苦，凉。清热解毒，健脾利湿。用于感冒发热，暑湿吐泻，痢疾。

| 用法用量 | 内服煎汤，15 ~ 60 g。

豆科 Leguminosae 鸡眼草属 *Kummerowia*

鸡眼草

Kummerowia striata (Thunb.) Schindl.

| 药 材 名 | 人字草（药用部位：全草。别名：三叶人字草）。

| 形态特征 | 一年生或多年生草本，高 10 ~ 30 cm，多分枝。小枝上有向下倒挂的白色细毛。三出羽状复叶互生，有短柄；小叶细长，长椭圆形或倒卵状长椭圆形，长 2 ~ 8 cm，宽 3 ~ 7 mm，先端圆形，其中脉延伸成小刺尖，基部楔形，沿中脉及边缘有白色粗毛；托叶较大，长卵形，急尖，初呈淡绿色，后呈淡褐色。花 1 ~ 2，蝶形，腋生；小苞片 4，卵状披针形；花萼深紫色，钟状，长 2.5 ~ 3 mm，5 裂，裂片阔卵形；花冠浅玫瑰色，较萼长 2 ~ 3 倍，旗瓣近圆形，先端微凹，具爪，基部有小耳，翼瓣长圆形，基部有耳，龙骨瓣半卵形，有短爪和耳，旗瓣和翼瓣近等长，翼瓣和龙骨瓣的末端有深红色斑点；雄蕊二体。荚果卵状圆形，顶部稍急尖，有小喙，萼宿存；种

子 1，黑色，具不规则的褐色斑点。花期 7 ～ 9 月，果期 9 ～ 10 月。

| 生境分布 | 生于向阳山坡的路旁、田中、林中及水边。湖南各地均有分布。

| 资源情况 | 野生资源较丰富。药材来源于野生。

| 采收加工 | 7 ～ 8 月采收，晒干或鲜用。

| 药材性状 | 本品茎枝圆柱形，多分枝，长 5 ～ 30 cm，被向下的白色细毛。三出复叶互生，叶多皱缩，完整小叶长椭圆形或倒卵状长椭圆形，长 5 ～ 15 mm，先端钝圆，有小突刺，基部楔形，沿中脉及叶缘疏生白色长毛；托叶 2。花腋生；花萼钟状，深紫褐色；蝶形花冠浅玫瑰色，较萼长 2 ～ 3 倍。荚果卵状矩圆形，先端稍急尖，有小喙，长达 4 mm；种子 1，黑色，具不规则褐色斑点。气微，味淡。

| 功能主治 | 甘、辛、微苦，平。归肝、脾、肺、肾经。清热解毒，健脾利湿，活血止血。用于感冒发热，暑湿吐泻，黄疸，疮疖，痢疾，疳积，血淋，咯血，衄血，跌打损伤，赤白带下。

| 用法用量 | 内服煎汤，9 ～ 30 g，鲜品 30 ～ 60 g；或捣汁；或研末。外用适量，捣敷。

豆科 Leguminosae 胡枝子属 *Lespedeza*

胡枝子 *Lespedeza bicolor* Turcz.

| 药 材 名 | 随军茶（药用部位：茎、叶。别名：胡枝条、扫皮）。

| 形态特征 | 灌木，高 0.5 ~ 2 m。三出复叶；小叶狭卵形、倒卵形或椭圆形，先端小叶长 1.5 ~ 7 cm，宽 1 ~ 4 cm，侧生小叶较小，基部渐狭或圆形，先端常为圆钝头，稍具短尖，全缘，上面绿色，无毛，下面色较淡，被疏柔毛或无毛。总状花序腋生成圆锥花序，总花梗长 4 ~ 15 cm。荚果斜倒卵形，有子房柄及短尖，多少被柔毛。花期 7 ~ 8 月，果期 9 ~ 10 月。

| 生境分布 | 生于海拔 150 ~ 1 000 m 的山坡、路旁、灌丛及林缘、杂木林间。湖南各地均有分布。

| 资源情况 | 野生资源较丰富。栽培资源一般。药材来源于野生。

| 采收加工 | 夏、秋季采收，鲜用，或切段晒干。

| 药材性状 | 本品茎呈圆柱形，稍弯曲，长短不等。表面灰棕色，有支根痕、横向突起及纵皱纹。质坚硬，难折断。断面中央无髓，木部灰黄色，皮部棕褐色。味微苦、涩。

| 功能主治 | 甘，平。归心、肝经。润肺清热，利水通淋。用于肺热咳嗽，百日咳，鼻衄，淋病。

| 用法用量 | 内服煎汤，10 ~ 15 g。

豆科 Leguminosae 胡枝子属 *Lespedeza*

绿叶胡枝子 *Lespedeza buergeri* Miq.

| 药材名 | 木本胡枝子（药用部位：叶。别名：白氏胡枝子、山附子）。

| 形态特征 | 直立灌木，高 1 ~ 3 m。枝灰褐色或淡褐色，被疏毛。托叶 2，线状披针形，长 2 mm；小叶卵状椭圆形，长 3 ~ 7 cm，宽 1.5 ~ 2.5 cm，先端急尖，基部稍尖或钝圆，上面鲜绿色，光滑无毛，下面灰绿色，密被贴生的毛。总状花序腋生，在枝上部者构成圆锥花序；苞片 2，长卵形，长约 2 mm，褐色，密被柔毛；花萼钟状，长 4 mm，5 裂至中部，裂片卵状披针形或卵形，密被长柔毛；花冠淡黄绿色，长约 10 mm，旗瓣近圆形，基部两侧有耳，具短柄，翼瓣椭圆状长圆形，基部有耳和瓣柄，瓣片先端有时稍带紫色，龙骨瓣倒卵状长圆形，比旗瓣稍长，基部有明显的耳和长瓣柄；雄蕊 10，二体；子房有毛，花柱丝状，稍超出雄蕊，柱头头状。荚果长圆状卵形，长约

15 mm，表面具网纹和长柔毛。花期 6 ～ 7 月，果期 8 ～ 9 月。

| 生境分布 | 生于海拔 1 500 m 以下的山坡、林下、山沟和路旁。分布于湖南常德（澧县）、娄底（新化）等。

| 资源情况 | 野生资源一般。栽培资源稀少。药材来源于野生。

| 采收加工 | 夏、秋季采集新鲜叶。

| 药材性状 | 本品叶互生，三出复叶；小叶卵状椭圆形或卵状披针形，长 1.8 ～ 7 cm，宽 1.5 ～ 2.5 cm，先端渐尖或急尖，基部钝圆，全缘，上面无毛，下面有浅棕色毛。

| 功能主治 | 苦，寒。归脾、胃经。解毒消痈。用于痈疽发背等。

| 用法用量 | 外用适量，捣敷。孕妇慎用。

豆科 Leguminosae 胡枝子属 *Lespedeza*

中华胡枝子 *Lespedeza chinensis* G. Don

|药 材 名|

中华胡枝子（药用部位：全草。别名：细叶马料梢、高脚硬梗太阳草）。

|形态特征|

直立小灌木，高约 1 m。茎上部分枝，被白色绒毛，幼时毛尤多。叶互生，三出复叶；叶柄及小叶柄均被白色绢毛；叶片倒卵状长圆形，长 1 ~ 2 cm，宽 0.5 ~ 1 cm，先端截形，有短尖，基部宽楔形，边缘稍反卷，上面绿色，下面密被短柔毛。总状花序腋生，花少；花梗极短；小苞片披针形，有毛；花萼杯状，萼齿 5，披针形，被白色短柔毛；花冠蝶形，黄白色，旗瓣长约 8 mm，翼瓣与旗瓣近等长，龙骨瓣较旗瓣长；雄蕊 10，二体。荚果卵圆形，长 3 ~ 4 mm，有白色短柔毛；种子 1。花期 8 ~ 9 月，果期 10 ~ 11 月。

|生境分布|

生于向阳山坡疏林下及林缘草丛中。湖南各地均有分布。

|资源情况|

野生资源较丰富。栽培资源一般。药材来源

于野生。

| 采收加工 | 夏、秋季采收，鲜用，或切段晒干。

| 药材性状 | 本品具白色绒毛。复叶互生；小叶 3，完整小叶倒卵状矩圆形，长 1 ~ 2 cm，宽 0.5 ~ 1 cm，叶端截形，有短尖，叶基宽楔形，叶缘稍反卷，下表面密被短柔毛；托叶条形。总状花序腋生，花少；花萼杯状，具白色短柔毛。

| 功能主治 | 苦，凉。归肝、胆、大肠经。清热止痢，祛风，截疟。用于急性细菌性痢疾，关节痛，疟疾。

| 用法用量 | 内服煎汤，18 ~ 22 g。

豆科 Leguminosae 胡枝子属 *Lespedeza*

截叶铁扫帚 *Lespedeza cuneata* (Dum.-Cours.) G. Don

| 药材名 |

铁扫帚（药用部位：全株。别名：夜关门、绢毛胡枝子、三叶公母草）。

| 形态特征 |

小灌木，高达 1 m。茎直立或斜升，被毛，上部分枝，分枝斜上举。叶密集；叶柄短；小叶楔形或线状楔形，长 1 ~ 3 cm，宽 2 ~ 5（~ 7）mm，先端截形或近截形，具小刺尖，基部楔形，上面近无毛，下面密被伏毛。总状花序腋生，具 2 ~ 4 花；总花梗极短；小苞片卵形或狭卵形，长 1 ~ 1.5 mm，先端渐尖，背面被白色伏毛，具缘毛；花萼狭钟形，密被伏毛，5 深裂，裂片披针形；花冠淡黄色或白色，旗瓣基部有紫斑，有时龙骨瓣先端带紫色，翼瓣与旗瓣近等长，龙骨瓣稍长，闭锁花簇生于叶腋。荚果宽卵形或近球形，被伏毛，长 2.5 ~ 3.5 mm，宽约 2.5 mm。花期 7 ~ 8 月，果期 9 ~ 10 月。

| 生境分布 |

生于低山坡路边及空旷地杂草丛中。湖南各地均有分布。

| 资源情况 | 野生资源较丰富。栽培资源一般。药材来源于野生。

| 采收加工 | 9 ~ 10 月采收，除去杂质，洗净，鲜用或干燥。

| 药材性状 | 本品根细长，条状，多分枝。茎枝细长，被微柔毛。三出复叶互生，密集，多卷曲皱缩；完整小叶线状楔形，长 1 ~ 2.5 cm，先端钝或截形，有小锐尖，在中部以下渐狭，上面无毛，下面被灰色丝毛。短总状花序腋生；花萼钟形；蝶形花冠淡黄白色至黄棕色，心部带红紫色。荚果卵形，稍斜，长约 3 mm，棕色，先端有喙。气微，味苦。

| 功能主治 | 甘、微苦，平。归肺、肝、肾经。消食除积，清热利湿，祛痰止咳。用于疳积，消化不良，胃肠炎，细菌性痢疾，胃痛，黄疸性肝炎，肾炎性水肿，带下，口腔炎，咳嗽，支气管炎；外用于带状疱疹，毒蛇咬伤。

| 用法用量 | 内服煎汤，15 ~ 30 g。外用适量，鲜品捣敷。

豆科 Leguminosae 胡枝子属 *Lespedeza*

大叶胡枝子 *Lespedeza davidii* Franch.

| 药 材 名 |

和血丹（药用部位：带根全株）。

| 形态特征 |

直立灌木。高 1 ~ 3 m。枝条较粗壮，稍曲折，有明显的条棱，密被长柔毛。托叶 2，卵状披针形；叶柄密被短硬毛；小叶宽卵圆形或宽倒卵形，全缘，两面密被黄白色绢毛。总状花序腋生或于枝顶形成圆锥花序；花稍密集，比叶长；总花梗密被长柔毛；小苞片卵状披针形，外面被柔毛；花萼阔钟形，5 深裂，裂片披针形，被长柔毛；花红紫色，旗瓣倒卵状长圆形，先端圆或微凹，基部具耳和短柄，翼瓣狭长圆形，比旗瓣和龙骨瓣短，基部具弯钩形耳和细长瓣柄，龙骨瓣略呈弯刀形，与旗瓣近等长，基部有明显的耳和柄；子房密被毛。荚果卵形，表面具网纹和稍密的绢毛。花期 7 ~ 9 月，果期 9 ~ 10 月。

| 生境分布 |

生于灌丛、路边及草丛中。湖南各地均有分布。

| 资源情况 |

野生资源丰富。药材来源于野生。

| 采收加工 | 夏、秋季采收，切段，晒干。

| 药材性状 | 本品茎枝具棱及翅，密被白色绒毛。三出复叶，多皱缩；总叶柄长 2 ~ 8 cm；完整小叶广倒卵形或卵圆形，侧生小叶较小；叶端圆或微缺，叶基圆形，全缘，上面黄绿色，下面灰绿色，两面及叶柄均被黄白色绢状毛。总状花序腋生；花枝密被柔毛；花萼阔钟状；花冠暗紫色。荚果卵形，密生绢毛。气微，味淡。

| 功能主治 | 甘，平。清热解表，止咳止血，通经活络。用于外感头痛，发热，痢疾，咳嗽咯血，尿血，便血，崩漏，腰痛。

| 用法用量 | 内服煎汤，15 ~ 30 g。

豆科 Leguminosae 胡枝子属 *Lespedeza*

多花胡枝子 *Lespedeza floribunda* Bunge

| 药 材 名 | 铁鞭草（药用部位：全株或根、茎叶）。

| 形态特征 | 小灌木。高可达 1 m。根细长。茎常于近基部分枝；枝有条棱，被灰白色绒毛。托叶线形，长 4 ~ 5 mm，先端刺芒状；羽状复叶具 3 小叶；小叶具柄，倒卵形、宽倒卵形或长圆形，先端微凹、钝圆或近截形，具小刺尖，基部楔形，上面被疏伏毛，下面密被白色伏柔毛，侧生小叶较小。总状花序腋生；总花梗细长，显著超出叶；花多数；小苞片卵形，先端急尖；花萼长 4 ~ 5 mm，被柔毛，5 裂，上方 2 裂片下部合生，上部分离，裂片披针形或卵状披针形，长 2 ~ 3 mm，先端渐尖；花冠紫色、紫红色或蓝紫色，旗瓣椭圆形，长 8 mm，先端圆形，基部有柄，翼瓣稍短，龙骨瓣长于旗瓣，具钝头。荚果宽卵形，

密被柔毛，有网状脉。花期 6 ~ 9 月，果期 9 ~ 10 月。

| 生境分布 | 生于中低海拔地区的岗地、丘陵或低山灌丛中。分布于湖南长沙、衡阳（衡山）、邵阳（新宁、武冈）、永州（江华）、湘西州（花垣、保靖）等。

| 资源情况 | 野生资源一般。药材来源于野生。

| 采收加工 | 6 ~ 10 月采收，根洗净，切片，晒干；茎叶切段，晒干。

| 药材性状 | 本品茎常于近基部分枝，枝条细长柔弱，具条棱。三出复叶，叶片多皱缩；完整小叶倒卵形或狭长倒卵形，长 1 ~ 1.5 cm，宽 6 ~ 9 mm，叶端截形，具尖刺，下表面密被白色绒毛。总状花序腋生，蝶形花冠暗紫红色。荚果宽卵形，长约 7 mm，有柔毛。气微，味涩。

| 功能主治 | 涩，凉。消积，截疟。用于疳积，疟疾。

| 用法用量 | 内服煎汤，9 ~ 15 g。

豆科 Leguminosae 胡枝子属 *Lespedeza*

美丽胡枝子 *Lespedeza formosa* (Vog.) Koehne

| 药材名 | 美丽胡枝子（药用部位：茎叶）、美丽胡枝子根（药用部位：根。别名：假蓝根）、美丽胡枝子花（药用部位：花）。

| 形态特征 | 直立灌木。高 1 ~ 2 m。多分枝，枝伸展，被疏柔毛。托叶披针形至线状披针形；叶柄长 1 ~ 5 cm，被短柔毛；小叶椭圆形、长圆状椭圆形或卵形，稀倒卵形，两端稍尖或稍钝，长 2.5 ~ 6 cm，宽 1 ~ 3 cm，上面绿色，稍被短柔毛，下面淡绿色，贴生短柔毛。总状花序单一，腋生；总花梗长可达 10 cm，被短柔毛；苞片卵状渐尖，长 1.5 ~ 2 mm，密被绒毛；花梗短，被毛；花萼钟状；花冠红紫色，长 10 ~ 15 mm，旗瓣近圆形或稍长，先端圆，基部具明显的耳和瓣柄，翼瓣倒卵状长圆形，短于旗瓣和龙骨瓣，长 7 ~ 8 mm，基部有

耳和细长瓣柄，龙骨瓣比旗瓣稍长。荚果倒卵形或倒卵状长圆形，表面具网纹且被疏柔毛。花期 7 ~ 9 月，果期 9 ~ 10 月。

| 生境分布 | 生于向阳山坡、山谷、路边灌丛中或林缘。湖南各地均有分布。

| 资源情况 | 野生资源较丰富。药材来源于野生。

| 采收加工 | **美丽胡枝子：**夏季开花前采收，鲜用或切段晒干。

美丽胡枝子根：夏、秋季采挖，除去须根，洗净，鲜用或切片晒干。

美丽胡枝子花：夏季花盛开时采收，鲜用或晒干。

| 功能主治 | **美丽胡枝子：**苦，平。归心、肺经。清热利湿，利尿通淋。用于热淋，小便不利。

美丽胡枝子根：苦，平。归心、肺经。清肺热，祛风湿，散瘀血。用于肺痈，风湿痹痛，跌打损伤。

美丽胡枝子花：苦，平。清热凉血。用于肺热咯血，便血。

| 用法用量 | **美丽胡枝子：**内服煎汤，30 ~ 60 g。外用适量，捣敷。

美丽胡枝子根：内服煎汤，25 ~ 50 g。外用适量，捣敷。

美丽胡枝子花：内服煎汤，鲜品 50 ~ 100 g。

豆科 Leguminosae 胡枝子属 *Lespedeza*

铁马鞭 *Lespedeza pilosa* (Thunb.) Sieb. et Zucc.

|药 材 名|

铁马鞭（药用部位：全草）。

|形态特征|

多年生草本。全株密被长柔毛。茎平卧，细长，少分枝，匍匐于地面。托叶钻形，先端渐尖；羽状复叶具 3 小叶；小叶宽倒卵形或倒卵圆形，先端圆形、近截形或微凹，有小刺尖，基部圆形或近截形，两面密被长毛，顶生小叶较大。总状花序腋生；苞片钻形，上部边缘具缘毛；总花梗极短，密被长毛；小苞片 2，披针状钻形，背部中脉具长毛，边缘具缘毛；花萼密被长毛，5 深裂，上方 2 裂片基部合生，上部分离，裂片狭披针形，先端长渐尖，边缘具长缘毛；花冠黄白色或白色，旗瓣椭圆形，先端微凹，具瓣柄，翼瓣比旗瓣与龙骨瓣短；闭锁花常 1 ～ 3 集生于茎上部叶腋，无梗，结实。荚果广卵形，凸镜状，两面密被长毛，先端具尖喙。花期 7 ～ 9 月，果期 9 ～ 10 月。

|生境分布|

生于海拔 200 ～ 600 m 的山坡灌丛中。湖南各地均有分布。

| 资源情况 | 野生资源丰富。药材来源于野生。

| 采收加工 | 夏、秋季采收，鲜用或切段晒干。

| 药材性状 | 本品茎枝细长，分枝少，被棕黄色长粗毛。叶为三出复叶；总叶柄长 0.5 ~ 2 cm；完整小叶片广椭圆形至圆卵形，长 8 ~ 20 mm，宽 5 ~ 15 mm，叶端圆形或截形，微凹，具短尖，叶基近圆形，全缘。总状花序腋生；总花轴及小花轴极短；蝶形花冠黄白色，旗瓣有紫斑。荚果广卵形，先端有长喙，直径约 3 mm，表面密被白色长粗毛。气微，味微苦。

| 功能主治 | 苦、辛，平。益气安神，活血止痛，利尿消肿，解毒散结。用于气虚发热，失眠，痧症腹痛，风湿痹痛，水肿，瘰疬，痈疽肿毒。

| 用法用量 | 内服煎汤，15 ~ 30 g；或炖肉。外用适量，捣敷。

豆科 Leguminosae 胡枝子属 *Lespedeza*

绒毛胡枝子 *Lespedeza tomentosa* (Thunb.) Sieb. ex Maxim.

| 药 材 名 |

小雪人参（药用部位：根）。

| 形态特征 |

灌木。高达 1 m。全株密被黄褐色绒毛。茎直立，单一或上部少分枝。托叶线形；羽状复叶具 3 小叶；小叶质厚，椭圆形或卵状长圆形，先端钝或微心形，边缘稍反卷，上面被短伏毛，下面密被黄褐色绒毛或柔毛，沿脉上毛尤多；叶柄长 2 ~ 3 cm。总状花序顶生或于茎上部腋生；总花梗粗壮，长 4 ~ 8 cm；苞片线状披针形，有毛；花具短梗，密被黄褐色绒毛；花萼密被毛，长约 6 mm，5 深裂，裂片狭披针形，长约 4 mm，先端长渐尖；花冠黄色或黄白色，旗瓣椭圆形，长约 1 cm，龙骨瓣与旗瓣近等长，翼瓣较短，长圆形；闭锁花生于茎上部叶腋，簇生成球状。荚果倒卵形，先端有短尖，表面密被毛；种子 1。花期 7 ~ 9 月，果期 9 ~ 10 月。

| 生境分布 |

生于海拔 1 000 m 的山坡草地。分布于湖南衡阳（衡山）、邵阳（武冈）、常德（桃源）、张家界（桑植）、郴州（宜章）、怀化（溆

浦、通道）、湘西州（凤凰、保靖、永顺）等。

| **资源情况** | 野生资源较少。药材来源于野生。

| **采收加工** | 秋季采挖，洗净，切片，晒干。

| **功能主治** | 甘、微淡，平。健脾补虚，清热利湿，活血调经。用于虚劳，血虚头晕，水肿，腹水，痢疾，经闭，痛经。

| **用法用量** | 内服煎汤，15 ~ 30 g。

豆科 Leguminosae 胡枝子属 *Lespedeza*

细梗胡枝子 *Lespedeza virgata* (Thunb.) DC.

|药材名|

掐不齐（药用部位：全株）。

|形态特征|

小灌木。高 25 ~ 50 cm，有时可达 1 m。基部分枝，枝细，带紫色，被白色伏毛。托叶线形；羽状复叶具 3 小叶；小叶椭圆形、长圆形或卵状长圆形，稀近圆形，先端钝圆，有时微凹，有小刺尖，基部圆形，边缘稍反卷，上面无毛，下面密被伏毛，侧生小叶较小；叶柄长 1 ~ 2 cm，被白色伏柔毛。总状花序腋生，通常具 3 稀疏的花；总花梗纤细，毛发状，被白色伏柔毛，显著超出叶；苞片及小苞片披针形，长约 1 mm，被伏毛；花梗短；花萼狭钟形，长 4 ~ 6 mm，旗瓣长约 6 mm，基部有紫斑，翼瓣较短，龙骨瓣长于旗瓣或与旗瓣近等长；闭锁花簇生于叶腋，无梗，结实。荚果近圆形，通常不超出花萼。花期 7 ~ 9 月，果期 9 ~ 10 月。

|生境分布|

生于海拔 800 m 以下的山坡灌丛中。分布于湖南岳阳（岳阳、平江）、衡阳（衡南、衡山、祁东）、张家界（慈利）、湘西州（凤凰）等。

| 资源情况 | 野生资源稀少。药材来源于野生。

| 采收加工 | 夏季采收，洗净，切碎，晒干。

| 功能主治 | 甘、微苦，平。清暑利尿，截疟。用于中暑，小便不利，疟疾，高血压。

豆科 Leguminosae 百脉根属 *Lotus*

百脉根 *Lotus corniculatus* L.

|药材名| 百脉根（药用部位：根）、地羊鹊（药用部位：地上部分）、百脉根花（药用部位：花）。

|形态特征| 多年生草本。高 15 ~ 50 cm。全株散生稀疏白色柔毛，具主根。茎丛生，平卧或上升，实心，近四棱形。羽状复叶有 5 小叶；叶轴疏被柔毛，先端 3 小叶，基部 2 小叶呈托叶状，纸质，斜卵形至倒披针状卵形，中脉不清晰；小叶柄甚短，密被黄色长柔毛。伞形花序；花 3 ~ 7 集生于总花梗先端；花梗短，基部有苞片 3；苞片叶状；花萼钟形，萼齿近等长，狭三角形，渐尖；花冠黄色或金黄色，旗瓣扁圆形，瓣片和瓣柄几等长，翼瓣和龙骨瓣等长，均略短于旗瓣，龙骨瓣呈直角三角形弯曲，喙部狭尖；雄蕊二体；花柱直，柱头点状，子房

线形，胚珠 35 ～ 40。荚果直，线状圆柱形，褐色，2 瓣裂，扭曲，有多数细小种子；种子卵圆形，灰褐色。花期 5 ～ 9 月，果期 7 ～ 10 月。

｜生境分布｜ 生于中低海拔地区的岗地。分布于湖南常德（石门）、张家界（慈利）、湘西州（花垣、永顺）等。

｜资源情况｜ 野生资源较少。药材来源于野生。

｜采收加工｜ **百脉根：**夏季采挖，洗净，晒干。

地羊鹊：夏季采收，鲜用或晒干。

百脉根花：5 ～ 7 月采收，晾干。

｜功能主治｜ **百脉根：**甘、苦，微寒。补虚，清热，止渴。用于虚劳，阴虚发热，口渴。

地羊鹊：甘、苦，凉。清热解毒，止咳平喘，利湿消痞。用于风热咳嗽，咽喉肿痛，胃脘痞满疼痛，疔疮，无名肿毒，湿疹，痢疾，痔疮便血。

百脉根花：微苦、辛，平。清肝明目。用于风热目赤，视物昏花。

豆科 Leguminosae 马鞍树属 *Maackia*

马鞍树 *Maackia hupehensis* Takeda

|药 材 名| 马鞍树（药用部位：叶、果实。别名：山油皂、臭槐）。

|形态特征| 落叶乔木，高 5 ~ 23 m。芽单生于叶腋，具芽鳞。奇数羽状复叶，叶长 17 ~ 20 cm；叶轴光滑；小叶柄长约 3 cm；小叶 9 ~ 13，对生或近对生，纸质，叶片卵形、卵状椭圆形或椭圆形，长 3 ~ 6 cm，宽 1.8 ~ 3.5 cm，先端短渐尖或钝圆，基部圆形或宽楔形，上面绿色，无毛，下面淡绿色，具白色柔毛。复总状花序长约 15 cm；花密生，具短花梗；花萼钟状，萼齿 5 裂，密生绒毛；花冠白色，长 8 ~ 10 mm，旗瓣倒卵形，向外反卷，翼瓣斜长椭圆形，基部略呈戟形，龙骨瓣斜卵形；雄蕊 10，基部合生；子房具柄，密被长柔毛，花柱稍内弯。荚果长椭圆形，扁平，疏被短柔毛，沿腹缝线具翅；种子 1 ~ 5，肾状椭圆形。花期 6 ~ 7 月，果期 10 月。

| 生境分布 | 生于山坡林中或溪边。分布于湖南永州等。

| 资源情况 | 野生资源较丰富。栽培资源一般。药材来源于野生。

| 采收加工 | 夏、秋季采收，晒干。

| 药材性状 | 本品叶为奇数羽状复叶，叶长 17 ~ 20 cm；叶轴光滑；小叶柄长约 3 cm；小叶 9 ~ 13，对生或近对生，纸质，叶片卵形、卵状椭圆形或椭圆形，长 3 ~ 6 cm，宽 1.8 ~ 3.5 cm，先端短渐尖或钝圆，基部圆形或宽楔形，上面绿色，无毛，下面淡绿色，具白色柔毛，侧脉稀疏。荚果长椭圆形，扁平，长 4 ~ 10 cm，宽 1.5 ~ 2.2 cm，疏被短柔毛，沿腹缝线具翅；种子 1 ~ 5，肾状椭圆形。

| 功能主治 | 辛，温。温经回阳。用于寒厥，手脚冰凉，口吐白沫。

| 用法用量 | 外用适量，150 ~ 180 g，沸水浸擦。

豆科 Leguminosae 苜蓿属 *Medicago*

天蓝苜蓿 *Medicago lupulina* L.

| 药材名 | 天蓝苜蓿（药用部位：全草。别名：接筋草）。

| 形态特征 | 一、二年生或多年生草本。高 15 ~ 60 cm，全株被柔毛或有腺毛。茎多分枝，叶茂盛。羽状三出复叶；小叶倒卵形、阔倒卵形或倒心形，纸质，先端多少截平或微凹，具细尖，基部楔形，边缘在上半部具不明显尖齿，两面均被毛，上下均平坦。花序小头状，具花 10 ~ 20；总花梗细，密被贴伏柔毛；苞片刺毛状，甚小；花梗短；花萼钟形，密被毛，萼齿线状披针形，稍不等长，比萼筒略长或与萼筒等长；花冠黄色，旗瓣近圆形，先端微凹；子房阔卵形，被毛，花柱弯曲，胚珠 1。荚果肾形，表面具同心弧形脉纹，被稀疏毛，成熟时变黑色，有种子 1；种子卵形，黄褐色。花期 7 ~ 9 月，果

期 8 ～ 10 月。

| 生境分布 | 生于湿地草丛中或山坡谷地、河岸、路边、田野及林缘。分布于湖南浏阳、衡阳（衡山）、邵阳（新宁）、张家界（桑植）、郴州（宜章）、永州（祁阳、双牌）、怀化（沅陵、洪江）、湘西州（泸溪、凤凰、永顺、龙山）等。

| 资源情况 | 野生资源丰富。药材来源于野生。

| 采收加工 | 夏、秋季采收，洗净，晒干或鲜用。

| 功能主治 | 甘、微涩，平。清热利湿，凉血止血，舒筋活络。用于黄疸性肝炎，便血，痔疮出血，白血病，坐骨神经痛，风湿骨痛，腰肌劳损；外用于蛇咬伤。

| 用法用量 | 内服煎汤，15 ～ 50 g。外用适量，鲜品捣敷。

豆科 Leguminosae 苜蓿属 *Medicago*

南苜蓿 *Medicago polymorpha* L.

| 药材名 | 南苜蓿（药用部位：全草）、南苜蓿根（药用部位：根）。

| 形态特征 | 一、二年生草本。高 20 ~ 90 cm。茎平卧、上升或直立，近四棱形，基部分枝，无毛或微被毛。羽状三出复叶；托叶大，卵状长圆形，先端渐尖，基部耳状，边缘不整齐条裂成丝状细条或深齿状缺刻，脉纹明显；叶柄柔软，细长，长 1 ~ 5 cm，上面具浅沟。花序头状伞形；总花梗腋生；花冠黄色，旗瓣倒卵形，先端凹缺，基部阔楔形，比翼瓣和龙骨瓣长，翼瓣长圆形，基部具耳和稍阔的瓣柄，齿突甚发达，龙骨瓣比翼瓣稍短，基部具小耳，呈钩状；子房长圆形，镰状上弯，微被毛。荚果盘形，暗绿褐色，螺面平坦无毛，有多条辐射状脉纹；种子肾形，黄褐色，平滑。花期 3 ~ 5 月，果期 5 ~ 6 月。

| 生境分布 | 生于山谷、低山或平川等。湖南各地均有分布。

| 资源情况 | 野生资源丰富。药材来源于野生。

| 采收加工 | **南苜蓿：**6 ~ 10 月采收，鲜用或切段晒干。

南苜蓿根：6 ~ 7 月采挖，鲜用或晒干。

| 功能主治 | **南苜蓿：**苦、甘，凉。归胃、大肠、小肠经。清热利湿，通淋，排石。用于湿热黄疸，泄泻，痢疾，浮肿，石淋，痔疮出血。

南苜蓿根：苦，寒。归胃、大肠、小肠经。清热利尿，通淋。用于热病烦满，湿热黄疸，石淋。

| 用法用量 | **南苜蓿：**内服煎汤，15 ~ 30 g；或捣汁，鲜品 10 ~ 150 g；或研末，3 ~ 9 g。

南苜蓿根：内服煎汤，15 ~ 30 g；或捣汁。

豆科 Leguminosae 草木犀属 *Melilotus*

白花草木犀 *Melilotus alba* Medic. ex Desr.

|药 材 名| 白花辟汗草（药用部位：全草）。

|形态特征| 一、二年生草本。高 70 ~ 200 cm。茎直立，圆柱形，中空，多分枝，几无毛。羽状三出复叶；托叶尖刺状锥形，全缘；小叶长圆形或倒披针状长圆形，先端钝圆，基部楔形，边缘疏生浅锯齿，上面无毛，下面被细柔毛。总状花序腋生，具花 40 ~ 100，排列疏松；苞片线形；花长 4 ~ 5 mm；花梗短；花萼钟形，微被柔毛，萼齿三角状披针形，短于萼筒；花冠白色，旗瓣椭圆形，稍长于翼瓣，龙骨瓣与翼瓣等长或稍短于翼瓣；子房卵状披针形，上部渐窄至花柱，无毛，胚珠 3 ~ 4。荚果椭圆形至长圆形，先端锐尖，具尖喙，表面脉纹细，网状，棕褐色，老熟后变黑褐色，有种子 1 ~ 2；种子卵形，棕色，

表面具细瘤点。花期 5 ~ 7 月，果期 7 ~ 9 月。

| 生境分布 | 生于田边、路旁荒地及湿润的沙地。分布于湖南衡阳（衡山、祁东）、娄底（新化）等。

| 资源情况 | 野生资源丰富。药材来源于野生。

| 采收加工 | 花期采收，洗净，切段，阴干。

| 功能主治 | 苦、辛，凉。清热解毒，和胃化湿。用于暑热胸闷，头痛，口臭，疟疾，痢疾，淋病，皮肤疮疡。

| 用法用量 | 内服煎汤，9 ~ 15 g。外用适量，捣敷；或煎汤洗。

豆科 Leguminosae 草木犀属 *Melilotus*

草木犀 *Melilotus officinalis* (L.) Pall.

|药 材 名| 草木樨（药用部位：全草或根）。

|形态特征| 二年生草本，高 40 ~ 250 cm。茎直立，粗壮，多分枝，具纵棱，微被柔毛。羽状三出复叶；托叶镰状线形，长 3 ~ 7 mm，中央有 1 脉纹，全缘或基部有 1 尖齿；叶柄细长；小叶倒卵形、阔卵形、倒披针形至线形，长 15 ~ 30 mm，宽 5 ~ 15 mm，先端钝圆或截形，基部阔楔形，边缘具不整齐疏浅齿，上面无毛，粗糙，下面散生短柔毛，侧脉 8 ~ 12 对，平行直达齿尖，两面均不隆起，顶生小叶稍大，具较长的小叶柄，侧小叶的小叶柄短。总状花序长 6 ~ 20 cm，腋生，具花 30 ~ 70，初时稠密，花开后渐疏松，花序轴在花期中显著伸展；苞片刺毛状，长约 1 mm；花长 3.5 ~ 7 mm；花梗与苞

片等长或稍长；花萼钟形，长约 2 mm，脉纹 5，甚清晰，萼齿三角状披针形，稍不等长，比萼筒短；花冠黄色，旗瓣倒卵形，与翼瓣近等长，龙骨瓣稍短或三者均近等长；雄蕊筒在花后常宿存包于果外；子房卵状披针形，花柱长于子房。荚果卵形，长 3 ～ 5 mm，宽约 2 mm，先端具宿存花柱，表面具凹凸不平的横向细网纹，棕黑色，具种子 1 ～ 2；种子卵形，长 2.5 mm，黄褐色，平滑。花期 5 ～ 9 月，果期 6 ～ 10 月。

| 生境分布 | 生于山坡、河岸、路旁、砂质草地及林缘。分布于湖南湘西州（永顺）、常德（石门）、岳阳（平江）等。

| 资源情况 | 野生资源稀少。药材来源于野生。

| 功能主治 | 全草，芳香化湿，截疟。用于暑湿胸闷，口臭，头胀，疟疾。根，清热解毒。用于淋巴结结核。

豆科 Leguminosae 崖豆藤属 *Millettia*

绿花崖豆藤 *Millettia championi* Benth.

|药材名| 硬骨藤（药用部位：根或根皮。别名：羊药水、老京藤、白跌打）。

|形态特征| 藤本。茎红褐色，皮孔散布。羽状复叶长 10 ~ 20 cm；托叶线形，狭长，长 2 ~ 3 mm；叶腋有多数被毛的芽苞叶；小叶 2（~ 3）对，纸质，卵形或卵状长圆形，先端渐尖至尾尖，基部圆形，两面均无毛。圆锥花序顶生，长 15 ~ 20 cm，花序轴密被细柔毛，花密集，单生；苞片卵形，贴萼生；花冠黄白色，偶有红晕，花瓣近等长，旗瓣圆形，直径约 9 mm，无毛，无胼胝体，翼瓣直，基部具 2 小耳，龙骨瓣长圆形；雄蕊二体，对着旗瓣的 1 雄蕊离生；子房线形，无毛，基部狭窄成短柄，胚珠多数。荚果线形，狭长，长 6 ~ 12 cm，宽 0.5 ~ 1.2 cm，扁平，先端斜尖，基部具短颈，弧状弯曲，果瓣薄；种子 2 ~ 3，凸透镜状。花期 6 ~ 8 月，果期 8 ~ 10 月。

| 生境分布 | 生于海拔 800 m 以下的山谷岩石、溪边灌丛。分布于湖南邵阳、常德、怀化、湘西州等。

| 资源情况 | 野生资源丰富。栽培资源一般。药材来源于野生和栽培。

| 采收加工 | 全年均可采挖，洗净，鲜用或晒干。

| 功能主治 | 苦，凉。归肝经。凉血散瘀，祛风消肿。用于血热妄行的各种出血，跌打损伤，风湿痹痛，中风，面神经麻痹。

| 用法用量 | 内服煎汤，6 ~ 12 g。外用适量，鲜根皮捣敷；或浸酒擦。

豆科 Leguminosae 崖豆藤属 *Millettia*

密花崖豆藤 *Millettia congestiflora* T. P. Chen

| 药 材 名 | 密花鸡血藤（药用部位：藤茎。别名：大崖胡豆）。

| 形态特征 | 藤本，长达 5 m。茎皮黄褐色。枝具棱。羽状复叶长 15 ~ 30 cm，被短柔毛；小叶 5，纸质，宽椭圆形至宽卵形，长 11 ~ 13 cm，先端锐尖，基部宽楔形，上面几无毛，下面疏被毛；小托叶刺毛状，长 5 ~ 6 mm。圆锥花序顶生，长 14 ~ 16 cm，常 2 ~ 3 簇生；花序梗与花序轴密被黄色柔毛；花萼钟状，长约 5 mm，密被绢毛，萼齿三角形，短于萼筒，上方 2 齿合生；花冠白色或红色，旗瓣宽卵形，背面被绢毛，基部两侧具下弯的尖耳，无胼胝体，翼瓣长圆形，龙骨瓣长圆状镰形；子房密被柔毛。荚果线形，长 1 ~ 1.2 cm，扁平，密被灰色绒毛，先端有钩状喙，无柄，具 3 ~ 6 种子；种子栗褐色，长圆形，凸透镜状。花期 6 ~ 8 月，果期 9 ~ 10 月。

| 生境分布 | 生于海拔 500 ~ 1 200 m 的山地杂木林中。分布于湖南永州等。

| 资源情况 | 野生资源较丰富。栽培资源一般。药材来源于野生和栽培。

| 采收加工 | 秋、冬季采收，除去枝叶，切片或切段，晒干。

| 功能主治 | 苦、甘，温。活血补血，调经止痛，舒筋活络。

| 用法用量 | 内服煎汤，9 ~ 15 g。

| 附　　注 | 本种名称已修订为密花鸡血藤 *Callerya congestiflora* (T. C. Chen) Z. Wei et Pedley。

豆科 Leguminosae 崖豆藤属 *Millettia*

香花崖豆藤 *Millettia dielsiana* Harms

| 药材名 | 山鸡血藤（药用部位：藤茎）、岩豆藤根（药用部位：根）、岩豆藤花（药用部位：花）。

| 形态特征 | 攀缘灌木。长 2 ~ 5 m。枝被褐色短毛。叶互生，为奇数羽状复叶，叶片长 15 ~ 30 cm；叶柄长 5 ~ 12 cm；托叶线形，长约 3 mm；小叶片 5，革质，具短柄；叶片长椭圆形至披针形，有时为卵形，先端钝渐尖，基部钝或圆形，上面无毛，下面略被短柔毛或无毛，网脉密集而明显。总状花序顶生或腋生，组成圆锥花序，长达 15 cm，密被黄褐色茸毛；苞片小，卵形；小花梗长约 5 mm，被茸毛；花密集；花萼钟状，5 裂，密被锈色茸毛；花外面白色，密被锈色茸毛，内面深紫色；花冠蝶形；雄蕊 10，二体；子房线形，花柱内弯。

荚果狭长椭圆形，略扁平，长 7 ～ 12 cm，宽 14 ～ 25 mm，近木质，密被锈色茸毛；种子 3 ～ 5，扁长圆形。花期 5 ～ 9 月，果期 6 ～ 11 月。

| 生境分布 | 生于中低海拔地区的岗地、丘陵、低山。湖南各地均有分布。

| 资源情况 | 野生资源丰富。药材来源于野生。

| 采收加工 | **山鸡血藤：**夏、秋季采收，切片，晒干。

岩豆藤根：夏、秋季采挖，洗净，切片，鲜用或晒干。

岩豆藤花：5 ～ 9 月花开时采收，晒干。

| 药材性状 | **山鸡血藤：**本品藤茎呈圆柱形，直径 1.5 ～ 2.0 cm。表面灰褐色，粗糙，栓皮鳞片状，皮孔椭圆形，纵向开裂。饮片呈长椭圆形斜切片，皮部约占横切面半径的 1/4 ～ 1/3，外侧淡黄色，内侧分泌物呈黑褐色，木部淡黄色，导管孔洞状，放射状排列成轮状，髓小，居中。气微，味微涩。

| 功能主治 | **山鸡血藤：**苦、涩、微甘，温。补血止血，活血通络。用于血虚体弱，劳伤筋骨，月经不调，闭经，产后腹痛，恶露不尽，各种出血症，风湿痹痛，跌打损伤。

岩豆藤根：苦、微甘，温。补血活血，祛风活络。用于气血虚弱，贫血，四肢无力，痢疾，风湿痹痛，跌打损伤，外伤出血。

岩豆藤花：甘、微涩，平。收敛止血。用于鼻衄。

豆科 Leguminosae 崖豆藤属 *Millettia*

异果崖豆藤 *Millettia dielsiana* Harms var. *heterocarpa* (Chun ex T. Chen) Z. Wei

|药 材 名| 异果鸡血藤（药用部分：根）。

|形态特征| 本种与香花崖豆藤 *Milletia dielsiana* Harms 的区别在于本种小叶较宽大，果瓣薄革质，种子近圆形。

|生境分布| 生于山坡杂木林缘或灌丛中。分布于湖南湘潭等。

|资源情况| 野生资源较丰富。栽培资源一般。药材来源于野生。

|采收加工| 秋、冬季采收，除去枝叶，切片或切段，晒干。

|功能主治| 苦、甘，温。补血，活血，通络。

| 用法用量 | 内服煎汤，15 ~ 30 g。

豆科 Leguminosae 崖豆藤属 *Millettia*

雪峰山崖豆藤 *Millettia dielsiana* Harms var. *solida* T. Chen ex Z.Wei

| 药 材 名 | 雪峰山鸡血藤（药用部位：藤茎）。

| 形态特征 | 本种与香花崖豆藤 *Milletia dielsiana* Harms 的区别在于本种小叶厚纸质，较大，小叶下面和叶轴、嫩枝均被灰黄色硬毛。

| 生境分布 | 分布于湖南常德、怀化等。

| 资源情况 | 野生资源较丰富。栽培资源一般。药材来源于野生。

| 采收加工 | 秋、冬季采收，除去枝叶，切片或切段，晒干。

| 功能主治 | 苦、甘，温。活血补血，调经止痛，舒筋活络。

| 用法用量 | 内服煎汤，9 ~ 15 g。

豆科 Leguminosae 崖豆藤属 *Millettia*

亮叶崖豆藤 *Millettia nitida* Benth.

| 药材名 | 亮叶崖豆藤（药用部位：藤茎。别名：血节藤、血藤、血筋藤）。

| 形态特征 | 木质藤本。茎皮锈褐色，粗糙。羽状复叶长 15 ~ 20 cm；小叶 2 对，硬纸质，卵状披针形或长圆形，先端钝尖，基部圆形或钝，上面光亮无毛，有时中脉有毛，下面无毛或被稀疏柔毛，侧脉 5 ~ 6 对，细脉网状，两面均隆起；小托叶锥刺状。圆锥花序顶生，粗壮，密被锈褐色绒毛，生花枝通直，粗壮，长 6 ~ 10 cm；花单生，长 1.6 ~ 2.4 cm；苞片卵状披针形，小苞片卵形，均早落；花萼钟状，密被绒毛，短于萼筒；花冠青紫色，旗瓣密被绢毛，长圆形；雄蕊二体，对着旗瓣的 1 雄蕊离生；子房线形，具柄，密被绒毛。荚果线状长圆形，密被黄褐色绒毛，先端具尖喙，基部具颈，瓣裂；种子 4 ~ 5，粟米形。花期 5 ~ 8 月，果期 10 ~ 11 月。

| 生境分布 | 生于海拔 2 000 m 的山坡杂木林、灌丛、谷地、溪沟和路旁。湖南各地均有分布。

| 资源情况 | 野生资源丰富。栽培资源一般。药材来源于野生和栽培。

| 采收加工 | 夏、秋季采收，切片，晒干。

| 药材性状 | 本品呈扁圆柱形，稍弯曲，直径 2~7cm。表面灰棕色，有时可见灰白色斑，栓皮脱落处显红棕色，有明显的纵沟及小型点状皮孔。质坚硬，难折断，折断面呈不整齐的裂片状。气微，味涩。

| 功能主治 | 苦，温。归脾、肝经。活血补血，舒筋活络。用于贫血，产后虚弱，头晕目眩，月经不调，风湿痹痛，四肢麻木。

| 用法用量 | 内服煎汤，15 ~ 30 g。外用适量，煎汤洗。

豆科 Leguminosae 崖豆藤属 *Millettia*

丰城崖豆藤 *Millettia nitida* Benth. var. *hirsutissima* Z. Wei

| 药 材 名 | 丰城鸡血藤（药用部位：根、藤茎）。

| 形态特征 | 落叶攀缘灌木。茎长达 5 m。根粗壮，皮层红色。枝被锈色绒毛。叶互生，奇数羽状复叶长 10 ~ 15 cm；小叶 5，具短柄；叶片卵形，较小，长 5 ~ 9 cm，宽 2.5 ~ 3 cm，先端小叶较大，先端长尖或钝，基部宽楔形，下面叶脉凸出，具短毛，全缘，上面色暗淡，下面密被红褐色硬毛；小托叶刺毛状，不脱落。总状花序顶生和腋生，并于枝端组成圆锥花序；总花梗长约 8 cm，花梗长约 1 cm；花萼钟形，先端 5 齿裂；花冠蝶形，紫红色，长约 2 cm，外面被丝状绒毛；雄蕊 10，二体；子房线形，外被丝状毛。荚果条状长圆形，扁平，长 5 ~ 8 cm，宽约 1.5 cm，密被淡绿色绒毛；种子 3 ~ 6，扁长圆形。花期 5 ~ 9 月，果期 7 ~ 11 月。

| 生境分布 | 生于丘陵、山地、林缘、灌丛中。分布于湖南郴州等。

| 资源情况 | 野生资源较丰富。栽培资源一般。药材来源于野生和栽培。

| 采收加工 | 夏、秋季采收，鲜用或晒干。

| 药材性状 | 本品根呈圆柱形，直径 0.8 ~ 3.5 cm，表面灰黄色，偶有须根；质坚实，难折断，皮部占横切面半径 1/4 ~ 1/3，外侧淡黄色，内侧分泌物黑褐色，木部黄色，导管放射状排列，无髓部；气微，味淡、微涩。茎呈圆柱形，直径约 1.5 cm，表面棕褐色至深褐色，光滑，皮孔直径约 1 mm；质坚，难折断，折断面呈不规则裂片状，横切面皮部内分泌物呈黑褐色，木部黄白色至淡黄色，导管孔洞状，呈放射状排列，髓小，居中。气微，味微涩。

| 功能主治 | 苦、微甘，温。归肝、肾经。补血活血，舒筋活络。用于血虚体弱，月经不调，风湿痹痛，脊髓灰质炎，跌打损伤。

| 用法用量 | 内服煎汤，9 ~ 30 g；或浸酒。外用适量，捣敷。

豆科 Leguminosae 崖豆藤属 *Millettia*

皱果崖豆藤 *Millettia oosperma* Dunn

|药材名|

山狗豆（药用部位：藤茎）。

|形态特征|

攀缘灌木或藤本。茎褐色，具棱；枝圆柱形，密被棕褐色绒毛。羽状复叶；叶轴上面有浅沟和棱，密被绒毛；小叶 2 对，硬纸质，披针状椭圆形或卵状长圆形，下方 1 对小叶通常较小，卵形或阔椭圆形，先端具短钝尖，下面密被棕褐色长柔毛，侧脉 7 ~ 12 对，在下面隆起；小叶柄密被毛；小托叶锥刺状，被毛。圆锥花序顶生，密被褐色绒毛；花单生；苞片和小苞片均为卵状披针形；花萼钟状，萼齿短，下方 1 萼齿三角形，其余萼齿钝圆；花冠红色微带紫色；雄蕊二体，对旗瓣的 1 雄蕊离生；子房线形，密被绢毛，花柱内侧有一列绢毛，胚珠 5 ~ 6。荚果密被褐色绒毛，先端具尖喙，迟裂；种子卵形。花期 5 ~ 7 月，果期 8 ~ 11 月。

|生境分布|

生于海拔 200 ~ 1 700 m 的山谷疏林中。湖南各地均有分布。

| 资源情况 | 野生资源丰富。药材主要来源于野生。

| 采收加工 | 夏、秋季采收，切片，晒干。

| 功能主治 | 补血。用于贫血。

| 用法用量 | 内服煎汤，9 ~ 15 g。

豆科 Leguminosae 崖豆藤属 *Millettia*

厚果崖豆藤 *Millettia pachycarpa* Benth.

|药材名| 苦檀子（药用部位：种子。别名：土大风子、冲天子）、苦檀叶（药用部位：小叶）。

|形态特征| 藤本。嫩枝褐色，密被黄色绒毛，老枝黑色，光滑，散布褐色皮孔；茎中空。羽状复叶；托叶阔卵形，黑褐色，贴生于鳞芽两侧；小叶 6 ~ 8 对，长圆状椭圆形至长圆状披针形，先端锐尖，基部楔形或圆钝，下面被平伏绢毛，中脉在下面隆起，密被褐色绒毛。总状圆锥花序密被褐色绒毛，2 ~ 5 花着生于节上；苞片小，阔卵形；花萼杯状，密被绒毛，萼齿甚短，几不明显；花冠淡紫色；雄蕊单体，对着旗瓣的 1 雄蕊基部分离，无花盘；子房线形，密被绒毛，花柱长于子房，向上弯，胚珠 5 ~ 7。荚果深褐黄色，肿胀，长圆形，仅具单粒种子时呈卵形，密布浅黄色疣状斑点，迟裂，有种

子 1 ～ 5；种子黑褐色，肾形。花期 4 ～ 6 月，果期 6 ～ 11 月。

| 生境分布 | 生于海拔 2 000 m 以下的山坡常绿阔叶林内。分布于湘东、湘南、湘西等。

| 资源情况 | 野生资源丰富。药材来源于野生。

| 采收加工 | **苦檀子：**10 月采收成熟果实，除去果皮，收集种子，晒干。

| 药材性状 | **苦檀子：**本品扁圆而略呈肾形，着生在荚果两端的种子一面圆形，另一面平截，居于荚果中间的种子两面均平截，长约 4 cm，厚约 3 cm。表面红棕色至黑褐色，有光泽，或带有灰白色的薄膜，脐点位于中腰凹陷处。子叶 2，肥厚，角质样，易纵裂，近脐点周围有不规则的突起，使子叶纵裂而不平。气微，味淡而带麻感。以皮红褐色、个大、无虫蛀者为佳。

苦檀叶：本品呈长圆状披针形，灰绿色，长 14 ～ 16 cm，宽 3 ～ 4 cm，先端钝，基部略呈圆形，上面无毛，有光泽，下面被锈黄色绢毛。

| 功能主治 | **苦檀子：**苦、辛，热。归脾、胃经。攻毒止痛，消积杀虫。用于疥癣疮癞，痧气腹痛，小儿疳积。

苦檀叶：苦、辛，温。归肺经。祛风杀虫，活血消肿。用于皮肤麻木，疥癣，脓肿。

| 用法用量 | **苦檀子：**内服研末或煅存性研末，0.9 ～ 1.5 g；或磨汁服。外用适量，研末调敷。

苦檀叶：外用适量，煎汤洗；或捣敷。

豆科 Leguminosae 崖豆藤属 *Millettia*

疏叶崖豆 *Millettia pulchra* Kurz var. *laxior* (Dunn) Z. Wei

| 药 材 名 | 小牛力（药用部位：根。别名：土甘草、单刀根）。

| 形态特征 | 攀缘灌木。茎深棕色，有多数点状黄色皮孔。叶互生，奇数羽状复叶，长 12 ~ 16 cm，被锈色短柔毛；小叶 9 ~ 15，叶片长圆形，长 3.5 ~ 8.5 cm，宽 1.5 ~ 3 cm，先端急尖，基部楔形或宽楔形，被锈色柔毛。总状花序腋生；花萼杯状，紫红色，先端 5 齿裂；花冠蝶形，粉红色；雄蕊 10；子房柱状，花柱内弯，柱头头状。荚果长圆形而扁平，一侧有狭翅，先端有喙。果实长 6 ~ 9.5 cm，宽约 1.3 cm；种子 5，肾形，褐黄色，光滑。

| 生境分布 | 生于丘陵岗地。分布于湖南郴州（桂阳、临武）、永州（江永）等。

| 资源情况 | 野生资源较少。药材来源于野生。

| 采收加工 | 9 ~ 11 月采挖，鲜用或切片晒干。

| 药材性状 | 本品呈圆柱形，略弯曲，长短不一，直径 2 ~ 4 cm。表面浅棕色或黄棕色，有不规则的纵皱纹及横向皮孔，偶有须根痕。体重，质坚实，不易折断。切片呈椭圆形或圆形，厚 4 ~ 8 mm，切面黄白色，粉性，有的可见灰黄色至棕黄色树脂状分泌物。气微，味淡。

| 功能主治 | 甘、苦、微辛，平；有小毒。归肝经。散瘀清肿，补虚宁神。用于跌打肿痛，风湿关节痛，痔血，疮疡肿毒，风疹发痒，病后虚弱，消化不良。

| 用法用量 | 内服煎汤，3 ~ 6 g；或磨汁服。外用适量，捣敷；或研末调敷；或煎汤洗。孕妇忌服。

| 附　　注 | 本品过量服可致呕吐。

豆科 Leguminosae 崖豆藤属 *Millettia*

网络崖豆藤 *Millettia reticulata* Benth.

| 药 材 名 | 网络崖豆藤（药用部位：藤茎。别名：青皮活血、血防藤、血灌皮）。

| 形态特征 | 常绿木质藤本。小枝圆形，具细棱，老枝褐色。羽状复叶；叶柄无毛，上面有狭沟；托叶锥刺状，基部向下凸起而成 1 对短而硬的距；叶腋有多数钻形芽苞叶，宿存；小叶 3 ~ 4 对，硬纸质，卵状长椭圆形或长圆形，先端钝，基部圆形，侧脉 6 ~ 7 对，2 次环结，细脉网状，在两面均隆起；小叶柄具毛；小托叶针刺状。圆锥花序顶生或生于枝梢叶腋，花序轴被黄褐色柔毛；花密集，单生于分枝上；小苞片卵形，贴萼生；花梗长 3 ~ 5 mm，被毛；花萼阔钟状至杯状，萼齿短而钝圆，边缘有黄色绢毛；花冠红紫色；雄蕊二体，对着旗瓣的 1 雄蕊离生；子房线形，花柱短，上弯，胚珠多数。荚果线形，狭长而扁平，瓣裂，果瓣薄而硬，近木质，有种子 3 ~ 6；种子长

圆形。花期 5 ～ 11 月。

| 生境分布 | 生于海拔 1 000 m 以下的山地灌丛及沟谷。除湘北外，湖南各地均有分布。

| 资源情况 | 野生资源丰富。药材来源于野生。

| 采收加工 | 8 ～ 9 月采收，去净枝叶，切成长 30 ～ 60 cm 的小段，晒干。

| 药材性状 | 本品茎呈圆柱形，直径约 3 cm。表面灰黄色，粗糙，具横向环纹，皮孔椭圆形至长椭圆形，长 1.5 mm，横向开裂。质坚，难折断，折断面呈不规则裂片状，皮部约占横切面半径的 1/7，分泌物深褐色，导管不明显，髓小，居中。气微，味微涩。

| 功能主治 | 苦，温。养血祛风，通经活络。用于腰膝酸痛麻木，遗精，盗汗，月经不调，跌打损伤。

| 用法用量 | 内服煎汤，9 ～ 15 g。

豆科 Leguminosae 崖豆藤属 *Millettia*

美丽崖豆藤 *Millettia speciosa* Champ.

| 药 材 名 | 牛大力（药用部位：块根。别名：金钟根、倒吊金钟、大力薯）。

| 形态特征 | 藤本。羽状复叶；叶轴被毛，上面有沟；托叶披针形，宿存；小叶通常 6 对，硬纸质，长圆状披针形或椭圆状披针形，先端钝圆，短尖，基部钝圆，上面无毛，下面被锈色柔毛或无毛，细脉网状，在下面略隆起；小叶柄密被绒毛；小托叶针刺状，宿存。圆锥花序腋生，常聚集于枝梢成带叶的大型花序，密被黄褐色绒毛，花 1 ~ 2 并生或单生于花序轴上部，呈长尾状，花大，有香气；花梗与花萼、花序轴同被黄褐色绒毛；花萼钟状，萼齿钝圆，短于萼筒；花冠白色、米黄色至淡红色；花瓣近等长；雄蕊二体，对着旗瓣的 1 雄蕊离生；子房线形，密被绒毛，具柄，花柱上旋，柱头下指。荚果线状，扁平，具喙，密被褐色绒毛；种子 4 ~ 6，卵形。花期 7 ~ 10 月，果期翌

年 2 月。

| 生境分布 | 生于海拔 1 500 m 以下的灌丛、疏林和旷野。分布于湖南郴州、永州等。

| 资源情况 | 野生资源较少。药材来源于野生。

| 采收加工 | 全年均可采挖，以秋季采挖为佳，除去芦头及细根，洗净，大者趁鲜纵向切厚片或斩为短段，晒干。

| 药材性状 | 本品纺锤形或圆柱形，有的 2 ~ 3 呈串珠状连在一起。表皮土黄色，稍粗糙，有环状横纹。质坚实，不易折断。切成短段或片块者横切面皮部类白色，向内有 1 圈不甚明显的环纹，嫩根中间白色至黄白色，具粉性，老根及直根多呈圆柱形，近木质化，质坚硬。气微，味微甜。

| 功能主治 | 甘，平。归肺、脾、肾经。补脾润肺，舒筋活络。用于病后体弱，阴虚咳嗽，腰肌劳损，风湿痹痛，肺结核咳嗽。

| 用法用量 | 内服煎汤，15 ~ 30 g；或浸酒。

豆科 Leguminosae 崖豆藤属 *Millettia*

喙果崖豆藤 *Millettia tsui* Metc.

| 药 材 名 | 连珠豆（药用部位：根。别名：虎崖豆藤、老虎豆、三叶鸡血藤）、三叶鸡血藤（药用部位：藤）。

| 形态特征 | 藤本。树皮黑褐色。小枝具细棱，无皮孔。羽状复叶；叶柄与叶轴均被细绒毛或秃净；托叶阔三角形，宿存；小叶 1 对，近革质，阔椭圆形或椭圆形，先端钝圆骤尖，基部钝圆至阔楔形，两面均无毛，光亮，中脉在下面隆起，细脉网状环结，在两面均隆起；小托叶无。圆锥花序顶生；花密集，单生；苞片小，卵形，小苞片离萼生；花萼杯状，萼齿短于萼筒，阔三角形；花冠淡黄色带微红色或微紫色；雄蕊二体，对旗瓣的 1 雄蕊离生；子房线形，密被绢毛，基部狭窄具柄，花柱斜伸，微被毛，胚珠 4 ~ 7。荚果肿胀，单粒种子时为

椭圆形，具多粒种子时为线状长圆形，密被褐色细绒毛，毛渐脱落，种子先端有坚硬的钩状喙，基部渐狭，种子间缢缩；种子近球形或稍扁。花期 7 ~ 9 月，果期 10 ~ 12 月。

| 生境分布 | 生于海拔 200 ~ 1 600 m 的山地杂木林中。分布于湖南永州（江永、江华、东安）等。

| 资源情况 | 野生资源较少。药材来源于野生。

| 采收加工 | **连珠豆：**秋、冬季采挖，洗净，鲜用或切片晒干。
三叶鸡血藤：夏、秋季采收，切段，晒干。

| 功能主治 | **连珠豆：**苦，凉。祛风除湿，散瘀消肿。用于风湿骨痛，疮疖肿毒。
三叶鸡血藤：苦、涩，平。补血活血，舒筋活络。用于血虚头晕，贫血，月经不调，风湿骨痛，瘫痪，腰腿痛，跌打骨折。

| 用法用量 | **连珠豆：**内服煎汤，9 ~ 30 g。外用适量，捣敷。
三叶鸡血藤：内服煎汤，9 ~ 30 g；或浸酒。

豆科 Leguminosae 含羞草属 *Mimosa*

含羞草 *Mimosa pudica* L.

| 药材名 | 含羞草（药用部位：全草。别名：知羞草、感应草、呼喝草）。

| 形态特征 | 披散亚灌木状草本。茎圆柱状，具分枝，有散生、下弯的钩刺及倒生刺毛。叶对生；羽片通常 2 对，指状排列于总叶柄先端；托叶披针形，长 5 ~ 10 mm，有刚毛；小叶 10 ~ 20 对，触之即闭合而下垂，小叶片线状长圆形，长 8 ~ 13 mm，先端急尖，基部近圆形，略偏斜，边缘疏生刚毛。头状花序具长梗，单生或 2 ~ 3 生于叶腋，直径约 1 cm；花小，淡红色；苞片线形，边缘有刚毛；花萼漏斗状，极小，短齿裂；花冠钟形，上部 4 裂，裂片三角形，外面有短柔毛；雄蕊 4，基部合生，伸出花瓣外；子房有短柄，无毛，花柱丝状，柱头小。荚果长圆形，扁平弯曲，长 1 ~ 2 cm，先端有喙，有 3 ~ 4 节，每节有 1 种子；荚缘波状，具刺毛；种子卵形，长 3.5 mm。花期 3 ~ 10

月，果期 5 ～ 11 月。

｜生境分布｜ 生于旷野荒地、灌丛中。分布于湖南长沙、湘潭、株洲、怀化等。

｜资源情况｜ 野生资源较少。药材来源于野生。

｜采收加工｜ 夏、秋季采收，去净杂草，洗净，切段，晒干或鲜用。

｜药材性状｜ 本品茎圆柱状，有散生、下弯的钩刺及倒生刺毛。羽状复叶对生；小叶片线状长圆形，先端急尖，基部近圆形，略偏斜，边缘疏生刚毛。荚果扁平弯曲，有 3 ～ 4 节；荚缘波状，具刺毛；种子卵形。

｜功能主治｜ 甘，寒；有小毒。归心、肝、胃、大肠经。清热利尿，化痰止咳，安神止痛，解毒，散瘀，止血，收敛。用于感冒，小儿高热，急性结膜炎，支气管炎，胃炎，肠炎，尿路结石，疟疾，咯血，神经衰弱；外用于跌打肿痛，疮疡肿毒，带状疱疹。

｜用法用量｜ 内服煎汤，15 ～ 30 g，鲜品 30 ～ 60 g；或炖肉。外用适量，捣敷。

豆科 Leguminosae 黧豆属 *Mucuna*

白花油麻藤 *Mucuna birdwoodiana* Tutch.

|药材名|

白花油麻藤（药用部位：藤茎）。

|形态特征|

常绿、大型木质藤本。老茎外皮灰褐色，断面淡红褐色，有3～4偏心的同心圆圈，断面先流白色汁，2～3分钟后有血红色汁液形成；幼茎具纵沟槽，皮孔褐色，凸起，无毛或节间被伏贴毛。羽状复叶具3小叶，叶长17～30 cm；托叶早落；叶柄长8～20 cm；叶轴长2～4 cm；小叶近革质，顶生小叶椭圆形、卵形或略呈倒卵形，通常较长而狭，长9～16 cm，宽2～6 cm，先端具长1.3～2 cm的渐尖头，基部圆形或稍楔形，侧生小叶偏斜，长9～16 cm，两面无毛或散生短毛，侧脉3～5，中脉、侧脉、网脉在两面凸起；无小托叶；小叶柄长4～8 mm，具稀疏短毛。总状花序生于老枝上或生于叶腋，长20～38 cm，有花20～30，常呈束状；苞片卵形，长约2 mm，早落；花梗长1～1.5 cm，具稀疏或密生的暗褐色贴伏毛；小苞片早落；花萼内面与外面密被浅褐色贴伏毛，外面被红褐色脱落的粗刺毛，萼筒宽杯形，长1～1.5 cm，宽1.5～2.5 cm，两侧齿三角形，长5～8 mm，最下齿狭三角形，长 5 ～ 15 mm，上唇宽三角形，常与侧齿等长；花冠白色或带绿白色，旗瓣长 3.5 ～ 4.5 cm，先端圆，基部耳长 4 mm，翼瓣长 6.2 ～ 7.1 cm，先端圆，瓣柄长约 8 mm，密被浅褐色短毛，耳长约 5 mm，龙骨瓣长 7.5 ～ 8.7 cm，基部瓣柄长 7 ～ 8 mm，耳长不过 1 mm，密被褐色短毛；雄蕊管长 5.5 ～ 6.5 cm；子房密被直立暗褐色短毛。果木质，带形，长 30 ～ 45 cm，宽 3.5 ～ 4.5 cm，厚 1 ～ 1.5 cm，近念珠状，密被红褐色短绒毛，幼果常被红褐色脱落的刚毛，沿背、腹缝线各具宽 3 ～ 5 mm 的木质狭翅，有纵沟，内部在种子之间有木质隔膜，厚达 4 mm；种子 5 ～ 13，深紫黑色，近肾形，长约 2.8 cm，宽约 2 cm，厚 8 ～ 10 mm，常有光泽，种脐为种子周长的 1/2 ～ 3/4。花期 4 ～ 6 月，果期 6 ～ 11 月。

| 生境分布 | 生于海拔 800 ～ 2 000 m 的山地阳处，路旁，溪边，常攀缘在乔、灌木上。分布于湖南怀化（通道）等。

| 资源情况 | 野生资源稀少。药材来源于野生。

| 功能主治 | 补血，通经络，强筋骨。用于补血，白细胞减少症，月经不调，腰腿痛。

豆科 Leguminosae 黧豆属 *Mucuna*

褶皮黧豆 *Mucuna lamellata* Wilmot-Dear

|药材名|

宁油麻藤（药用部位：根。别名：褶皮油麻藤、皱皮黎豆）。

|形态特征|

攀缘木质藤本。茎无毛或疏被毛。羽状复叶具 3 小叶，长 17 ~ 27 cm；叶柄长 7 ~ 11 cm；顶生小叶菱状卵形，长 6 ~ 13 cm，宽 4 ~ 9.5 cm，先端渐尖，基部圆形或略楔形，两面无毛，侧生小叶明显偏斜。总状花序腋生，长 7 ~ 27 cm，通常每节有 3 花；花梗长 7 ~ 8 mm，密被锈色柔毛和淡黄色短伏毛；花萼杯状，萼筒长 5 ~ 6 mm，密被绢质柔毛；花冠深紫色或红色，旗瓣宽椭圆形，长 2 ~ 2.5 cm，翼瓣长圆形，长 3.2 ~ 4 mm，宽 0.9 ~ 1.2 cm，瓣柄长约 6 mm，龙骨瓣较纤细，与翼瓣近等长，先端弯曲；子房被毛，具 5 胚珠。荚果为不对称长圆形，长 6.5 ~ 10 cm，宽 2 ~ 2.3 cm，革质，幼时密被锈色刺毛，后被柔毛和锈色螯毛，具 12 ~ 16 薄的斜向褶襞，背腹两侧缝具等宽的翅，翅宽 2 ~ 4 mm；种子 3 ~ 5，种脐长为种子周长的 1/2，无假种皮。

| 生境分布 | 生于海拔 400 ～ 1 500 m 的灌丛、溪边、路旁或山谷，缠绕在灌木上。分布于湖南岳阳（临湘）、郴州（临武）等。

| 资源情况 | 野生资源较少。药材来源于野生。

| 功能主治 | 甘、微苦，涩。活血散瘀，消肿止痛。用于跌打肿痛，骨折，痈肿疮疖。

| 用法用量 | 内服煎汤，鲜品 30 ～ 60 g。外用适量，鲜品加盐捣敷。

豆科 Leguminosae 黎豆属 *Mucuna*

黧豆 *Mucuna pruriens* (L.) Candolle var. *utilis* (Wall. ex Wight) Baker ex Burck

| 药 材 名 | 黧豆（药用部位：种子。别名：龙爪豆、猫豆、狗爪豆）。

| 形态特征 | 一年生缠绕藤本。枝略被开展的疏柔毛。羽状复叶具 3 小叶；小叶长度很少超过宽度的一半，顶生小叶较小，卵圆形或长椭圆状卵形，基部菱形，先端具细尖头，侧生小叶极偏斜，斜卵形至卵状披针形，先端具细尖头，基部浅心形或近截形，两面均薄被白色疏毛，侧脉通常每边 5，凸起；小托叶线状；小叶柄密被长硬毛。总状花序下垂，有 10 ~ 20 花；苞片小，线状披针形；花萼阔钟状，密被灰白色小柔毛和稀疏刺毛；花冠深紫色或带白色。荚果嫩时膨胀，绿色，密被灰色或浅褐色短毛，成熟时稍扁，黑色，有隆起纵棱 1 ~ 2；种子 6 ~ 8，长圆状，有时具条纹或斑点。花期 10 月，果期 11 月。

| 生境分布 | 生于低山、丘陵岗地。分布于湖南郴州、永州、怀化等。

| 资源情况 | 野生资源较少。药材来源于野生。

| 采收加工 | 秋季采收，打下种子，晒干。

| 药材性状 | 本品长圆状，长约 1.5 cm，宽约 1 cm，厚 5 ~ 6 mm，灰白色、淡黄褐色、浅橙色或黑色，有时具条纹或斑点，种脐长约 7 mm，浅黄白色。味甘、微苦。

| 功能主治 | 甘、微苦，温。温中益气。用于腰脊酸痛。

| 用法用量 | 内服煎汤，60 ~ 90 g。

豆科 Leguminosae 黎豆属 *Mucuna*

常春油麻藤 *Mucuna sempervirens* Hemsl.

|药材名|

牛马藤（药用部位：藤茎。别名：油麻藤、牛麻藤、常绿油麻藤）。

|形态特征|

常绿木质藤本。幼茎有纵棱和皮孔。羽状复叶具 3 小叶；托叶脱落；小叶纸质或革质，顶生小叶椭圆形、长圆形或卵状椭圆形，先端渐尖，基部楔形，侧生小叶极偏斜，无毛，侧脉 4 ~ 5 对，在两面均明显，在下面凸起；小叶柄膨大。总状花序生于老茎上，每节有 3 花；苞片狭倒卵形，小苞片卵形或倒卵形；花梗具短硬毛；花萼密被暗褐色伏贴短毛，萼筒宽杯形；花冠深紫色；雄蕊管长约 4 cm；花柱下部和子房被毛。果实木质，种子间缢缩，近念珠状，边缘多数增厚，凸起为 1 圆形脊，中央无沟槽，无翅，具伏贴红褐色短毛和红褐色长刚毛；种子 4 ~ 12，内部隔膜木质，红色、褐色或黑色，扁长圆形，种脐黑色，包围着种子的 3/4。花期 4 ~ 5 月，果期 8 ~ 10 月。

|生境分布|

生于海拔 300 ~ 2 000 m 的灌丛、溪谷、河边。分布于湖南怀化、邵阳、张家界、常德等。

| 资源情况 | 野生资源较少。药材来源于野生。

| 采收加工 | 全年均可采收，切片，晒干。

| 药材性状 | 本品呈圆柱形，直径 2.5 ~ 4.7 cm。表面黄褐色，粗糙，具纵沟和细密的横向环纹，皮孔呈疣状凸起。质坚韧，难折断。商品为椭圆形斜切片，韧皮部具树脂状分泌物，棕褐色，木质部灰黄色，导管孔洞状，放射状整齐排列，韧皮部与木质部相间排列，呈数层同心性环，髓部细小。气微，味微涩而甜。

| 功能主治 | 甘，温。归肝、胃经。活血化瘀，祛风除湿，通经活络。用于跌打损伤，风湿疼痛、麻木，痛经，经闭。

| 用法用量 | 内服煎汤，15 ~ 30 g；或浸酒。外用适量，捣敷。

豆科 Leguminosae 红豆属 *Ormosia*

花榈木 *Ormosia henryi* Prain

| 药 材 名 | 花榈木（药用部位：根或根皮、茎、叶。别名：红豆树、三钱三、相思树）。

| 形态特征 | 常绿乔木。树皮灰绿色，平滑，有浅裂纹。复叶具（3 ~ ）5 ~ 7 小叶；小叶革质，椭圆形或长圆状椭圆形，先端钝或短尖，基部圆或宽楔形，边缘微反卷，下面及叶柄均密生黄褐色茸毛，侧脉 6 ~ 11 对。小枝、花序、叶柄和叶轴均密被锈褐色茸毛。圆锥花序顶生或总状花序腋生；花萼钟形，5 齿裂，内、外均密被褐色绒毛；花冠中央淡绿色，边缘绿色，微带淡紫色；雄蕊 10，分离，不等长，花丝淡绿色，花药淡灰紫色；子房扁，沿缝线密被淡褐色长毛，其余部位无毛，胚珠 9 ~ 10，花柱线形，柱头偏斜。荚果扁平，长椭圆形，先端有喙，果瓣革质，紫褐色，无毛，有横隔膜，具 4 ~ 8（稀

1 ~ 2）种子；种子椭圆形或卵圆形，鲜红色，有光泽，种脐长约 3 mm。花期 7 ~ 8 月，果期 10 ~ 11 月。

| 生境分布 | 生于海拔 100 ~ 1 300 m 的山坡、溪谷两旁杂木林内。分布于湖南株洲、衡阳、郴州、益阳、永州、湘西州等。

| 资源情况 | 野生资源较少。药材来源于野生。

| 采收加工 | 全年均可采收，鲜用或晒干。

| 功能主治 | 辛，温。归肝、肾经。祛风除湿，活血破瘀，解毒消肿。用于风湿性关节炎，腰肌劳损，产后瘀血腹痛，赤白漏下，跌打损伤，骨折，感冒，毒蛇咬伤，无名肿毒。

| 用法用量 | 内服煎汤，6 ~ 15 g。外用适量，捣敷；或研末调敷。

| 附　　注 | 本种为国家二级保护植物。

豆科 Leguminosae 红豆属 *Ormosia*

红豆树 *Ormosia hosiei* Hemsl. et E. H. Wilson

| 药材名 |

红豆树（药用部位：种子。别名：江阴红豆、鄂西红豆）。

| 形态特征 |

常绿或落叶乔木。树皮灰绿色，平滑。奇数羽状复叶；小叶（1 ~ ）2（ ~ 4）对，薄革质，卵形或卵状椭圆形，先端急尖或渐尖，基部圆形或阔楔形，上面深绿色，下面淡绿色，幼叶疏被细毛，侧脉 8 ~ 10 对，与中脉成 60° 角，干后侧脉和细脉均明显凸起，呈网格状；小叶柄及叶轴疏被毛或无毛。圆锥花序顶生或腋生，下垂；花疏，有香气；花萼钟形，浅裂，萼齿三角形，紫绿色，密被褐色短柔毛；花冠白色或淡紫色；雄蕊 10，花药黄色；子房光滑无毛，内有胚珠 5 ~ 6，花柱紫色，线状，弯曲，柱头斜生。荚果近圆形，扁平，先端有短喙，果瓣近革质，干后褐色，有种子 1 ~ 2；种子近圆形或椭圆形，种皮红色，种脐位于长轴一侧。花期 4 ~ 5 月，果期 10 ~ 11 月。

| 生境分布 |

生于海拔 100 ~ 1 300 m 的山坡、溪谷两旁杂木林内。分布于湖南衡阳、永州等。

| 资源情况 | 野生资源较少。药材来源于野生。

| 采收加工 | 10 ~ 11 月种子成熟时打下果实，晒至果荚开裂，筛出种子，再晒至全干。

| 药材性状 | 本品椭圆形或近圆形，长 1.3 ~ 1.8 cm，表面鲜红色或暗红色，有光泽，侧面有条状种脐，长约 8 mm。种皮坚脆。子叶 2，发达，富油性。气微。

| 功能主治 | 苦，平。归肝、脾经。理气活血，清热解毒。用于心胃气痛，疝气疼痛，血滞经闭，无名肿毒，疔疮。

| 用法用量 | 内服煎汤，6 ~ 15 g。

| 附　　注 | 本种为国家二级保护植物。

豆科 Leguminosae 豆薯属 *Pachyrhizus*

豆薯 *Pachyrhizus erosus* (L.) Urban

| 药 材 名 | 凉薯（药用部位：根、种子。别名：沙葛、地瓜）。

| 形态特征 | 粗壮缠绕草质藤本，稍被毛，有时基部稍木质。根块状，纺锤形或扁球形，肉质。羽状复叶具 3 小叶；托叶线状披针形，小托叶锥状；小叶菱形或卵形，中部以上不规则浅裂，裂片小，急尖，侧生小叶的两侧极不等，仅下面微被毛。总状花序，每节有花 3 ～ 5；小苞片刚毛状，早落；花萼被紧贴的长硬毛；花冠浅紫色或淡红色；雄蕊二体，对着旗瓣的 1 雄蕊离生；子房被浅黄色长硬毛，花柱弯曲，柱头位于先端以下的腹面。荚果带形，扁平，被细长糙伏毛；种子每荚 8 ～ 10，近方形，扁平。花期 8 月，果期 11 月。

| 生境分布 | 生于丘陵岗地、低山。湖南各地均有分布。

| 资源情况 | 栽培资源丰富。药材来源于栽培。

| 采收加工 | 秋季采挖根，种子成熟后摘取种子，晒干。

| 药材性状 | 本品根呈块状，纺锤形或扁球形，黄白色，肉质，味甘。种子近方形，长和宽均为 5 ～ 10 mm，扁平。

| 功能主治 | 根，甘，微凉，止渴，解酒毒。种子，有毒。外用于疥疮。

| 用法用量 | 根，生食或熟食。种子，外用适量，用醋煮，取汁外搽。

豆科 Leguminosae 菜豆属 *Phaseolus*

棉豆 *Phaseolus lunatus* L.

| 药 材 名 | 金甲豆（药用部位：种子。别名：雪豆、大白芸豆、香豆）。

| 形态特征 | 缠绕草本。茎无毛或被微柔毛。羽状复叶具 3 小叶；托叶三角形，基着；小叶卵形，先端渐尖或急尖，基部圆形或阔楔形，沿脉被疏柔毛或无毛，侧生小叶常偏斜。总状花序腋生；小苞片较花萼短，椭圆形，有 3 粗脉，脉干时隆起；花萼钟状；子房被短柔毛，柱头偏斜。荚果镰状长圆形，扁平，先端有喙，内有种子 2 ~ 4；种子近菱形或肾形，白色、紫色或其他颜色，种脐白色，凸起。花期 6 ~ 7 月，果期 7 ~ 8 月。

| 生境分布 | 生于丘陵岗地。分布于湖南长沙、衡阳等。

| 资源情况 | 野生资源较少。药材来源于野生。

| 采收加工 | 秋季果实成熟时摘取荚果，剥出种子，除去杂质，晒干。

| 药材性状 | 本品或椭圆形而扁，或近菱形、肾形，长约 12 mm，宽约 8.5 mm。表面有辐射状条纹，侧面可见凸出的短线形种脐。质硬，破碎后子叶发达。气微香。

| 功能主治 | 甘、苦，平。归肝经。补血，活血，消肿。用于血虚，胸腹疼痛，跌打肿痛，水肿。

| 用法用量 | 内服煮食或炖肉，6 ~ 15 g。

豆科 Leguminosae 菜豆属 *Phaseolus*

菜豆 *Phaseolus vulgaris* L.

| 药材名 | 菜豆（药用部位：荚果。别名：芸豆、白肾豆、四季豆）。

| 形态特征 | 一年生缠绕或近直立草本。茎被短柔毛或老时无毛。羽状复叶具3小叶；托叶披针形，基着；小叶宽卵形或卵状菱形，侧生者偏斜，先端长渐尖，有细尖，基部圆形或宽楔形，全缘，被短柔毛。总状花序比叶短，有数朵生于花序顶部的花；小苞片卵形，有数条隆起的脉，宿存；花萼杯状，上方的2裂片连合成一微凹的裂片；花冠白色、黄色、紫堇色或红色；子房被短柔毛，花柱压扁。荚果带形，稍弯曲，略肿胀，通常无毛，顶有喙；种子4～6，长椭圆形或肾形，白色、褐色、紫色或有花斑，种脐通常呈白色。花期6～7月，果期7～8月。

| 生境分布 | 生于丘陵岗地。湖南各地均有分布。

| 资源情况 | 栽培资源较丰富。药材来源于栽培。

| 采收加工 | 秋季果实成熟时采摘，除去杂质，晒干。

| 药材性状 | 本品长 10 ~ 20 cm，直或稍弯曲，横断面圆形或扁圆形，表皮密被绒毛；嫩荚呈深浅不一的绿色、黄色、紫红色等，成熟时呈黄白色或黄褐色。每荚含种子 4 ~ 8，种子肾形，呈红色、白色、黄色、黑色等。

| 功能主治 | 甘、淡，平。滋养解热，利尿消肿。用于暑热烦渴，水肿，脚气。

| 用法用量 | 内服煎汤，60 ~ 120 g。

豆科 Leguminosae 排钱树属 *Phyllodium*

排钱树 *Phyllodium pulchellum* (L.) Desv.

| 药材名 | 排钱树（药用部位：根、叶。别名：虎尾金钱、钱串草、排钱草）。

| 形态特征 | 灌木。小枝被白色或灰色短柔毛。托叶三角形，叶柄密被灰黄色柔毛；小叶革质，顶生小叶卵形、椭圆形或倒卵形，侧生小叶比顶生小叶约小 1 倍，先端钝或急尖，基部圆或钝，侧生小叶基部偏斜，边缘稍呈浅波状，上面近无毛，下面疏被短柔毛，侧脉每边 6 ~ 10，在叶缘处相连接，下面网脉明显；小托叶钻形，小叶柄密被黄色柔毛。花 5 ~ 6，藏于叶状苞片内；叶状苞片排列成总状圆锥花序状，圆形，两面略被短柔毛及缘毛，具羽状脉；花梗、花萼均被短柔毛；花冠白色或淡黄色；花柱近基部有柔毛。荚果腹、背两缝线均稍缢缩，荚果通常有荚节 2，成熟时无毛或有疏短柔毛及缘毛；种子宽椭圆形或近圆形。花期 7 ~ 9 月，果期 10 ~ 11 月。

| 生境分布 | 生于海拔 160 ~ 2 000 m 的丘陵荒地、路旁或山坡疏林中。分布于湖南永州等。

| 资源情况 | 野生资源较少。药材来源于野生。

| 采收加工 | 夏、秋季采收，切碎，晒干或鲜用。

| 功能主治 | 淡、苦，平；有小毒。归肺、脾、肝经。清热解毒，祛风行水，活血消肿。用于感冒发热，咽喉肿痛，牙疳，风湿痹痛，水肿，臌胀，肝脾肿大，跌打肿痛，毒虫咬伤。

| 用法用量 | 内服煎汤，根 15 ~ 30 g，叶 6 ~ 15 g。外用适量，捣敷。

豆科 Leguminosae 豌豆属 *Pisum*

豌豆 *Pisum sativum* L.

| 药材名 | 豌豆（药用部位：种子。别名：麦豆、雪豆、荷兰豆）。

| 形态特征 | 一年生攀缘草本，全株绿色，光滑无毛，被粉霜。复叶具小叶 4 ~ 6；托叶比小叶大，叶状，心形，下缘具细牙齿；小叶卵圆形。花于叶腋单生或数朵排列为总状花序；花萼钟状，5 深裂，裂片披针形；花冠多呈白色或紫色，雄蕊二体；子房无毛，花柱扁，内面有髯毛。荚果肿胀，长椭圆形，先端斜急尖，背部近伸直，内侧有坚硬的纸质内皮；种子 2 ~ 10，圆形，青绿色，有皱纹或无，干后变为黄色。花期 6 ~ 7 月，果期 7 ~ 9 月。

| 生境分布 | 生于丘陵岗地。分布于湘中、湘东、湘西南、湘北等。

| 资源情况 | 栽培资源较丰富。药材来源于栽培。

| **采收加工** | 秋季果实成熟时采摘荚果，剥出种子，除去杂质，晒干。

| **功能主治** | 甘，平。归脾、胃经。和中下气，利小便，解疮毒。用于霍乱转筋，脚气，痈肿。

| **用法用量** | 内服煎汤。

豆科 Leguminosae 猴耳环属 *Pithecellobium*

亮叶猴耳环 *Pithecellobium lucidum* Benth.

|药材名|

尿桶弓（药用部位：枝、叶。别名：亮叶围涎树、山木香、三角果）。

|形态特征|

乔木。小枝无刺，嫩枝、叶柄和花序均被褐色短茸毛。羽片 1 ~ 2 对；总叶柄近基部、每对羽片下面和小叶片下面的叶轴上均有凹陷的圆形腺体，下部羽片通常具 2 ~ 3 对小叶，上部羽片具 4 ~ 5 对小叶；小叶斜卵形或长圆形，顶生的 1 对小叶最大，对生，其余互生且较小，先端渐尖而具钝小尖头，基部略偏斜，两面无毛或仅在叶脉上有微毛，上面光亮，深绿色。头状花序球形，有花 10 ~ 20，排成腋生或顶生的圆锥花序；花萼与花冠同被褐色短茸毛；花瓣白色，中部以下合生；子房具短柄，无毛。荚果旋卷成环状，边缘在种子间缢缩；种子黑色。花期 4 ~ 6 月，果期 7 ~ 12 月。

|生境分布|

生于疏林、密林或林缘灌丛中。分布于湖南永州、郴州等。

| 资源情况 | 野生资源较少。药材来源于野生。

| 采收加工 | 全年均可采收，洗净，鲜用或晒干。

| 药材性状 | 本品小枝近圆柱形，具不甚明显的纵棱，表面密被锈色柔毛，折断面木部占大部分。二回羽状复叶，羽片 2 ~ 4；叶柄下部和轴上的每对羽片间有凸起的腺点；小叶 6 ~ 10，皱缩，展平后呈不等四边形或斜卵形，长 1.7 ~ 10.5 cm，宽 1.4 ~ 4 cm，先端急尖，基部楔形，全缘。质脆，易碎。气微，味微苦。

| 功能主治 | 微苦、辛，凉。归心、肝、脾、胃经。祛风消肿，凉血解毒，收敛生肌。用于风湿痹痛，跌打损伤，烫火伤。

| 用法用量 | 外用适量，研末油调敷；或鲜品捣敷；或煎汤洗。

| 附　　注 | 本种为湖南省重点保护植物。本种的拉丁学名在 FOC 中被修订为 *Archidendron lucidum* (Benth.) I. C. Nielsen。

豆科 Leguminosae 长柄山蚂蟥属 *Podocarpium*

细长柄山蚂蟥 *Podocarpium leptopus* (Benth.) Y. C. Yang et P. H. Huang

| 药 材 名 | 长果柄山蚂蟥（药用部位：全草。别名：细柄山绿豆、细柄山蚂蟥、山黄豆）。

| 形态特征 | 亚灌木，高 30 ~ 70 cm。茎直立，幼时被柔毛。羽状三出复叶，簇生或散生；托叶披针形；叶柄具沟槽，无毛或被疏柔毛；小叶 3，纸质，卵形至卵状披针形，先端长渐尖，基部楔形或圆形，侧生小叶基部极偏斜，中脉被小钩状毛，干时下面有苍白色的小块状斑痕，有极疏的短柔毛，基出脉 3；小托叶针状；小叶柄被糙伏毛。总状花序或具少数分枝的圆锥花序顶生，花序轴略被钩状毛和疏长柔毛；花极稀疏；苞片椭圆形；花梗密被钩状毛；花萼裂片较萼筒短；花冠粉红色；雄蕊单体；子房具长柄。荚果扁平，稍弯曲，腹缝线直，背缝线于荚节间凹入而接近腹缝线，有荚节 2 ~ 3，荚节斜三角形，

被小钩状毛；果柄长 11 ~ 13 mm；果颈长 10 ~ 12 mm。花果期 8 ~ 9 月。

| 生境分布 | 生于海拔 700 ~ 1 000 m 的山谷密林下或溪边阴处。分布于湖南邵阳、怀化、湘西州等。

| 资源情况 | 野生资源较少。药材来源于野生。

| 采收加工 | 夏、秋季采收，鲜用，或切段，晒干。

| 药材性状 | 本品小叶多脱落，皱缩，完整叶为三出复叶，叶柄具沟槽，先端小叶卵形至卵状披针形，侧生小叶基部极偏斜，中脉被小钩状毛，干时下面有苍白色的小块状斑痕。质脆，易碎。气微。

| 功能主治 | 健脾开胃，消肿利水。用于食积停滞，脾虚，疳积，水肿，小便不利。

| 用法用量 | 内服煎汤，3 ~ 10 g；或研末。

| 附　　注 | 本种的拉丁学名在 FOC 中被修订为 *Hylodesmum leptopus* (A. Gray ex Benth.) H. Ohashi et R. R. Mill。

豆科 Leguminosae 长柄山蚂蟥属 *Podocarpium*

羽叶长柄山蚂蟥 *Podocarpium oldhamii* (Oliv.) Yang et Huang

| 药 材 名 | 羽叶山蚂蟥（药用部位：全草。别名：山芽豆、羽叶山绿豆）。

| 形态特征 | 多年生草本。根茎木质，较粗壮。茎直立，高 50 ~ 150 cm，微有棱，几无毛。羽状复叶；小叶 7，纸质，披针形、长圆形或卵状椭圆形，顶生小叶较大，先端渐尖，基部楔形或钝，两面疏被短柔毛，全缘，侧脉每边约 6；托叶钻形，被短柔毛；小托叶丝状。总状花序顶生或顶生和腋生，花序轴被黄色短柔毛；花疏散；苞片狭三角形；花梗密被开展钩状毛；萼筒裂片先端明显 2 裂；花冠紫红色；雄蕊单体；子房线形，被毛，具子房柄，花柱弯曲。荚果扁平，自背缝线深凹至腹缝线，通常有荚节 2，有钩状毛。花期 8 ~ 9 月，果期 9 ~ 10 月。

| 生境分布 | 生于海拔 100 ～ 2 100 m 的山坡杂木林下、山沟溪旁林下、灌丛及多石砾地。分布于湖南邵阳、湘西州、岳阳等。

| 资源情况 | 野生资源较少。药材来源于野生。

| 采收加工 | 春季采收，切段，晒干。

| 药材性状 | 本品小枝圆柱形，直径约 3 mm，微具棱角，光滑。羽状复叶，小叶 7，披针形或矩形，先端渐尖，基部楔形，全缘，表面枯绿色；叶柄长 6 cm。气微。

| 功能主治 | 微苦、辛，凉。归肺、肾经。疏风清热，解毒。用于温病发热，风湿痹痛，咳嗽，咯血，痈肿疮毒。

| 用法用量 | 内服煎汤，9 ～ 15 g。外用适量，捣敷。

| 附　　注 | 本种的拉丁学名在 FOC 中修订为 *Hylodesmum oldhamii* (Oliv.) H. Ohashi et R. R. Mill。

豆科 Leguminosae 长柄山蚂蟥属 *Podocarpium*

长柄山蚂蟥 *Podocarpium podocarpum* (DC.) Yang et Huang

|药 材 名|

圆菱叶山蚂蟥（药用部位：全草。别名：菱叶山蚂蟥）。

|形态特征|

直立草本，高 50 ~ 100 cm。根茎稍木质。茎具条纹，疏被伸展短柔毛。叶为羽状三出复叶；托叶钻形，外面与边缘被毛；着生于茎上部的叶柄较短，疏被伸展短柔毛；小叶 3，纸质，顶生小叶宽倒卵形，先端凸尖，基部楔形或宽楔形，全缘，两面疏被短柔毛或几无毛，侧脉每边约 4，直达叶缘，侧生小叶斜卵形，较小，偏斜；小托叶丝状；小叶柄被伸展短柔毛。总状花序或圆锥花序，顶生或顶生和腋生；总花梗被柔毛和钩状毛，通常每节生 2 花；苞片窄卵形，被柔毛；花萼钟形，裂片极短，被小钩状毛；花冠紫红色；雄蕊单体；雌蕊长约 3 mm，子房具子房柄。荚果通常有荚节 2，背缝线弯曲，节间深凹达腹缝线。花果期 8 ~ 9 月。

|生境分布|

生于海拔 120 ~ 2 100 m 的山坡路旁、草坡、次生阔叶林下或高山草甸处。湖南各地均有分布。

| 资源情况 | 野生资源较丰富。药材来源于野生。

| 采收加工 | 夏、秋季采收，鲜用，或切段晒干。

| 药材性状 | 本品小叶多脱落，皱缩，完整叶为三出复叶，先端小叶大，圆状菱形，先端急尖或钝，基部阔楔形，全缘，长 4 ~ 7 cm，宽 3.5 ~ 6 cm，表面枯绿色，几无毛，两侧小叶较小，斜卵形。质脆，易碎。气微。

| 功能主治 | 苦，温。归脾、肝经。散寒解表，止咳，止血。用于风寒感冒，咳嗽，刀伤出血。

| 用法用量 | 内服煎汤，9 ~ 15 g。外用适量，捣敷。

| 附　　注 | 本种的拉丁学名在 FOC 中被修订为 *Hylodesmum podocarpum* (Candolle) H. Ohashi et R. R. Mill。

豆科 Leguminosae 长柄山蚂蟥属 *Podocarpium*

宽卵叶长柄山蚂蟥 *Podocarpium podocarpum* (DC.) Yang et Huang var. *fallax* Schneid. Yang et Huang

| 药 材 名 | 宽卵叶长柄山蚂蟥（药用部位：全草。别名：假山绿豆）。

| 形态特征 | 直立草本，高 50 ~ 100 cm。根茎稍木质。茎具条纹，疏被伸展短柔毛。顶生小叶宽卵形或卵形，长 3.5 ~ 12 cm，宽 2.5 ~ 8 cm，先端渐尖或急尖，基部阔楔形或圆形。总状花序或圆锥花序，顶生或顶生和腋生，总花梗被柔毛和钩状毛，通常每节生 2 花；花萼钟形，被小钩状毛；花冠紫红色；雄蕊单体。花果期 8 ~ 9 月。

| 生境分布 | 生于海拔 300 ~ 1 350 m 的山坡路旁、灌丛或疏林中。湖南各地均有分布。

| 资源情况 | 野生资源较丰富。药材来源于野生。

| 采收加工 | 9 ~ 10 月采收，切段，晒干。

| 药材性状 | 本品小枝细圆柱形，具棱角，有柔毛。小叶 3，宽卵形，先端渐尖，基部阔楔形或圆形，两侧小叶基部不对称，边缘浅波状，表面枯绿色，具短柔毛。质脆。气特异。

| 功能主治 | 微苦，平。清热解表，利湿退黄。用于风热感冒，黄疸性肝炎。

| 用法用量 | 内服煎汤，9 ~ 15 g。

| 附　　注 | 本种的拉丁学名在 FOC 中被修订为 *Hylodesmum podocarpum* (Candolle) H. Ohashi et R. R. Mill subsp. *fallax* (Schindley) H. Ohashi et R. R. Mill。

豆科 Leguminosae 长柄山蚂蟥属 *Podocarpium*

四川长柄山蚂蟥 *Podocarpium podocarpum* (DC.) Yang et Huang var. *szechuenense* (Craib.) Yang et Huang

| 药 材 名 | 蚍子草（药用部位：全草。别名：四川山蚂蟥、比子草）。

| 形态特征 | 直立灌木，高 40 ～ 90 cm。顶生小叶狭披针形，长 4.2 ～ 6.8 cm，宽 1 ～ 1.3 cm，先端急尖，边缘微带波状，下面脉疏被短柔毛。总状花序腋生或顶生，长达 26 cm；花冠紫红色；雄蕊单体；子房具柄。荚果长约 2 cm，荚节 2，略呈宽半倒卵形，先端截形，基部楔形，有毛，稍具网纹，具果颈；果柄长约 3 mm。花果期 8 ～ 9 月。

| 生境分布 | 生于海拔 300 ～ 2 000 m 的山沟路旁、灌丛及疏林中。分布于湘西等。

| 资源情况 | 野生资源一般。药材来源于野生。

| 采收加工 | 全年均可采收，晒干。

| **药材性状** | 本品茎略有棱。三出羽状复叶，托叶钻形，小叶 3，顶生小叶狭披针形，较窄。表面枯绿色。质脆，易碎。气微。

| **功能主治** | 苦，温。散寒解表，止咳，止血。用于风寒感冒，咳嗽，刀伤出血。

| **用法用量** | 内服煎汤，9 ~ 15 g。外用适量，捣敷。

| **附　　注** | 本种的拉丁学名在 FOC 中被修订为 *Hylodesmum podocarpum* (Candolle) H. Ohashi et R. R. Mill subsp. *szechuenense* (Craib) H. Ohashi et R. R. Mill。

豆科 Leguminosae 长柄山蚂蟥属 *Podocarpium*

尖叶长柄山蚂蟥 *Podocarpium podocarpum* (DC.) Yang et Huang var. *oxyphyllum* (DC.) Yang et Huang

| 药 材 名 | 山蚂蟥（药用部位：全草。别名：小山蚂蟥、小粘子草）。

| 形态特征 | 直立草本。顶生小叶菱形，长 4 ~ 8 cm，宽 2 ~ 3 cm，先端渐尖，尖头钝，基部楔形。总状花序或圆锥花序，顶生或顶生和腋生，通常每节生 2 花；花萼钟形；花冠紫红色，旗瓣宽倒卵形，翼瓣窄椭圆形，龙骨瓣与翼瓣相似；雄蕊单体。荚果通常具 2 荚节。

| 生境分布 | 生于海拔 400 ~ 2 100 m 的山坡路旁、沟旁、林缘或阔叶林中。湖南各地均有分布。

| 资源情况 | 野生资源较丰富。药材来源于野生。

| 采收加工 | 全年均可采收，晒干。

| 药材性状 | 本品茎稍木质。叶为羽状三出复叶，表面灰绿色；小叶纸质，顶生小叶菱形，先端渐尖，尖头钝，基部楔形。总状花序或圆锥花序。质脆，易碎。气微。

| 功能主治 | 苦，温。祛风活络，解毒消肿。用于跌打损伤，风湿关节痛，腰痛，乳痈，毒蛇咬伤。

| 用法用量 | 内服煎汤，9 ~ 15 g。外用适量，捣敷。

| 附　　注 | 本种的拉丁学名在 FOC 中被修订为 *Hylodesmum podocarpum* (Candolle) H. Ohashi et R. R. Mill subsp. *oxyphyllum* (Candolle) H. Ohashi et R. R. Mill。

豆科 Leguminosae 补骨脂属 *Psoralea*

补骨脂 *Psoralea corylifolia* L.

| 药 材 名 | 补骨脂（药用部位：果实。别名：破故纸、胡韭子）。

| 形态特征 | 一年生直立草本，高 60 ~ 150 cm。枝坚硬，疏被白色绒毛，有明显腺点。单叶，偶有 1 侧生小叶；托叶镰形；叶柄有腺点；小叶柄被白色绒毛；叶宽卵形，先端钝或锐尖，基部圆形或心形，边缘有粗而不规则的锯齿，质地坚韧，两面有明显的黑色腺点，被疏毛或近无毛。花序腋生，有花 10 ~ 30，组成密集的总状或小头状花序，总花梗被白色柔毛和腺点；苞片膜质，披针形，被绒毛和腺点；花萼被白色柔毛和腺点，萼齿披针形，下方 1 萼齿较长；花冠黄色或蓝色，花瓣明显具瓣柄；雄蕊 10，上部分离。荚果卵形，长 5 mm，具小尖头，黑色，表面具不规则网纹，不开裂，果皮与种子不易分离；种子扁。花果期 7 ~ 10 月。

| 生境分布 | 生于山坡、溪边、田边。分布于湖南株洲、张家界（慈利）、郴州（安仁）等。

| 资源情况 | 野生资源较少。药材来源于野生。

| 采收加工 | 秋季果实成熟时采收果序，晒干，搓下果实，除去杂质。

| 药材性状 | 本品肾形，略扁，长 3 ~ 5 mm，宽 2 ~ 4 mm，厚约 1.5 mm；表面黑色、黑褐色或灰褐色，具细网状皱纹，先端圆钝，有 1 小突起，凹侧有果柄痕；质硬。果皮薄，与种子不易分离；种子 1，子叶 2，黄白色，有油性。气香，味辛、微苦。

| 功能主治 | 辛、苦，温。归肾、脾经。温肾助阳纳气，止泻。用于阳痿遗精，遗尿尿频，腰膝冷痛，肾虚作喘，五更泄泻，白癜风，斑秃。

| 用法用量 | 内服煎汤，6 ~ 9 g；或入丸、散剂。外用适量，20% ~ 30%酊剂涂。

豆科 Leguminosae 老虎刺属 *Pterolobium*

老虎刺 *Pterolobium punctatum* Hemsl.

| 药 材 名 | 老虎刺（药用部位：枝叶、根。别名：雀不踏、倒爪刺、石龙花）。

| 形态特征 | 木质藤本或攀缘灌木，高 3 ~ 10 m。小枝具棱及短钩刺。叶柄有成对的黑色托叶刺；小叶 19 ~ 30 对，对生，狭长圆形，先端圆钝具凸尖或微凹，两面被黄色毛，下面的毛更密，具明显或不明显的黑点，脉不明显；小叶柄短，具关节。总状花序被短柔毛，腋生或于枝顶排列成圆锥状；苞片刺毛状；花梗纤细；花蕾倒卵形，被茸毛；萼片 5，最下面 1 萼片较长，舟形，具睫毛，其余萼片长椭圆形；花瓣倒卵形，先端稍呈啮蚀状；雄蕊 10，等长，伸出，花丝中部以下被柔毛，花药宽卵形；子房扁平，一侧具纤毛，花柱光滑，柱头漏斗形，胚珠 2。荚果长 4 ~ 6 cm，翅一边直，另一边弯曲，具宿存的花柱；种子单一，椭圆形，扁。花期 6 ~ 8 月，果期 9 月至翌

年 1 月。

| 生境分布 | 生于海拔 300 ～ 2 000 m 的山坡疏林阳处、路旁干旱处、石灰岩山上。湖南各地均有分布。

| 资源情况 | 野生资源较丰富。药材来源于野生。

| 采收加工 | 夏、秋季采收，洗净，鲜用或晒干。

| 药材性状 | 本品叶多为小叶，完整叶为二回羽状复叶，羽片 20 ～ 28，每羽片有小叶 20 ～ 30，皱缩；展平后小叶片呈椭圆形，微偏斜，长约 1 cm，宽 3 ～ 4 mm，先端钝圆而微弯，基部斜圆形，全缘，主脉明显。表面绿色或枯色。质脆。气微。

| 功能主治 | 枝叶，苦、涩，凉。清热解毒，祛风除湿，消肿止痛。用于肺热咳嗽，咽喉肿痛，风湿痹痛，牙痛，风疹瘙痒，疔疮，跌打损伤。

| 用法用量 | 内服煎汤，9 ～ 30 g。外用适量，煎汤洗。

豆科 Leguminosae 葛属 *Pueraria*

野葛 *Pueraria lobata* (Willd.) Ohwi

| 药 材 名 | 野葛（药用部位：根、花。别名：葛藤、粉葛藤、甜葛藤）。

| 形态特征 | 粗壮藤本，长可达 8 m，全体被黄色长硬毛。茎基部木质，有粗厚的块状根。羽状复叶具 3 小叶；托叶卵状长圆形，具线条；小托叶线状披针形；小叶 3 裂，顶生小叶宽卵形或斜卵形，先端长渐尖，侧生小叶斜卵形，稍小，上面被淡黄色、平伏的稀疏柔毛，下面毛较密；小叶柄被黄褐色绒毛。总状花序，中部以上花密集；苞片线状披针形至线形，小苞片卵形；花 2 ~ 3 聚生于花序轴的节上；花萼钟形，被黄褐色柔毛；花冠紫色，对着旗瓣的 1 雄蕊仅上部离生；子房线形，被毛。荚果长椭圆形，扁平，被褐色长硬毛。花期 9 ~ 10 月，果期 11 ~ 12 月。

| 生境分布 | 生于山地疏林或密林中。湖南各地均有分布。

| 资源情况 | 野生资源丰富。药材来源于野生。

| 采收加工 | 秋、冬季采挖，趁鲜切成厚片或小块，干燥。

| 药材性状 | 本品根为纵切的长方形厚片或小方块，长 5 ~ 35 cm，厚 0.5 ~ 1 cm；外皮淡棕色，有纵皱纹，粗糙；切面黄白色，纹理不明显；质韧，纤维性强；无臭，味微甜。花蓝紫色或紫色，久置后则呈灰黄色；蝶形花冠长 15 ~ 19 cm；花萼 5 齿裂，萼齿披针形；旗瓣近圆形或卵圆形，先端微凹，基部有 2 短耳，翼瓣狭椭圆形，较旗瓣短，通常仅一边的基部有耳，龙骨瓣较翼瓣稍长；雄蕊 10，二体；子房线形，花柱弯曲；无臭，味淡。

| 功能主治 | 根，甘、辛，凉，归脾、胃经，解肌退热，生津，透疹，升阳止泻。用于温病发热，头痛，项背牵强，口渴，泻痢，麻疹初起，早期突发性耳聋。花，甘，凉，归胃经，解酒，醒脾。用于伤酒烦渴，不思饮食，呕逆吐酸。

| 用法用量 | 根，内服煎汤，4.5 ~ 9 g；或捣汁。外用捣敷。花，内服煎汤，3 ~ 9 g；或入丸、散剂。

豆科 Leguminosae 葛属 *Pueraria*

葛麻姆 *Pueraria lobata* (Willd.) Ohwi var. *montana* (Lour.) Vaniot der Maesen

| 药 材 名 | 葛麻姆（药用部位：根）。

| 形态特征 | 藤本。块根肥厚。茎疏生黄色长柔毛。三出复叶，顶生小叶阔卵形，先端渐尖，基部圆形，上面被稀疏长柔毛，背面有绢质柔毛，长 9 ~ 18 cm，宽 6 ~ 12 cm，侧生小叶略小而偏斜；托叶披针形，基部于着生处下延，呈盾形。总状花序或圆锥花序腋生，花多而密；苞片卵形，短于小苞片，有毛；花萼钟状，萼齿 5，披针形，最下面 1 萼齿较长，均被黄色长毛；花冠紫色，长约 1.2 cm，旗瓣圆形，翼瓣狭，龙骨瓣较翼瓣宽 1 倍，半圆形；雄蕊 10，二体；子房条形，被绒毛。荚果条状，扁平，长 4 ~ 9 cm，宽 6 ~ 8 mm，密生锈色长硬毛。

| 生境分布 | 生于岗地、中山、低山。分布于湖南邵阳（邵阳）、常德（安乡）、郴州（临武）、永州（零陵、蓝山）等。

| 资源情况 | 野生资源较少。药材来源于野生。

| 采收加工 | 春、秋季采挖，洗净，切片，晒干。

| 功能主治 | 辛、苦，平。清热，透疹，生津，止咳。用于麻疹不透，肺热咳嗽，消渴，口腔溃疡。

| 用法用量 | 内服煎汤，9 ~ 15 g。

豆科 Leguminosae 葛属 *Pueraria*

粉葛 *Pueraria lobata* (Willd.) Ohwi var. *thomsonii* (Benth.) van der Maesen

| 药 材 名 | 粉葛（药用部位：根）。

| 形态特征 | 本种与野葛的区别在于本种顶生小叶菱状卵形或宽卵形，侧生小叶斜卵形，长和宽均为 10 ~ 13 cm，先端急尖或具长小尖头，基部平截或急尖，全缘或具 2 ~ 3 裂片，两面均被黄色粗伏毛。花冠长 16 ~ 18 mm，旗瓣近圆形。花期 9 月，果期 11 月。

| 生境分布 | 生于山野灌丛或疏林中。湖南各地均有分布。主要栽培于湖南岳阳（平江）、益阳（安化）、郴州（汝城）等。

| 资源情况 | 野生资源一般。栽培资源丰富。药材主要来源于栽培。

| 采收加工 | 秋、冬季采挖，除去外皮，切段或片，干燥。

| 药材性状 | 本品呈圆柱形、类纺锤形或半圆柱形，长 12 ~ 15 cm，直径 4 ~ 8 cm，有的为纵切或斜切的厚片，大小不一。表面黄白色或淡棕色，未去外皮的呈灰棕色。体重，质硬，富粉性，横切面可见由纤维形成的浅棕色同心性环纹，纵切面可见由纤维形成的数条纵纹。气微，味微甜。

| 功能主治 | 甘、辛，凉。归脾、胃经。解肌退热，生津止渴，透疹，升阳止泻，通经活络，解酒毒。用于外感发热头痛，项背强痛，口渴，消渴，麻疹不透，热痢，泄泻，眩晕头痛，中风偏瘫，胸痹心痛，酒毒伤中。

| 用法用量 | 内服煎汤，10 ~ 15 g。

豆科 Leguminosae 葛属 *Pueraria*

三裂叶野葛 *Pueraria phaseoloides* (Roxb.) Benth.

| 药材名 | 三裂叶野葛（药用部位：全草。别名：草葛、假菜豆）。

| 形态特征 | 草质藤本。茎纤细，长 2 ~ 4 m，被褐黄色、开展的长硬毛。羽状复叶具 3 小叶；托叶基着，卵状披针形；小托叶线形；小叶宽卵形、菱形或卵状菱形，顶生小叶较宽，侧生小叶较小，偏斜，全缘或 3 裂，上面绿色，被紧贴的长硬毛，下面灰绿色，密被白色长硬毛。总状花序单生，中部以上有花；苞片和小苞片线状披针形，被长硬毛；花具短梗；花萼钟状，被紧贴的长硬毛；花冠浅蓝色或淡紫色；子房线形，略被毛。荚果近圆柱状，果瓣开裂后扭曲；种子长椭圆形，两端近平截，长 4 mm。花期 8 ~ 9 月，果期 10 ~ 11 月。

| 生境分布 | 生于山地、丘陵灌丛中。分布于湖南郴州（苏仙）、永州（零陵）、张家界（桑植）等。

| 资源情况 | 野生资源较少。药材来源于野生。

| 采收加工 | 秋季采收，晒干。

| 药材性状 | 本品茎细长，草质，被褐黄色长硬毛。羽状复叶具 3 小叶，小叶宽卵形、菱形或卵状菱形，上面绿色，被紧贴的长硬毛，下面灰绿色，密被白色长硬毛。

| 功能主治 | 解热，驱虫。

| 用法用量 | 内服煎汤，3 ~ 9 g。

豆科 Leguminosae 鹿藿属 *Rhynchosia*

菱叶鹿藿 *Rhynchosia dielsii* Harms

药材名

山黄豆藤（药用部位：全草。别名：野黄豆）。

形态特征

缠绕草本。茎纤细，通常密被黄褐色长柔毛。羽状 3 小叶；托叶小，披针形，被短柔毛；顶生小叶卵形、卵状披针形、宽椭圆形或菱状卵形，先端渐尖或尾状渐尖，基部圆形，两面密被短柔毛，下面有松脂状腺点，基出脉 3，侧生小叶稍小，斜卵形；小托叶刚毛状。总状花序腋生，被短柔毛；苞片披针形；花疏生，黄色；花萼 5 裂，裂片三角形，下面 1 裂片较长，密被短柔毛；花冠各瓣均具瓣柄。荚果长圆形或倒卵形，扁平，成熟时呈红紫色，被短柔毛；种子 2，近圆形，长、宽各约 4 mm。花期 6 ~ 7 月，果期 8 ~ 11 月。

生境分布

生于海拔 600 ~ 2 100 m 的山坡、路旁灌丛中。分布于湘西北、湘中南等。

资源情况

野生资源一般。药材来源于野生。

| 采收加工 | 全年均可采收，洗净，晒干。

| 药材性状 | 本品茎细长缠绕，通常密生黄褐色长柔毛。羽状 3 小叶；顶生小叶菱状卵形，长 5 ～ 9 cm，宽 2.5 ～ 5 cm，先端渐尖，基部圆形，两面密被短柔毛，下面有松脂状腺点。味涩、苦。

| 功能主治 | 涩、苦，凉。归心、肺经。祛风清热，定惊解毒。用于风热感冒，咳嗽，小儿高热惊风，心悸，乳痈。

| 用法用量 | 内服煎汤，3 ～ 9 g。外用适量，鲜品捣敷。

豆科 Leguminosae 鹿藿属 *Rhynchosia*

鹿藿 *Rhynchosia volubilis* Lour.

| 药材名 |

鹿藿（药用部位：全草或根）。

| 形态特征 |

缠绕草质藤本，全株被灰色至淡黄色柔毛。茎略具棱。叶为羽状或有时近指状 3 小叶；托叶小，披针形，被短柔毛；小叶纸质，顶生小叶菱形或倒卵状菱形，先端钝或急尖，常有小凸尖，基部圆形或阔楔形，两面均被灰色或淡黄色柔毛，下面尤密，并被黄褐色腺点，基出脉 3，侧生小叶较小，常偏斜。总状花序，1 ~ 3 腋生；花稍密集；花萼钟状，裂片披针形，外面被短柔毛及腺点；花冠黄色；雄蕊二体；子房被毛及密集的小腺点，胚珠 2。荚果长圆形，红紫色，极扁平，先端有小喙；种子通常 2，椭圆形或近肾形，黑色，光亮。花期 5 ~ 8 月，果期 9 ~ 12 月。

| 生境分布 |

生于海拔 400 ~ 1 200 m 的山坡杂草中或攀附于树上。湖南各地均有分布。

| 资源情况 |

野生资源较丰富。药材来源于野生。

| 采收加工 | 全草，5 ~ 6 月采收，晒干。根，秋季采挖，除去泥土，洗净，鲜用或晒干。

| 药材性状 | 本品根长圆柱形，灰黄色，表面有纵皱纹及横长皮孔。茎密被淡黄色柔毛。三出羽状复叶，纸质，上面疏被短柔毛，下面密被长柔毛和淡黄色透明腺点，顶生小叶近圆形，侧生小叶宽卵形，偏斜。味苦。

| 功能主治 | 全草，苦，平。归大肠、脾、肺经。利尿消肿，解毒杀虫。用于头痛，腰痛，腹痛，产褥热，瘰疬，痈肿，流注。根，苦，平。归大肠、脾、肺经。祛风和血，镇咳祛痰。用于风湿痹痛，气管炎。

| 用法用量 | 内服煎汤，9 ~ 15 g。外用适量，捣敷。

豆科 Leguminosae 刺槐属 *Robinia*

刺槐 *Robinia pseudoacacia* L.

| 药材名 | 刺槐花（药用部位：花。别名：洋槐、刺儿槐）。

| 形态特征 | 落叶乔木，高 10 ~ 25 m。树皮灰褐色至黑褐色，浅裂至深纵裂。小枝灰褐色，具托叶刺，刺长 2 cm。羽状复叶；叶轴上面具沟槽；小叶 2 ~ 12 对，常对生，椭圆形、长椭圆形或卵形，全缘，上面绿色，下面灰绿色，幼时被短柔毛，后变无毛。总状花序腋生，下垂，花多数，芳香；花萼斜钟状，萼齿 5，三角形至卵状三角形，密被柔毛；花冠白色，各瓣均具瓣柄；雄蕊二体，对着旗瓣的 1 雄蕊分离；子房线形，花柱钻形，上弯，先端具毛，柱头顶生。荚果褐色，或具红褐色斑纹，线状长圆形，扁平，先端上弯，具尖头，果颈短，沿腹缝线具狭翅，花萼宿存，有种子 2 ~ 15；种子褐色至黑褐色，微具光泽，近肾形，种脐圆形，偏于一端。花期 4 ~ 6 月，果期

8 ~ 9 月。

| 生境分布 | 生于丘陵岗地、低山。湖南各地均有分布。

| 资源情况 | 野生资源较丰富。药材来源于野生。

| 采收加工 | 6 ~ 7 月采收。

| 药材性状 | 本品略呈飞鸟状，未开放者呈钩镰状，长 1.3 ~ 1.6 cm。下部为钟状花萼，棕色，被亮白色短柔毛，先端 5 齿裂，基部有花梗，近上端有 1 关节，节上略粗，节下狭细；上部为花冠，花瓣 5，皱缩，有时残破或脱落，其中 1 旗瓣宽大，常反折，翼瓣 2，两侧生，较狭，龙骨瓣 2，上部合生，呈镰状；雄蕊 10，9 花丝合生，1 花丝下部参与连合；子房线形，棕色，花柱弯生，先端有短柔毛。质软，体轻。气微，味微甘。

| 功能主治 | 甘，平。归肝经。止血。用于咯血，便血，吐血，崩漏。

| 用法用量 | 内服煎汤，9 ~ 15 g；或泡茶饮。

豆科 Leguminosae 田菁属 *Sesbania*

田菁 *Sesbania cannabina* (Retz.) Poir.

| 药 材 名 | 田菁（药用部位：根、叶、种子。别名：向天蜈蚣、叶顶珠、小野蚂蚱豆）。

| 形态特征 | 一年生草本，高 3 ~ 3.5 m。茎绿色，有淡绿色线纹，基部多有不定根。幼枝疏被白色绢毛，折断后有白色黏液。羽状复叶。总状花序，总花梗及花梗纤细下垂，疏被绢毛；苞片线状披针形，小苞片 2；花萼斜钟状，内面边缘具白色细长曲柔毛；花冠黄色；雄蕊二体，对着旗瓣的 1 雄蕊分离，花药卵形至长圆形；雌蕊无毛，柱头头状，顶生。荚果细长，长圆柱形，微弯，外面具黑褐色斑纹，喙尖，果颈开裂，种子间具横隔，有种子 20 ~ 35；种子绿褐色，有光泽，短圆柱状，种脐圆形，稍偏于一端。花期 9 月，果期 10 月。

| 生境分布 | 生于丘陵岗地。分布于湖南衡阳（耒阳）、岳阳、郴州等。

| 资源情况 | 野生资源较少。药材来源于野生。

| 采收加工 | 根、叶，夏季采收，鲜用。

| 药材性状 | 本品茎基部具多数不定根。根细长，圆柱形，灰棕色，表面有纵纹，髓部大。叶灰绿色，叶轴上面具沟槽；小叶长 8 ~ 20（~ 40）mm，宽 2.5 ~ 4（~ 7）mm，先端钝至平截，具小尖头，基部圆形，两侧不对称，两面被紫色小腺点，下面尤密。气微，味甘、微苦。

| 功能主治 | 根，甘、微苦，平。归心、肾、膀胱经。清热利尿，凉血解毒。用于胸膜炎，关节扭伤，关节痛，带下。叶，甘、微苦，平。归心、肾、膀胱经。用于尿血，毒蛇咬伤。种子，辛、苦，平。消炎，止痛。用于关节挫伤，关节痛。

| 用法用量 | 根、叶，内服煎汤，15 ~ 30 g；或捣汁。种子，外用捣敷。

豆科 Leguminosae 槐属 *Sophora*

白刺花 *Sophora davidii* (Franch.) Skeels

|药材名| 白刺花（药用部位：根、花、果实、叶。别名：铁马胡烧、狼牙槐、狼牙刺）。

|形态特征| 灌木或小乔木，高 1 ~ 2 m。小枝初被毛，不育枝末端明显变成刺。羽状复叶；托叶钻状，部分变成刺，疏被短柔毛，宿存；小叶 5 ~ 9 对，形态多变，先端圆或微缺，常具芒尖，基部钝圆形，下面中脉隆起，疏被长柔毛或近无毛。总状花序顶生；花小；花萼钟状，蓝紫色，萼齿 5，无毛；花冠白色或淡黄色，旗瓣倒卵状长圆形，先端圆形，基部具细长柄，柄反折，翼瓣与旗瓣等长，单侧生，倒卵状长圆形，具 1 锐尖耳，海绵状折皱，龙骨瓣稍短，镰状倒卵形，具锐三角形耳；雄蕊 10，等长，基部约 1/3 连合；子房密被黄褐色柔毛，花柱无毛，胚珠多数。荚果非典型串珠状，稍扁，表面散生

毛或近无毛，有种子 3 ~ 5；种子卵球形，深褐色。花期 3 ~ 8 月，果期 6 ~ 10 月。

| 生境分布 | 生于海拔 2 100 m 以下的河谷沙丘和山坡、路边灌丛中。分布于湖南岳阳（临湘）、张家界、常德、郴州等。

| 资源情况 | 野生资源稀少。药材来源于野生。

| 采收加工 | 根，夏季采收。花，3 ~ 5 月花未完全开放时采收，鲜用或晒干。果实，10 月采收。叶，夏、秋季采收，鲜用或晒干。

| 药材性状 | 本品根呈类圆柱形，外皮灰棕色至棕褐色，粗糙；质坚硬，断面皮部灰棕色，木部外侧黄色，内侧棕色至棕褐色；气微，味苦、涩。花为带枝总状花序，皱缩成团，展平后，花萼呈钟状，长 0.3 ~ 0.4 cm，密生短柔毛，萼齿三角形，花冠类白色，长约 1.5 cm，旗瓣倒卵形或匙形，龙骨瓣基部有钝耳，花丝下部合生，子房被毛；体轻；气微，味苦。荚果长 6 ~ 8 cm，宽 6 ~ 7 mm，表面散生毛或近无毛，有种子 3 ~ 5；种子呈椭圆形，两端钝圆，长 3 ~ 4 mm，直径 1.5 ~ 2 mm，表面黄色或棕黄色，光滑，微有光泽，一侧具点状种脊，种皮薄而韧，子叶 2，黄色；气微，味微甘而苦。

| 功能主治 | 根，苦，寒。归肝、膀胱经。清热解毒，利湿消肿。用于痢疾，膀胱炎，尿血，水肿。花，苦，寒。归肝、膀胱经。清热解暑。用于暑热烦渴。果实，归肝、膀胱经。健脾，理气，消积化食。用于消化不良，腹痛腹胀。叶，苦，寒。归心、肾经。凉血解毒，杀虫。用于衄血，便血，疔疮肿毒，疥癣，烫伤，滴虫性阴道炎。

| 用法用量 | 根，内服煎汤，10 ~ 15 g。外用适量，煎汤洗。花，内服泡茶，1 ~ 3 g。果实，内服煎汤，3 ~ 6 g；或研末吞服，1 ~ 2 g。叶，内服煎汤，9 ~ 15 g。外用适量，捣敷。

豆科 Leguminosae 槐属 *Sophora*

苦参 *Sophora flaves* Ait.

| 药 材 名 |

苦参（药用部位：根。别名：地槐、白茎地骨）。

| 形态特征 |

草本或亚灌木，高 1 ~ 2 m。茎具纵棱。羽状复叶；托叶披针状线形；小叶 6 ~ 12 对，互生或近对生，形状多变，中脉在下面隆起。总状花序顶生；花多数，较疏；花梗细长；苞片线形；花萼钟状，明显歪斜，具不明显波状齿，完全发育后近截平，疏被短柔毛；花冠比花萼长 1 倍，白色或淡黄白色，旗瓣倒卵状匙形，基部渐狭成柄，翼瓣单侧生，强烈折皱几达瓣片的顶部，龙骨瓣宽约 4 mm；雄蕊 10；子房被淡黄白色柔毛，胚珠多数。荚果长 5 ~ 10 cm；呈不明显串珠状，四棱形，疏被短柔毛或近无毛，成熟后开裂成 4 瓣，有种子 1 ~ 5；种子长卵形，深红褐色或紫褐色。花期 6 ~ 8 月，果期 7 ~ 10 月。

| 生境分布 |

生于海拔 1 500 m 以下的山坡、沙地、草坡、灌木林中或田野附近。湖南各地均有分布。

| 资源情况 | 野生资源较丰富。栽培资源丰富。药材来源于野生和栽培。

| 采收加工 | 春、秋季采收，以秋季采收为佳，去掉根头、须根，洗净泥沙，晒干。

| 药材性状 | 本品呈圆柱形，长 10 ～ 30 cm，直径 1 ～ 2.4 cm。表面有明显纵皱纹，皮孔明显凸出而稍反卷，横向延长。栓皮很薄，棕黄色或灰棕色，多数破裂，向外卷曲，易剥落而显现黄色的光滑皮部。质坚硬，不易折断，折断面粗纤维状，横断面黄白色，形成层明显。气刺鼻，味极苦。

| 功能主治 | 苦，寒。归心、肝、胃、大肠、膀胱经。清热燥湿，杀虫，利尿。用于热痢，便血，黄疸，癃闭，带下，阴肿阴痒，湿疹，皮肤瘙痒，疥癣麻风，滴虫性阴道炎。

| 用法用量 | 内服煎汤，5 ～ 10 g；或入丸、散剂。外用适量，煎汤洗。

豆科 Leguminosae 槐属 *Sophora*

槐 *Sophora japonica* L.

| 药 材 名 | 槐米（药用部位：花蕾）、槐花（药用部位：花）、槐角（药用部位：果实）。

| 形态特征 | 落叶乔木，高 10 ~ 15 m。主干直立，上部分枝较多，小枝圆柱形。嫩芽具白色柔毛或无毛。叶纸质，互生，奇数羽状复叶，长 10 ~ 25 cm；小叶 7 ~ 17，对生或互生，卵形、椭圆形或披针状卵形，长 2 ~ 4 cm，宽 0.8 ~ 1.8 cm，先端尖，基部椭圆形或广楔形，全缘，叶面深绿色，背面青白色，有短茸毛，主脉明显，基部有褐色茸毛，侧脉不明显；小叶柄长 0.2 cm，有褐色茸毛；托叶 2，针状。夏季顶生淡黄色蝶形花，圆锥花序。荚果圆柱形，果皮在种子间向内紧缩，呈念珠状；种子卵球形，淡黄绿色，干后呈黑褐色。花期 7 ~ 8 月，果期 7 ~ 8 月，果实经冬不落。

| 生境分布 | 生于海拔 1 000 m 的地方。湖南各地均有分布。

| 资源情况 | 野生资源丰富。栽培资源丰富。药材主要来源于栽培。

| 采收加工 | **槐米：**采摘未开放的花蕾，除去梗、叶，筛净灰屑。

槐花：采摘已开放的花，除去梗、叶，筛净灰屑，晒干。

槐角：采摘成熟果实，除去杂质，晒干。

| 药材性状 | **槐米：**本品呈卵形或椭圆形，长 2 ~ 6 mm，直径约 2 mm。花萼下部有数条纵纹，萼的上方为未开放的黄白色花瓣。花梗细小。体轻，手捻即碎。气微，味微苦、涩。

槐花：本品皱缩而卷曲，花瓣多散落。完整者花萼钟状，黄绿色，先端 5 浅裂；花瓣 5，黄色或黄白色，1 花瓣较大，近圆形，先端微凹，其余 4 花瓣长圆形。雄蕊 10，其中 9 雄蕊基部连合，花丝细长；雌蕊圆柱形，弯曲。体轻。无臭，味微苦。

槐角：本品呈连珠状，长 1 ~ 6 cm，直径 0.6 ~ 1 cm。表面黄绿色或黄褐色，皱缩而粗糙，背缝线一侧呈黄色。质柔润，干燥皱缩，易在收缩处折断，断面黄绿色，有黏性。种子 1 ~ 6，肾形，长约 8 mm，表面光滑，棕黑色，一侧有灰白色圆形种脐，子叶 2，黄绿色；质坚硬。果肉气微，味苦；种子嚼之有豆腥气。

| 功能主治 | **槐米：**苦，寒。归肝、大肠经。凉血止血，清肝泻火。用于便血，痔血，血痢，崩漏，吐血，衄血，肝热目赤，头痛眩晕。

槐花：苦，微寒。归肝、大肠经。凉血止血，清肝泻火。用于便血，痔血，血痢，崩漏，吐血，衄血，肝热目赤，头痛眩晕。

槐角：苦，寒。归肝、大肠经。清肝泻火，凉血止血。用于肠热便血，痔肿便血，肝热头痛，眩晕目赤。

| 用法用量 | **槐米：**内服煎汤，5 ~ 10 g。

槐花：内服煎汤，5 ~ 10 g。

槐角：内服煎汤，6 ~ 9 g。

豆科 Leguminosae 葫芦茶属 *Tadehagi*

蔓茎葫芦茶 *Tadehagi pseudotriquetrum* (DC.) Yang et Huang

| 药材名 | 葫芦茶（药用部位：根）。

| 形态特征 | 亚灌木，茎蔓生，长 30 ~ 60 cm。幼枝三棱形，棱上疏被短硬毛，老时变无毛。叶仅具单小叶；托叶披针形，长达 1.5 cm，有条纹；叶柄长 0.7 ~ 3.2 cm，两侧有宽翅，翅宽 3 ~ 7 mm，与叶同质；小叶卵形，有时为卵圆形，长 3 ~ 10 cm，宽 1.3 ~ 5.2 cm，先端急尖，基部心形，上面无毛，下面沿脉疏被短柔毛，侧脉每边约 8，近叶缘处弧曲联结，网脉在下面明显。总状花序顶生和腋生，长达 25 cm，被贴伏丝状毛和小钩状毛；花通常 2 ~ 3 簇生于每节上；苞片狭三角形或披针形，长达 10 mm，花梗长约 5 mm，被丝状毛和小钩状毛；花萼长 5 mm，疏被柔毛，萼裂片披针形，稍长于萼筒；花冠紫红色，长 7 mm，伸出萼外；旗瓣近圆形，先端凹入，翼瓣倒

卵形，基部具钝而向下的耳，龙骨瓣镰状，无耳，有瓣柄，瓣柄长略与瓣片相等；子房被毛，花柱无毛。荚果长 2 ~ 4 cm，宽约 5 mm，仅背腹缝线密被白色柔毛，腹缝线直，背缝线稍缢缩，果皮无毛，具网脉，有荚节 5 ~ 8。花期 8 月，果期 10 ~ 11 月。

| **生境分布** | 生于海拔 500 ~ 2 000 m 的山地疏林下。分布于湖南郴州（汝城）等。

| **资源情况** | 野生资源稀少。药材来源于野生。

| **功能主治** | 止咳，化痰，止呕，杀虫。

豆科 Leguminosae 车轴草属 *Trifolium*

红车轴草 *Trifolium pratense* Linnaeus

| 药 材 名 | 红车轴草（药用部位：地上部分）。

| 形态特征 | 多年生草本，高 30 ~ 60 cm。茎直立或斜升，分枝多，疏生白色柔毛。三出复叶；小叶 3，无柄；叶片卵状椭圆形至宽椭圆形，长 2.5 ~ 4 cm，宽 1 ~ 2 cm，先端钝圆，基部圆楔形，叶脉延伸至叶缘，凸出成不明显细齿，背面有长毛；托叶卵形，先端锐尖，贴生于叶柄上，基部抱茎。花序头状，腋生，具大型总苞，总苞卵圆形，具横脉；花萼钟状，萼齿 5，线状披针形，最下面 1 萼齿较长，比其他齿长 1 倍；花冠蝶形，紫色或淡紫红色，旗瓣狭菱形，翼瓣长圆形，基部具耳及爪，龙骨瓣稍短于翼瓣；子房椭圆形，花柱丝状，细长。荚果小，倒卵形，长约 2 mm，包被于宿存萼内，果皮膜质，具纵脉；种子 1，肾形，黄褐色。花果期 5 ~ 9 月。

| 生境分布 | 生于林缘、路边、河岸、湿草地等。湖南各地均有分布。

| 资源情况 | 野生资源较丰富。栽培资源一般。药材来源于野生和栽培。

| 采收加工 | 5 ~ 9 月花开时割取地上部分，除去杂质，阴干。

| 药材性状 | 本品茎呈扁圆柱形或类方柱形，具纵棱，表面绿褐色至棕褐色，节明显；质韧，难折断，断面白色，中空。叶柄长 5 ~ 20 cm；基部托叶长圆形，先端细尖，与叶柄基部相连；叶互生，具 3 小叶，有疏毛，多卷缩或破碎，表面棕褐色。头状花序扁球形或不规则球形，直径 2 ~ 3 cm，几无总花梗；花萼钟状，萼齿线状披针形，有长毛；花瓣暗紫红色，具爪。有时花序带有枝叶，叶为三出复叶。种子扁圆形或肾形，黄褐色或黄绿色。气微，味淡。

| 功能主治 | 辛、酸，平。归肺、肝经。清热止咳，散结消肿。用于感冒，咳喘，烧伤。

| 用法用量 | 内服煎汤，15 ~ 30 g。外用捣敷；或制成软膏涂敷。

豆科 Leguminosae 车轴草属 *Trifolium*

白车轴草 *Trifolium repens* L.

| 药 材 名 | 三消草（药用部位：全草。别名：白三叶）。

| 形态特征 | 多年生草本。茎匍匐，无毛，茎长 30 ~ 60 cm。掌状复叶有 3 小叶；小叶倒卵形或倒心形，长 1.2 ~ 2.5 cm，宽 1 ~ 2 cm，栽培者小叶长可达 5 cm，宽达 3.8 cm，先端圆或微凹，基部宽楔形，边缘有细齿，表面无毛，背面微有毛；托叶椭圆形，先端尖，抱茎。花序头状，有长总花梗，高于叶；花萼筒状，萼齿三角形，较萼筒短；花冠白色或淡红色，旗瓣椭圆形。荚果倒卵状椭圆形，有 3 ~ 4 种子；种子细小，近圆形，黄褐色。花期 5 月，果期 8 ~ 9 月。

| 生境分布 | 生于路旁、河岸、湿草地等。湖南各地均有分布。

| 资源情况 | 野生资源丰富。栽培资源丰富。药材来源于野生和栽培。

| 采收加工 | 夏、秋季花盛开时采收全草，晒干。

| 药材性状 | 本品皱缩卷曲。茎圆柱形，多扭曲，直径 5 ~ 8 mm，表面有细皱纹，节间长 7 ~ 9 cm，节上有膜质托叶鞘。三出复叶；叶柄长达 10 cm；托叶椭圆形，抱茎；小叶 3，多卷折或脱落，完整者展平后呈倒卵形或倒心形，长 1.5 ~ 2 cm，宽 1 ~ 1.5 cm，边缘具细齿，近无柄。花序头状，直径 1.5 ~ 2 cm，类白色，有总花梗，长可达 20 cm。气微，味淡。

| 功能主治 | 微甘，平。清热，凉血，宁心。用于癫痫，痔疮出血，硬结肿块。

| 用法用量 | 内服煎汤，15 ~ 30 g。外用适量，捣敷。

豆科 Leguminosae 野豌豆属 *Vicia*

华野豌豆 *Vicia chinensis* Franch.

| 药材名 | 华野豌豆（药用部位：全草）。

| 形态特征 | 多年生缠绕草本，高 1.5 ~ 2 m。茎纤细，基部分枝，具棱，疏被长柔毛或近无毛。偶数羽状复叶基部具小叶，近无柄，叶轴先端卷须有 2 ~ 3 分枝；托叶小，半戟形，2 裂，裂片披针状锥形，全缘或有裂齿；小叶 4 ~ 6 对，互生，革质，卵状披针形，先端钝或微凹，具短尖头，上面叶脉不甚清晰，下面侧脉隆起，疏被长柔毛。总状花序长于叶或与叶近等长，花序轴微被柔毛，具 6 ~ 18 花；花萼近钟形，萼齿甚短，宽三角状锥形，下萼齿较长；花冠蓝紫色至紫红色或具紫色脉纹，旗瓣略长于龙骨瓣，瓣片相当于瓣柄的 1/2。荚果纺锤形，表皮黄色或棕黄色，无毛；种子卵球形或近圆球形，略扁，表皮黄色，具棕色脉纹。花果期 6 ~ 8 月。

| 生境分布 | 生于海拔 1 400 ~ 2 000 m 的山谷灌丛。分布于湖南怀化（辰溪）、湘西州（泸溪）等。

| 资源情况 | 野生资源稀少。药材来源于野生。

| 采收加工 | 夏季采收，晒干或鲜用。

| 功能主治 | 祛风湿，活血，舒筋，止痛。

| 用法用量 | 内服煎汤，9 ~ 15 g。外用适量，鲜品捣敷；或煎汤洗。

豆科 Leguminosae 野豌豆属 *Vicia*

广布野豌豆 *Vicia cracca* L.

| 药 材 名 | 落豆秧（药用部位：全草。别名：透骨草、山豌豆）。

| 形态特征 | 多年生蔓性草本，有微毛。羽状复叶，有卷须；小叶 8 ~ 24，狭椭圆形或狭披针形，长 10 ~ 30 mm，宽 2 ~ 8 mm，先端突尖，基部圆形，上面无毛，下面有短柔毛；叶轴有淡黄色柔毛；托叶披针形或戟形，有毛。总状花序腋生，有 7 ~ 15 花；萼斜钟形，萼齿 5，上面 2 齿较长，有疏短柔毛；花冠紫色或蓝色；子房无毛，具长柄，花柱先端四周被黄色腺毛。荚果矩圆形，褐色，长 1.5 ~ 2.5 cm，膨胀，两端急尖，具柄；种子 3 ~ 5，黑色。

| 生境分布 | 生于田边、草坡、岩石上。湖南各地均有分布。

| 资源情况 | 野生资源较丰富。药材来源于野生。

| 采收加工 | 7 ~ 9 月采收，晒干。

| 药材性状 | 本品茎呈四棱形，细长缠绕。羽状复叶互生；小叶多已脱落或散在，先端具有卷须，小叶片狭椭圆形或狭披针形，全缘。总状花序腋生，花冠紫色或蓝色。荚果矩圆形，褐色，长 1.5 ~ 2.5 cm，膨胀，两端急尖，具柄；种子 3 ~ 5。气微，味淡。

| 功能主治 | 辛、苦，微温。祛风，除湿，活血，舒筋，止痛。用于风湿痹痛，闪挫伤，无名肿毒，阴囊湿疹。

| 用法用量 | 内服煎汤，15 ~ 25 g。外用适量，煎汤熏洗。

豆科 Leguminosae 野豌豆属 *Vicia*

蚕豆 *Vicia faba* L.

|药材名|

蚕豆（药用部位：种子）、蚕豆壳（药用部位：种皮）、蚕豆花（药用部位：花）、蚕豆叶（药用部位：叶、嫩苗）。

|形态特征|

一年生草本，高 0.3 ~ 1.2 m。茎粗壮，直立，具 4 棱，中空，无毛。偶数羽状复叶，卷须短，为短尖头状；托叶戟头形或近三角状卵形，微有锯齿，具深紫色蜜腺点；小叶通常 1 ~ 3 对，互生，上部小叶可达 4 ~ 5 对，椭圆形、长圆形或倒卵形，稀圆形，全缘，无毛。总状花序腋生，花序梗几不明显；2 ~ 4（~ 6）花簇生于叶腋；花萼钟形，萼齿披针形，下萼齿较长；花冠白色，具紫色脉纹及黑色斑晕，旗瓣中部两侧缢缩，翼瓣短于旗瓣，龙骨瓣短于翼瓣；子房线形，花柱密被柔毛，先端远轴面有 1 束髯毛。荚果肥厚，长 5 ~ 10 cm，宽 2 ~ 3 cm，幼时呈绿色，被柔毛，成熟后变为黑色；种子 2 ~ 4（~ 6），长方圆形，种皮革质，青绿色、灰绿色或棕褐色，稀呈紫色或黑色。花期 4 ~ 5 月，果期 5 ~ 6 月。

| 生境分布 | 生于田地中或田地旁。湖南各地均有分布。

| 资源情况 | 野生资源较少。栽培资源丰富。药材来源于栽培。

| 采收加工 | **蚕豆：**夏季果实成熟时拔取全株，晒干，打下种子，扬净后再晒干，或鲜用。

蚕豆壳：取蚕豆放水中浸透，剥取种皮，晒干；或剥取嫩蚕豆之种皮用。

蚕豆花：清明节前后开花时采收，晒干或烘干。

蚕豆叶：夏季采收，晒干。

| 药材性状 |

蚕豆：本品扁矩圆形，长 1.2 ~ 1.5 cm，直径约 1 cm，厚 7 mm。种皮表面浅棕褐色，光滑，微有光泽，两面凹陷；种脐位于较大端，褐色或黑褐色。质坚硬，内有子叶 2，肥厚，黄色。气微，味淡，嚼之有豆腥气。

蚕豆壳：本品略呈扁肾形或为不规则的碎片，较完整者长约 2 cm，直径 1.2 ~ 1.5 mm，外表面紫棕色，微有光泽，略凹凸不平，或具皱纹，一端有槽形黑色种脐，长约 10 mm，内表面颜色较淡。质硬而脆。气微，味淡。

蚕豆花：本品多皱缩，长 2 ～ 3 cm，黑褐色，常数朵着生于极短的总花梗上。萼筒钟状，紧贴花冠筒，先端 5 裂，裂片卵状披针形，不等长。花冠蝶形，旗瓣倒卵形，包裹着翼瓣和龙骨瓣，翼瓣中央具黑紫色大斑，龙骨瓣三角状半圆形并呈掌合状。气微香，味淡。以花朵整、无叶、无梗者为佳。

蚕豆叶：本品叶为羽状复叶，有小叶 2 ～ 6。叶轴先端有狭线形卷须；叶柄基部两侧有大而明显的半箭头状托叶。小叶多皱缩卷曲，完整者展平后呈椭圆形或广椭圆形，长 4 ～ 8 cm，宽 2.5 ～ 4 cm，先端圆钝，具细尖，基部楔形。质脆易碎。气微，味淡。

| 功能主治 |

蚕豆：甘、微辛，平。归脾、胃经。健脾利湿，解毒消肿。用于膈食，水肿，疮毒。

蚕豆壳：甘、淡，平。利水渗湿，止血，解毒。用于水肿，脚气，小便不利，吐血，胎漏下血，瘰疬。

蚕豆花：甘、涩，平。凉血止血，止带，降血压。用于咯血，吐血，便血，带下，高血压。

蚕豆叶：苦、微甘，温。止血，解毒。用于咯血，吐血，外伤出血，臁疮。

| 用法用量 |

蚕豆：内服煎汤，30 ～ 60 g；或研末。外用适量，捣敷；或烧灰敷。

蚕豆壳：内服煎汤，9 ～ 15 g。外用适量，煅存性，研末调敷。

蚕豆花：内服煎汤，6 ～ 9 g，鲜品 15 ～ 30 g；或捣汁；或蒸露。

蚕豆叶：内服捣汁，30 ～ 60 g。外用适量，捣敷。

豆科 Leguminosae 野豌豆属 *Vicia*

小巢菜 *Vicia hirsuta* (L.) S. F. Gray

| 药 材 名 | 小巢菜（药用部位：全草。别名：野蚕豆、元修菜）。

| 形态特征 | 一年生草本，攀缘或蔓生。茎柔细，有棱，近无毛。偶数羽状复叶末端卷须分枝；托叶线形，基部有 2 ~ 3 裂齿；小叶 4 ~ 8 对，线形或狭长圆形，先端平截，具短尖头，基部渐狭，无毛。总状花序明显短于叶；花萼钟形，萼齿披针形；花甚小，密集于花序轴先端；花冠白色、淡蓝青色或紫白色，稀粉红色，旗瓣椭圆形，先端平截且凹陷，翼瓣近勺形，与旗瓣近等长，龙骨瓣较短；子房无柄，密被褐色长硬毛，花柱上部四周被毛。荚果长圆状菱形，表皮密被棕褐色长硬毛；种子 2，扁圆形，两面凸出，种脐长相当于种子周长的 1/3。花果期 2 ~ 7 月。

| 生境分布 | 生于山沟、河滩、田边或路旁草丛。湖南各地均有分布。

| 资源情况 | 野生资源较丰富。

| 采收加工 | 春、夏季采收，鲜用或晒干。

| 功能主治 | 辛、甘，平。清热利湿，调经止血。用于黄疸，疟疾，月经不调，带下，鼻衄。

| 用法用量 | 内服煎汤，18 ~ 60 g。外用适量，捣敷。

豆科 Leguminosae 野豌豆属 *Vicia*

牯岭野豌豆 *Vicia kulingiana* Bailey

| 药材名 | 牯岭野豌豆（药用部位：全草）。

| 形态特征 | 多年生直立草本，高 70 ~ 80 cm。茎直立，有棱，无毛，质坚硬。偶数羽状复叶；托叶半箭头形或披针形，全缘或有锯齿；小叶 2 对，叶片卵状椭圆形或卵状披针形，长 3.5 ~ 8.5 cm，宽 1.7 ~ 3.5 cm；先端渐尖或长渐尖，基部楔形或阔楔形，全缘，无毛。总状花序腋生，长 3 ~ 8 cm，短于叶，有 10 余花，花下有明显的叶状苞片，稍长于花梗，基部近卵形，上部椭圆形，具细锯齿，被纤毛，不脱落；花萼钟状，长约 6 mm，无毛，萼齿三角状披针形；花冠蝶形，紫色至蓝色，旗瓣呈提琴形，先端圆，微凹，翼瓣与旗瓣等长，先端圆，龙骨瓣较小，具爪；雄蕊 10，二体；子房无毛，具柄，花柱上端具长柔毛。荚果斜长椭圆形或斜长方形，长 3.5 ~ 4.5 cm，宽 8 mm，

无毛；种子 1 ~ 5，近圆形、扁平，青褐色。花期 6 ~ 7 月，果期 7 ~ 9 月。

| 生境分布 | 生于海拔 200 ~ 1 200 m 的山谷竹林、湿地及草丛或沙地。分布于湖南衡阳（南岳）等。

| 资源情况 | 野生资源稀少。药材来源于野生。

| 采收加工 | 夏、秋季采收，晒干。

| 功能主治 | 清热，解毒，消积。用于咽喉肿痛，痈肿，疔疮，痔疮，食积不化。

| 用法用量 | 内服煎汤，9 ~ 30 g；或研末冲服，1.5 ~ 3 g。外用适量，捣敷。

豆科 Leguminosae 野豌豆属 *Vicia*

救荒野豌豆 *Vicia sativa* L.

| 药 材 名 | 大巢菜（药用部位：全草。别名：野豌豆）。

| 形态特征 | 一年生或二年生草本。茎斜升或攀缘，单一或多分枝，具棱，被微柔毛。偶数羽状复叶长 2 ~ 10 cm，卷须有 2 ~ 3 分枝；托叶戟形；小叶 2 ~ 7 对，长椭圆形或近心形，先端圆或平截，凹陷，具短尖头，基部楔形，侧脉不甚明显，两面被贴伏黄柔毛。花腋生，近无梗；萼钟形，外面被柔毛，萼齿披针形或锥形；花冠紫红色或红色，旗瓣长倒卵圆形，先端圆，微凹，中部两侧缢缩，翼瓣短于旗瓣，龙骨瓣短于翼瓣；子房线形，微被柔毛，花柱上部被淡黄白色髯毛。荚果线状长圆形，长 4 ~ 6 cm，成熟后呈黄色，种子间稍缢缩，有毛。花期 4 ~ 7 月，果期 7 ~ 9 月。

| 生境分布 | 生于山脚草地、路旁、灌丛中。湖南各地均有分布。

| 资源情况 | 野生资源较丰富。栽培资源较丰富。药材来源于野生和栽培。

| 采收加工 | 4 ~ 5 月采收，晒干或鲜用。

| 药材性状 | 本品茎具棱，单一或多分枝。羽状复叶互生，长椭圆形或近心形，先端圆或平截，凹陷，具短尖头，基部楔形，侧脉不甚明显，两面被贴伏黄柔毛。总状花序腋生，花冠紫红色或红色。荚果线状长圆形；种子呈略扁圆球形，直径 3 ~ 4 mm，表面黑棕色或黑色，种脐白色，质坚硬，破开后可见子叶 2，子叶大型，白色。气微，味淡，具豆腥气。

| 功能主治 | 甘、淡，平。益肾，利水，止血，止咳。用于肾虚腰痛，遗精，黄疸，水肿，疟疾，鼻衄，心悸，咳嗽痰多，月经不调，疮疡肿毒。

| 用法用量 | 内服煎汤，15 ~ 30 g。外用适量，捣敷；或煎汤洗。

豆科 Leguminosae 野豌豆属 *Vicia*

野豌豆 *Vicia sepium* L.

| 药 材 名 | 野豌豆（药用部位：全草）。

| 形态特征 | 一年生或二年生草本，高 30 ~ 100 cm。根茎匍匐；茎柔细，斜升或攀缘，具棱，疏被柔毛。偶数羽状复叶长 7 ~ 12 cm，叶轴先端卷须发达；托叶半戟形，有 2 ~ 4 裂齿；小叶 5 ~ 7 对，长卵状圆形或长圆状披针形，长 0.6 ~ 3 cm，宽 0.4 ~ 1.3 cm，先端钝或平截，微凹，有短尖头，基部圆形，两面被疏柔毛，下面较密。短总状花序，2 ~ 4（~ 6）花腋生；花萼钟状，萼齿披针形或锥形，短于萼筒；花冠红色、近紫色至浅粉红色，稀白色；子房线形，无毛，胚珠 5，子房柄短，柱头远轴面有 1 束黄髯毛。荚果宽，长圆状，近菱形，长 2.1 ~ 3.9 cm，宽 0.5 ~ 0.7 cm，成熟时呈亮黑色，先端具喙，微弯；种子 5 ~ 7，扁圆球形，表皮棕色，有斑，种脐长相当于种子

周长的 2/3。花期 6 月，果期 7 ～ 8 月。

| 生境分布 | 生于海拔 1 000 ～ 2 200 m 的山坡、林缘草丛。湖南各地均有分布。

| 资源情况 | 野生资源较丰富。栽培资源较丰富。药材来源于野生和栽培。

| 采收加工 | 夏季采收，晒干或鲜用。

| 功能主治 | 辛、甘，温。补肾调经，祛痰止咳。用于肾虚腰痛，遗精，月经不调，咳嗽痰多；外用于疔疮。

| 用法用量 | 内服煎汤，9 ～ 15 g。

豆科 Leguminosae 野豌豆属 *Vicia*

四籽野豌豆 *Vicia tetrasperma* (L.) Schreber

| 药 材 名 | 四籽野豌豆（药用部位：全草）。

| 形态特征 | 一年生草本。茎纤细、柔软，有棱，多分枝，微被柔毛。偶数羽状复叶长 2 ~ 4 cm，卷须通常无分枝；托叶箭头形或半三角形；小叶 2 ~ 6 对，长圆形或线形，先端圆，具短尖头，基部楔形。总状花序，花甚小；花萼斜钟状，萼齿三角状卵形；花冠淡蓝色或紫白色，旗瓣长圆状倒卵形，翼瓣与龙骨瓣近等长；子房长圆形，有柄，胚珠 4，花柱上部四周被毛。荚果长圆形，长 0.8 ~ 1.2 cm，棕黄色，近革质，具网纹；种子 4，扁圆形，褐色。花期 3 ~ 6 月，果期 6 ~ 8 月。

| 生境分布 | 生于山谷或阳坡草地。湖南各地均有分布。

| 资源情况 | 野生资源较丰富。栽培资源较丰富。药材来源于野生。

| 采收加工 | 夏季采收，洗净，鲜用或晒干。

| 药材性状 | 本品茎纤细、柔软，有棱，多分枝，微被柔毛。羽状复叶互生，卷须通常无分枝；托叶箭头形或半三角形；小叶长圆形或线形，先端圆，具短尖头，基部楔形。总状花序腋生；花萼斜钟状；花冠淡蓝色或紫白色。荚果长圆形，棕黄色，近革质，具网纹；种子 4，扁圆形，褐色。气微，味淡。

| 功能主治 | 甘、辛，平。解毒疔疮，活血调经，明目定眩。用于疔疮，痈疽，痔疮，月经不调，眼目昏花，眩晕，耳鸣。

| 用法用量 | 内服煎汤，15 ~ 60 g。外用适量，捣敷。

豆科 Leguminosae 野豌豆属 *Vicia*

歪头菜 *Vicia unijuga*

| 药材名 | 歪头菜（药用部位：全草）。

| 形态特征 | 多年生草本。茎丛生，具棱，嫩时疏被柔毛，老时无毛。叶轴先端具细刺尖，偶见卷须；托叶戟形或近披针形，边缘有不规则齿；小叶 1 对，卵状披针形或近菱形，先端尾状渐尖，基部楔形，边缘呈小齿状，两面均疏被微柔毛。总状花序单一，稀有分枝呈复总状花序，明显长于叶，有密集的花 8 ~ 20；花萼紫色，斜钟状或钟状，无毛或近无毛；花冠蓝紫色、紫红色或淡蓝色，旗瓣中部两侧缢缩，呈倒提琴形，龙骨瓣短于翼瓣；子房无毛，胚珠 2 ~ 8，具子房柄，花柱上部四周被毛。荚果扁，长圆形，长 2 ~ 3.5 cm，无毛，棕黄色，近革质。花期 6 ~ 7 月，果期 8 ~ 9 月。

| 生境分布 | 生于山地、林缘、草地、沟边或灌丛。湖南各地均有分布。

| 资源情况 | 野生资源较丰富。药材来源于野生。

| 采收加工 | 夏、秋季采收，洗净，切段，晒干。

| 药材性状 | 本品茎断面被淡黄色柔毛。叶呈碎片状，完整叶片卵形或菱状椭圆形，两面近无毛。

| 功能主治 | 甘，平。补虚调肝，理气止痛，清热利尿。用于头晕，体虚水肿，胃痛，疔疮。

| 用法用量 | 内服煎汤，9 ~ 30 g。外用适量，捣敷。

豆科 Leguminosae 豇豆属 *Vigna*

赤豆 *Vigna angularis* (Willd.) Ohwi

| 药 材 名 | 赤小豆（药用部位：种子）。

| 形态特征 | 一年生直立草本，高 30 ～ 90 cm。茎上有白色长硬毛。三出复叶；托叶披针形，被白色长柔毛，小托叶线形；叶柄长达 20 cm，被稀疏长毛；顶生小叶卵形，侧生小叶斜方状卵形，长 5 ～ 10 cm，宽 3.5 ～ 7 cm，先端短尖或渐尖，基部三角形或近圆形，全缘或微 3 裂，两面被稀疏长毛；小叶柄短，基出脉 3。2 ～ 6 花着生于腋生的总花梗顶部，黄色；小苞片线形，较萼长；萼钟状，5 齿裂，萼齿三角形；雄蕊 10，分成 9 与 1 二体；子房线形，花柱弯曲，近先端有毛。荚果圆柱形，稍扁，成熟时种子间缢缩，含种子 6 ～ 10；种子长圆形，两端平截或近钝圆，暗红色，种脐白色，不凹。花期 7 ～ 8 月，果期 8 ～ 9 月。

| 生境分布 | 生于山地、林缘、草地、沟边或灌丛。湖南各地均有分布。

| 资源情况 | 野生资源较丰富。栽培资源较丰富。药材主要来源于栽培。

| 采收加工 | 秋季果实成熟而未开裂时拔取全株，晒干，打下种子，除去杂质，再晒干。

| 药材性状 | 本品呈长圆形，两端平截或近钝圆，直径 4 ～ 6 mm。表面暗棕红色，有光泽，种脐不凸起，偏向一端，白色，种脐长约为种子长的 2/3，中央凹陷成纵沟，另一侧有 1 不明显的种脊。质坚硬，不易破碎。种皮薄而脆，子叶 2，乳白色，肥厚，胚根细长，弯向一端。气微，味微甘，嚼之有豆腥气。

| 功能主治 | 甘、酸，平。归心、小肠经。利水消肿，解毒排脓。用于水肿胀满，脚气，黄疸，尿赤，风湿热痹，痈肿疮毒，肠痈腹痛。

| 用法用量 | 内服煎汤，9 ～ 30 g。外用适量，研末调敷。

豆科 Leguminosae 豇豆属 *Vigna*

贼小豆 *Vigna minima* (Roxb.) Ohwi et Ohashi

| 药材名 |

贼小豆（药用部位：种子。别名：山绿豆）。

| 形态特征 |

一年生缠绕草本。茎纤细，无毛或被疏毛。羽状复叶具 3 小叶；托叶披针形，长约 4 mm，盾状着生，被稀疏硬毛；小叶的形状和大小变化颇大，卵形、卵状披针形、披针形或线形，长 2.5 ～ 7 cm，宽 0.8 ～ 3 cm，先端急尖或钝，基部圆形或宽楔形，两面近无毛或被极稀疏的糙伏毛。总状花序柔弱，总花梗远长于叶柄，通常有花 3 ～ 4；小苞片线形或线状披针形；花萼钟状，长约 3 mm，具不等大的 5 齿，裂齿被硬缘毛；花冠黄色。荚果圆柱形，长 3.5 ～ 6.5 cm，宽 4 mm，无毛，开裂后旋卷；种子 4 ～ 8，长圆形，长约 4 mm，宽约 2 mm，深灰色，种脐线形，凸起，长 3 mm。花果期 8 ～ 10 月。

| 生境分布 |

生于旷野、草丛或灌丛中。湖南各地均有分布。

| 资源情况 |

野生资源较丰富。药材来源于野生。

| 采收加工 | 秋季果实成熟而未开裂时拔取全株，晒干，打下种子，除去杂质，再晒干。

| 功能主治 | 清湿热，利尿，消肿。

| 用法用量 | 内服煎汤，15 ~ 30 g。外用适量，研末调敷。

豆科 Leguminosae 豇豆属 *Vigna*

绿豆 *Vigna radiata* (L.) Wilczek

| 药 材 名 | 绿豆（药用部位：种子）。

| 形态特征 | 一年生直立或先端微缠绕草本，高约 60 cm，被短褐色硬毛。叶为三出复叶，互生；叶柄长 9 ~ 12 cm；小叶 3，叶片阔卵形至菱状卵形，侧生小叶偏斜，长 6 ~ 10 cm，宽 2.5 ~ 7.5 cm，先端渐尖，基部圆形、楔形或截形，两面疏被长硬毛；托叶阔卵形，小托叶线形。总状花序腋生，总花梗短于叶柄或与叶柄近等长；苞片卵形或卵状长椭圆形，有长硬毛；花绿黄色；萼斜钟状，萼齿 4，最下面 1 齿最长，近无毛；旗瓣肾形，翼瓣有渐窄的爪，龙骨瓣的爪截形，其中 1 龙骨瓣有角；雄蕊 10，二体；子房无柄，密被长硬毛。荚果圆柱形，长 6 ~ 8 cm，宽约 6.5 mm，成熟时呈黑色，被疏褐色长硬毛；种子绿色或暗绿色，长圆形。花期 6 ~ 7 月，果期 8 月。

| 生境分布 | 生于山地、丘陵、田野、草地等。湖南各地均有分布。

| 资源情况 | 野生资源较少。栽培资源丰富。药材来源于栽培。

| 采收加工 | 立秋后种子成熟时采收，拔取全株，晒干，打下种子，簸净杂质。

| 药材性状 | 本品呈短矩状圆形，长 4 ~ 6 mm。表面绿黄色、暗绿色或绿棕色，光滑而有光泽。种脐位于种子的一侧，白色，条形，长度约为种子长的 1/2。种皮薄而坚韧，剥离后露出淡黄绿色或黄白色、肥厚的子叶 2。气微，嚼之具豆腥气。

| 功能主治 | 甘，寒。归心、肝、胃经。清热，消暑，利水，解毒。用于暑热烦渴，感冒发热，霍乱吐泻，痰热咳喘，头痛目赤，口舌生疮，水肿尿少，疮疡痈肿，风疹丹毒，药物或食物中毒。

| 用法用量 | 内服煎汤，15 ~ 30 g，大剂量可用 120 g；或研末；或绞汁。外用适量，研末调敷。

豆科 Leguminosae 豇豆属 *Vigna*

赤小豆 *Vigna umbeuagta* Ohwi et Ohashi

| 药材名 |

赤小豆（药用部位：种子）。

| 形态特征 |

一年生半攀缘草本。茎长可达 1.8 m，密被倒毛。三出复叶；叶柄长 8 ~ 16 cm；托叶披针形或卵状披针形；小叶 3，披针形或长圆状披针形，长 6 ~ 10 cm，宽 2 ~ 6 cm，先端渐尖，基部阔三角形或近圆形，全缘或具 3 浅裂，两面均无毛，纸质，具柄，脉 3 出。总状花序腋生，小花多枚，花梗极短；小苞片 2，披针状线形，长约 5 mm，具毛；萼短钟状，萼齿 5；花冠蝶形，黄色，旗瓣肾形，顶面中央微凹，基部心形，翼瓣斜卵形，基部具渐狭的爪，龙骨瓣狭长，有角状突起；雄蕊 10，二体，花药小；子房上位，密被短硬毛，花柱线形。荚果线状扁圆柱形；种子 6 ~ 10，暗紫色，长圆形，两端圆形，有直而凹陷的种脐。花期 5 ~ 8 月，果期 8 ~ 9 月。

| 生境分布 |

生于山地、丘陵、田野。湖南各地均有分布。

| 资源情况 | 野生资源丰富。栽培资源丰富。药材来源于栽培。

| 采收加工 | 秋季果实成熟而未开裂时拔取全株，晒干，打下种子，除去杂质，再晒干。

| 药材性状 | 本品呈圆柱形而略扁，两端稍平截或圆钝，长 5 ～ 7 mm，直径 3 ～ 5 mm。表面紫红色或暗红棕色，平滑，稍具光泽或无光泽，一侧有线形凸起的种脐，偏向一端，白色，种脐长约为种子长的 2/3，中央凹陷成纵沟，另一侧有不明显的种脊。质坚硬，不易破碎。种皮薄而脆，子叶 2，乳白色，肥厚，胚根细长，弯向一端。气微，味微甘，嚼之有豆腥气。

| 功能主治 | 甘、酸，平。归心、小肠经。利水消肿，退黄，清热解毒，消痈。用于水肿，脚气，黄疸，淋病，便血，疮疡肿毒，癣疹。

| 用法用量 | 内服煎汤，9 ～ 30 g。外用适量，研末调敷。

豆科 Leguminosae 豇豆属 *Vigna*

豇豆 *Vigna unguiculata* (L.) Walp.

| 药 材 名 |

豇豆（药用部位：种子）。

| 形态特征 |

一年生缠绕草本。茎无毛或近无毛。叶为三出复叶，互生；顶生小叶菱状卵形，长 5 ~ 13 cm，宽 4 ~ 7 cm，先端急尖，基部近圆形或宽楔形，两面无毛，侧生小叶稍小，斜卵形；托叶菱形，长约 1 cm，着生处下延成 1 短距。总状花序腋生，花序较叶短，着生 2 ~ 3 花；小苞片匙形，早落；萼钟状，萼齿 5，三角状卵形，无毛；花冠蝶形，淡紫色或带黄白色，旗瓣、翼瓣有耳，龙骨瓣无耳；雄蕊 10；子房无柄，被短柔毛，花柱顶部里侧有淡黄色髯毛。荚果条形，下垂，长 20 ~ 30 cm，宽小于 1 cm，稍肉质而柔软；种子多数，肾形或球形，褐色。花期 6 ~ 9 月，果期 8 ~ 10 月。

| 生境分布 |

生于山地、丘陵、田野、草地等。湖南各地均有分布。

| 资源情况 |

栽培资源丰富。药材来源于栽培。

| **采收加工** | 秋季果实成熟后采收，晒干，打下种子。

| **功能主治** | 甘，平。归脾、肾经。健脾利湿，补肾涩精。用于脾胃虚弱，泄泻，痢疾，吐逆，消渴，肾虚腰痛，遗精，带下，白浊，小便频数。

| **用法用量** | 内服煎汤，30 ~ 60 g；或煮食；或研末，6 ~ 9 g。外用适量，捣敷。

豆科 Leguminosae 豇豆属 *Vigna*

短豇豆 *Vigna unguiculata* (L.) Walp. subsp. *cylindrica* (L.) Verdc.

| 药 材 名 | 短豇豆（药用部位：种子）。

| 形态特征 | 一年生直立草本，高 20 ～ 40 cm。羽状复叶具 3 小叶；托叶披针形，长约 1 cm，着生处下延成 1 短距，有线纹；小叶卵状菱形，长 5 ～ 15 cm，先端急尖，全缘或近全缘，淡紫色，无毛。总状花序腋生，具长梗，2 ～ 6 花聚生于花序先端；花萼浅绿色，钟状；花冠黄白色微带青紫色；子房线形，被毛。荚果线形，长 5 ～ 16 cm，直立或开展，稍肉质而膨胀或坚实；种子长椭圆形、圆柱形或肾形，黄白色、暗红色或其他颜色。花期 7 ～ 9 月，果期 8 ～ 10 月。

| 生境分布 | 生于岗地、丘陵岗地、低山。分布于湖南长沙（长沙）、邵阳（邵阳）、常德（安乡）、永州（新田）、怀化（中方）等。

| 资源情况 | 野生资源较少。药材来源于野生。

| 采收加工 | 秋季采摘成熟荚果，取出种子，晒干。

| 功能主治 | 补中益气，健脾益肾。用于脾胃失调，肾病，水肿。

| 用法用量 | 内服煎汤，30 ~ 60 g；或煮食。

豆科 Leguminosae 豇豆属 *Vigna*

长豇豆 *Vigna unguiculata* (L.) Walp. ssp. *sesquipedalis* (L.) Verdc.

| 药 材 名 |

长豇豆（药用部位：种子）。

| 形态特征 |

一年生草本。茎直立、半直立、匍匐和蔓生缠绕。三出复叶互生；叶柄长，无毛，基部有 1 对长 1 ~ 1.8 cm 的小托叶；叶片具略呈菱形的小柄，全缘或有不明显的角，基部阔楔形或圆形，先端渐尖锐，叶表面光滑无毛，叶长 7 ~ 14 cm，具卵状披针形的小托叶。总状花序腋生，白色或淡紫色，龙骨瓣弓形或弯曲，先端钝圆或具喙，但不具螺旋状卷曲；雌蕊花柱细长，呈线形，柱头倾斜，其下方有茸毛；花梗基部有 3 苞叶；萼片上无毛，有皱纹，裂片小，呈尖锐三角形。荚果长圆筒形，稍弯曲，先端厚而钝，直立向上或下垂，长约 30 cm，成熟时呈黄白色、黄橙色、浅红色、褐色或紫色；种子呈肾形、椭圆形、圆柱形或球形。花期 7 ~ 8 月，果期 8 ~ 9 月。

| 生境分布 |

生于山地、丘陵、田野、草地等。湖南各地均有分布。

| 资源情况 | 长豇豆又名豆角，营养丰富，适应性强，栽培范围广，是我省夏、秋季节主要蔬菜之一。

| 采收加工 | 秋季果实成熟时采收，剥取种子，晒干。

| 功能主治 | 甘，平。健胃，补气。用于食欲不振。

| 用法用量 | 内服煎汤，30 ~ 60 g；或煮食；或研末，6 ~ 9 g。

豆科 Leguminosae 豇豆属 *Vigna*

野豇豆 *Vigna vexillata* (L.) Benth.

| 药 材 名 | 野豇豆根（药用部位：根）。

| 形态特征 | 多年生攀缘或蔓生草本。根纺锤形，木质。茎幼时被开展的棕色刚毛，老时渐无毛。羽状复叶具 3 小叶；托叶卵形至卵状披针形，基部心形或耳状，被缘毛；小叶膜质，形状变化较大，卵形至披针形，先端急尖或渐尖，基部圆形或楔形，通常全缘，少数微具 3 裂片，两面被棕色或灰色柔毛；叶柄长 1 ～ 11 cm。花序腋生，2 ～ 4 花生于花序轴顶部，花序近伞形，总花梗长 5 ～ 20 cm；花萼被棕色或白色刚毛，稀无毛，裂片线形或线状披针形，上方的 2 裂片基部合生。荚果直立，线状圆柱形，长 4 ～ 14 cm，宽 2.5 ～ 4 mm，被刚毛；种子 10 ～ 18，浅黄色至黑色，无斑点，或棕色至深红色而有黑色斑点，长圆形或长圆状肾形，长 2 ～ 4.5 mm。花期 7 ～ 9 月。

| 生境分布 | 生于山地、林地、路旁和草丛中。湖南各地均有分布。

| 资源情况 | 野生资源较丰富。栽培资源较少。药材来源于野生。

| 采收加工 | 秋季采挖，除去茎基、须根和泥土，晒干。

| 功能主治 | 苦，寒。清热解毒，消肿止痛，利咽喉。用于风火牙痛，咽喉肿痛，腮腺炎，疮疖，小儿麻疹余毒不尽，胃痛，腹胀，便秘，跌打肿痛，骨折。

| 用法用量 | 内服煎汤，9 ~ 15 g。外用鲜品适量，捣敷。

豆科 Leguminosae 紫藤属 *Wisteria*

紫藤 *Wisteria sinensis* (Sims) Sweet

| 药 材 名 | 紫藤（药用部位：茎或茎皮）。

| 形态特征 | 落叶攀缘灌木，高达 10 m。茎粗壮，分枝多，茎皮灰黄褐色。奇数羽状复叶互生，长 12 ~ 40 cm，有长柄，叶轴被疏毛；小叶 7 ~ 13，叶片卵形或卵状披针形，长 4 ~ 11 cm，宽 2.5 cm，先端渐尖，基部圆形或宽楔形，全缘，幼时两面有白色疏柔毛；小叶柄被短柔毛。总状花序侧生，下垂，长 15 ~ 30 cm，花大，长 2.5 ~ 4 cm；花萼钟状，先端浅裂，萼齿 5，上部萼齿不明显，疏生柔毛；花冠蝶形，紫色或深紫色，旗瓣大，外反，基部有 2 附属体，翼瓣基部有耳，龙骨瓣钝，镰状，先端微弯；雄蕊 10，二体；花柱内弯，柱头顶生，半球状。荚果长条形，扁平，长 10 ~ 20 cm，密生黄色绒毛；种子1 ~ 3，扁圆形。花期 4 ~ 5 月，果期 9 ~ 11 月。

| 生境分布 | 生于山坡、疏林、溪谷旁、空旷草地，也栽培在庭园内。湖南各地均有分布。

| 资源情况 | 野生资源一般。栽培资源较丰富。药材来源于野生和栽培。

| 采收加工 | 夏季采收茎或茎皮，晒干。

| 功能主治 | 甘、苦，微温；有小毒。利水，除痹，杀虫。用于水癃病，水肿，关节疼痛，肠寄生虫病。

| 用法用量 | 内服煎汤，9 ~ 15 g。